「十三五」国家重点出版物出版规划项目

国家出版基金项目
NATIONAL PUBLICATION FOUNDATION

中国中药资源大典

中国中药资源大典

湖南卷

8

黄璐琦 / 总主编

张水寒　刘　浩 / 湖南卷主编

杨　华　谢　景　张代贵 / 主编

北京科学技术出版社

图书在版编目（CIP）数据

中国中药资源大典. 湖南卷. 8 / 杨华, 谢景, 张代贵主编. -- 北京：北京科学技术出版社, 2024. 6.
ISBN 978-7-5714-3955-2

Ⅰ. R281.4

中国国家版本馆CIP数据核字第2024DB6433号

责任编辑：侍 伟 李兆弟 尤竞爽 王治华 吕 慧 庞璐璐 刘 雪
责任校对：贾 荣
图文制作：樊润琴
责任印制：李 茗
出 版 人：曾庆宇
出版发行：北京科学技术出版社
社 址：北京西直门南大街16号
邮政编码：100035
电 话：0086-10-66135495（总编室） 0086-10-66113227（发行部）
网 址：www.bkydw.cn
印 刷：北京博海升彩色印刷有限公司
开 本：889 mm × 1 194 mm 1/16
字 数：898千字
印 张：40.5
版 次：2024年6月第1版
印 次：2024年6月第1次印刷
审 图 号：GS京（2023）1758号
ISBN 978-7-5714-3955-2

定 价：490.00元

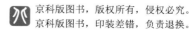

《中国中药资源大典·湖南卷》

编写委员会

<table>
<tr><td>总　主　编</td><td colspan="2">黄璐琦</td></tr>
<tr><td>顾　　　问</td><td colspan="2">邵湘宁　郭子华　肖文明　蔡光先　谭达全　秦裕辉　葛金文</td></tr>
<tr><td>主　　　编</td><td colspan="2">张水寒　刘　浩</td></tr>
<tr><td>技术牵头单位</td><td colspan="2">湖南省中医药研究院</td></tr>
<tr><td>普查队依托单位</td><td colspan="2">（按拼音排序）</td></tr>
<tr><td></td><td>安化县中医医院</td><td>安仁县中医医院</td></tr>
<tr><td></td><td>安乡县中医医院</td><td>保靖县中医院</td></tr>
<tr><td></td><td>茶陵县中医医院</td><td>长沙市中医医院</td></tr>
<tr><td></td><td>长沙县中医医院</td><td>常德市第二中医医院</td></tr>
<tr><td></td><td>常德市第一中医医院</td><td>常宁市中医医院</td></tr>
<tr><td></td><td>郴州市中医医院</td><td>辰溪县中医医院</td></tr>
<tr><td></td><td>城步苗族自治县中医医院</td><td>慈利县中医医院</td></tr>
<tr><td></td><td>道县中医医院</td><td>东安县中医医院</td></tr>
<tr><td></td><td>洞口县中医医院</td><td>凤凰县民族中医院</td></tr>
<tr><td></td><td>古丈县中医医院</td><td>桂东县中医医院</td></tr>
<tr><td></td><td>桂阳县中医医院</td><td>汉寿县中医医院</td></tr>
<tr><td></td><td>赫山区中医医院</td><td>衡东县中医医院</td></tr>
<tr><td></td><td>衡南县中医医院</td><td>衡山县中医医院</td></tr>
<tr><td></td><td>衡阳市中医医院</td><td>衡阳市中医正骨医院</td></tr>
<tr><td></td><td>衡阳县中医医院</td><td>洪江市第一中医医院</td></tr>
<tr><td></td><td>湖南省直中医医院</td><td>湖南医药学院</td></tr>
<tr><td></td><td>湖湘中医肿瘤医院</td><td>华容县中医医院</td></tr>
<tr><td></td><td>花垣县民族中医院</td><td>会同县中医医院</td></tr>
</table>

嘉禾县中医医院	江华瑶族自治县民族中医医院
江永县中医院	津市市中医医院
靖州苗族侗族自治县中医医院	蓝山县中医医院
耒阳市中医医院	冷水江市中医医院
澧县中医医院	醴陵市中医院
涟源市中医医院	临澧县中医医院
临武县中医医院	临湘市中医医院
零陵区中医医院	浏阳市中医医院
龙山县中医院	隆回县中医医院
娄底市中医医院	泸溪县民族中医院
渌口区淦田镇中心卫生院	麻阳苗族自治县中医医院
汨罗市中医医院	南县中医医院
宁乡市中医医院	宁远县中医医院
平江县中医医院	祁东县中医医院
祁阳市中医医院	汝城县中医医院
桑植县民族中医院	邵东市中医医院
邵阳市中西医结合医院	邵阳市中医医院
邵阳县中医医院	韶山市人民医院
石门县中医医院	双峰县中医医院
双牌县中医医院	绥宁县中医医院
桃江县中医医院	桃源县中医医院
通道侗族自治县民族中医医院	望城区人民医院
武冈市中医医院	湘潭市中医医院
湘潭县中医医院	湘乡市中医医院
湘阴县中医医院	新化县中医医院
新晃侗族自治县中医医院	新宁县中医医院
新邵县中医医院	新田县中医医院

溆浦县中医医院	炎陵县中医医院
宜章县中医医院	益阳市中医医院
永顺县中医院	永兴县中医医院
永州市中医医院	攸县中医院
沅江市中医医院	沅陵县中医医院
岳阳市中医医院	岳阳县中医医院
云溪区中医医院	张家界市中医医院
芷江侗族自治县中医医院	资兴市中医医院

主编简介

>> 张水寒

二级研究员，博士研究生导师。享受国务院政府特殊津贴专家、享受湖南省政府特殊津贴专家、湖南省卫生健康高层次人才医学学科领军人才，入选国家"百千万人才工程"，并被授予"有突出贡献中青年专家"荣誉称号。主要从事中药资源、中药制剂及中药质量标准方面的研究。

近10年来，主持和参与"重大新药创制"、国家自然科学基金、"十二五"国家科技支撑计划等20余项课题。获得新药证书12项、药物临床批件22项、国家发明专利13项。发表学术论文200余篇，其中以第一作者和通讯作者发表SCI论文30余篇，编写专著7部。获得国家科学技术进步奖二等奖1项、省部级奖励5项。

2011年以来，担任湖南省第四次全国中药资源普查技术总负责人、湖南省中药资源动态监测省级中心主任，主持建立"技术分层、突出量化、严把质控"的中药资源普查组织管理与技术保障模式；开展重点品种研究示范，大力推动普查成果转化、应用。

主编简介

>> 刘 浩

副研究员。湖南省中医药研究院中药资源研究所中药资源与鉴定研究室主任。主要从事中药资源、中药鉴定与本草学研究。

历任湖南省中药资源普查工作领导小组办公室成员、专家委员会委员、专家委员会办公室副主任，负责湖南省第四次全国中药资源普查组织管理与技术保障工作的具体实施，采集、鉴定普查标本近10万号，参与建成湖南省中药资源数据库、药用植物标本馆，熟悉湖南省中药资源基本情况及道地药材传承与发展的情况，编制省级、县级中药材产业发展规划10余份。2014年起任湖南省中药资源动态监测省级中心秘书，参与建成"一个中心，三个监测站，百个监测点"的湖南省中药资源动态监测与技术服务体系。

《中国中药资源大典·湖南卷 8》
编写委员会

主　　编　杨　华　谢　景　张代贵

副 主 编　肖云花　唐雪阳　杨　磊　黄　勇　张梦华

编　　委　（按姓氏笔画排序）

包　晴（湖南中医药大学第一附属医院）

杨　华（湖南农业大学）

杨　博（湖南农业大学）

杨　磊（湖南中医药大学第一附属医院）

肖云花（湖南农业大学）

沈冰冰（湖南省中医药研究院）

张代贵（吉首大学）

张梦华（吉首大学）

陈　林（湖南省中医药研究院）

陈红霞（湖南省中医药研究院）

周旭晴（湖南中医药大学第一附属医院）

姜利红（湖南农业大学）

郭　纯（湖南中医药大学第一附属医院）

唐雪阳（湖南省中医药研究院）

黄　勇（湖南农业大学）

黄晴悦（湖南省中医药研究院）

董　焕（湖南中医药大学第一附属医院）

谢　景（湖南省中医药研究院）

蓝文娣（湖南农业大学）

廖晓珊（株洲市农业科学研究所）

谭亚晴（湖南省中医药研究院）

序 言

　　中药资源是中医药事业和产业发展的重要物质基础。随着中医药事业和产业蓬勃发展，社会各界对中药资源的需求量逐渐增加。为摸清中药资源家底，科学制定中药资源保护和产业发展政策措施，国家中医药管理局组织实施了第四次全国中药资源普查，对促进中药资源可持续利用、助力健康中国行动的实施和区域社会经济发展做出了重要贡献。

　　湖南地处云贵高原向江南丘陵、南岭山脉向江汉平原过渡的地带，属大陆性亚热带季风湿润气候区，独特的地理环境孕育了丰富的中药资源。锦绣潇湘，物华天宝，人杰地灵。湖南省作为首批6个中药资源普查试点省区之一，由湖南省中医药研究院作为技术牵头单位，组织全省技术人员队伍，出色地完成了湖南第四次中药资源普查工作任务。

　　张水寒和刘浩两位"伙计"基于湖南中药资源普查获得的第一手调查资料，系统整理分析、总结普查成果，牵头主编了《中国中药资源大典·湖南卷》。该书既有湖南自然社会概况、中药资源种类等总体情况介绍，又有湖南特色中药资源的历史源流与生产现状阐述，还对4 196种中药资源的基本情况进行详细介绍。该书可作为认识和了解湖南中药资源的工具书，具有重要的学术价值和应用价值。希望该书的出版，能助力湖南中药产业高质量发展，为中药资源的可持续发展、优化中药产业布局、促进学术交流和科学研究起到积极推动作用。

付梓之际，欣然为序。

中国工程院院士

中国中医科学院院长

第四次全国中药资源普查技术指导专家组组长

2024 年 4 月

前　言

　　湖南地处云贵高原向江南丘陵过渡、南岭山脉向江汉平原过渡的中亚热带，位于东经 108° 47′ ～ 114° 15′、北纬 24° 38′ ～ 30° 08′。东以幕阜、武功诸山系与江西交界，西以云贵高原东缘连贵州，西北以武陵山脉毗邻重庆，南枕南岭与广东、广西相邻，北以滨湖平原与湖北接壤，形成了东、南、西三面环山，中部丘岗起伏，北部湖盆平原展开的马蹄形地形。湖南有半高山、低山、丘陵、岗地和平原等多种地貌类型，其中山地面积占全省总面积的 51.22％。湖南位于长江以南的东亚季风区，加之离海洋较远，形成了气候温暖、四季分明、热量充足、雨水集中、春温多变、夏秋多旱、严寒期短、暑热期长、雨热同期的亚热带季风湿润气候。湖南为华东、华中、华南、滇黔桂 4 个植物区系的过渡地带，其境内植物具有较明显的东西、南北过渡性。地带性植被为常绿阔叶林，地带性土壤为红壤。湖南亚热带季风的大气候与复杂地势地貌的小环境，共同孕育了丰富的中药资源。

　　湖南历史文化悠久，是华夏文明的重要发祥地之一。道县玉蟾岩遗址出土了世界上现存最早的人工栽培稻标本，距今 1.2 万年。澧县城头山古文化遗址被称为"中国最早的城市"，距今约 6 000 年。宋代罗泌《路史》载炎帝"崩，葬长沙茶乡之尾……唐世尝奉祀焉"。《古今图书集成·衡州府古迹考》载："炎帝神农氏陵，在酃之康乐乡。""康乐乡"即今株洲市炎陵县鹿原镇。长沙马王堆汉墓出土的 16 部医书涉及方剂学、脉学、经络学等多门学科，代表了我国先秦时期的医药成就，其中《五十二病方》是我国现存最早的方书。

湖南中药资源的研究与应用历史悠久。马王堆汉墓出土的药材有桂皮、花椒、干姜、藁本、佩兰、辛夷、牡蛎、朱砂等，出土医书中的中药名共406个。《新唐书·地理志》载："岳州巴陵郡贡鳖甲，潭州长沙郡贡木瓜，永州零陵郡贡零陵香、石蜜、石燕，道州江华郡贡零陵香、犀角，辰州泸溪郡贡光明砂、犀角、水银、黄连、黄牙……锦州卢阳郡贡光明丹砂、犀角、水银。"唐代柳宗元《捕蛇者说》云："永州之野产异蛇，黑质而白章。"此即常用中药蕲蛇。宋代苏颂等编撰的《本草图经》，实际上是继《新修本草》后本草史上第二次全国药物普查的成果，集中反映了宋代实际的药物出产与使用情况，该书收载了当时湖南境内8州的28幅药图，包括辰州丹砂、道州石钟乳、道州滑石、道州石南、永州石燕、衡州菖蒲、衡州玄参、衡州栝楼、衡州地榆、衡州百部、衡州马鞭草、衡州五加皮、衡州乌药、澧州莎草、邵州苦参、邵州天麻、邵州乌头、鼎州茅根、鼎州连翘、鼎州地芙蓉、鼎州水麻、岳州假苏、岳州薄荷等。清代吴其濬所著《植物名实图考》收载的湖南药用植物达267种。明清之际，湖南各府县广泛修著地方志，并在"物产"中记载本地所产药材，如清道光《宝庆府志》（1849）与光绪《邵阳县志》（1876）均记载："百合，邵阳出者特大而肥美。"清末《邵阳县乡土志》（1907）载："玉竹参一名葳蕤，又名女萎，近谷皮洞多产此。"并载邵阳常见中药材尚有黄精、香附子、金樱子、栀子、金银花、桑白皮、厚朴、丹皮、天花粉、天南星、何首乌、前胡、桔梗、牛膝、五倍子、络石藤、吴茱萸、木通、车前草、香薷、木鳖子等。

中华人民共和国成立以来，党和政府高度重视中医药的传承与发展。湖南先后开展了4次全省范围的中药资源调查工作，掌握了全省中药资源的种类、分布、产量与民间药用情况的本底资料。20世纪50年代末，湖南开展了"群众性的中医采风运动"，全省献方达数十万个，湖南中医药研究所（1957年创办，1962年更名为湖南省中医药研究所，1984年更名为湖南省中医药研究院）组织专家对献方进行了研究，为各地挖掘使用中药资源奠定了坚实的基础。20世纪60—70年代，湖南开始兴起中草药群众运动。为了更好地开展中草药群众运动，湖南省中医药研究所对基层医疗工作者、赤脚医生、老药农、老草医与地方卫生局、药品检验所、医药公司提供的大量标本和资料进行了整理与鉴定，系统地梳理了这一时期湖南中药资源的种类和应用情况。1962年，湖南省中医药研究所出版了《湖南药物志（第一辑）》，该书收载药用植物 417 种。1972 年，《湖南药物志（第二辑）》出版，收载药用植物 406 种。1979 年，《湖南药物志（第三辑）》出版，收载药用植物 341 种。20 世纪 80 年代，湖南第三次中药资源普查正式开始，此次普查共采集植物、动物、矿物标本 298 785 份，拍摄照片 13 457 张，调查到全省中药资源种类 2 384 种，其中植物药 2 077 种，动物药 256 种，矿物药 51 种；全国重点调查的 363 种药材中，湖南产 241 种；测算全省植物药蕴藏量 107.8 万 t，动物药蕴藏量 1 306 t，矿物药蕴藏量 1 147 万 t；共收集单验方 25 355 个，经各地（州、市）筛选汇编的有 8 000 多个，经名老中医严格审查选用的有 2 400 余个，这 2 400 余个单验方编成了《湖南省中草药民间单验方选编》。

2011 年，第四次全国中药资源普查试点工作启动。湖南作为首批 6 个试点省区之一率先启动普查工作，历时 11 年，先后分 6 批，进行了全省 122 个县级行政区域的中药资源普查工作。湖南本次普查共调查代表区域 550 个，代表区域总面积 149 101.03 km^2；调查样地 4 598 个，样方套 22 904 个；采集腊叶标本 116 443 号、药材样品 10 204 份、种质资源 5 913 份；调查传统知识 1 252 份；拍摄照片 1 519 340 张；计算蕴藏量的种类 584 种；调查栽培品种 160 种、市场流通中药材 479 种；调查数据约 210 万条。本次普查全面掌握了湖南中药资源种类与分布、重点品种的资源量、中药材市场流通等信息，为湖南中医药事业、产业发展提供了科学依据。

湖南第四次中药资源普查为适应时代发展需求，创新应用了大量现代技术，提高了工作效率，保障了数据的完整性、一致性、准确性和实用性。通过引入空间信息技术与分层抽样方法设置的调查区域与样地更具代表性，从而使资源蕴藏量的估算更加科学。野外调查中应用 GPS、数码相机、信息采集软件等获取经度、纬度、海拔等信息化数据，搭建了信息化工作平台。湖南在约 210 万条数据的基础上建成了湖南省中药资源数据库，实现了全省中药资源数据的长久保存、可视查询、成果转化和共享服务。本书中的基原图片、资源分布等内容充分利用了数据库的查询、统计功能，湖南省最新中药资源区划也利用了普查数据，全省被划分为湘西北武陵山中药资源区、湘西南雪峰山中药资源区、湘南南岭北部中药资源区、湘中湘东丘陵中药资源区、洞庭湖及环湖丘岗中药资源区 5 个中药资源分区。

编著一套图文并茂、系统全面反映湖南中药资源家底的著作是普查工作的重要组成部分。2021年，湖南第四次中药资源普查进入收尾阶段，我们组织专家对《中国中药资源大典·湖南卷》的编写体例、资源名录、图片整理及分工安排进行了多轮讨论，最后形成了编写工作方案。野外工作得到的一手数据，是我们编著本书的关键素材，书中的图片来源于野外拍摄，分布信息来源于凭证标本的采集地点，资源蕴藏量信息来源于实际调查，因此，本书充分体现了湖南第四次中药资源普查的全方位成果。

第四次全国中药资源普查技术指导专家组组长黄璐琦院士多次带领普查专家组莅临湖南指导普查工作。湖南省委、省政府高度重视中药资源普查工作；湖南省中医药管理局作为普查组织实施单位，构建了符合湖南实际情况的普查组织模式；湖南省中医药研究院作为技术牵头单位，组织成立了专家委员会，指导全省普查工作。在各方的共同努力下，湖南顺利完成了第四次中药资源普查工作。我们向支持普查工作的社会各界表示由衷的感谢，向奋战在普查一线的"伙计们"致以诚挚的敬意！

普查的大量数据是我们编著本书的优势，同时也为整理图片、撰写文稿带来了巨大的挑战，加之编者学术水平有限，书中难免存在资料取舍失当及错漏之处，敬请有关专家、学者批评指正。

编　者

2024 年 4 月

凡 例

（1）本书共 14 册，分为上、中、下篇。上篇综述了湖南自然社会概况、中药资源调查历史、第四次中药资源普查情况、中药资源分布；中篇论述了 34 种湖南道地、大宗中药资源；下篇共收录中药资源 4 196 种，其中药用菌类资源 36 种、药用植物资源 3 799 种、药用动物资源 315 种、药用矿物资源 46 种。另外，附录中收录药用资源 305 种。

（2）分类系统。菌类参考 Index Fungorum 最新的分类学研究成果。蕨类植物采用秦仁昌分类系统（1978）。裸子植物采用郑万钧分类系统（1978）。被子植物采用恩格勒系统（1964）。

（3）本书下篇主要介绍各中药资源，以中药资源名为条目名，下设药材名、形态特征、生境分布、资源情况、采收加工、药材性状、功能主治、用法用量及附注等，其中采收加工、药材性状、用法用量为非必要项，资料不详者项目从略。各项目编写原则简述如下。

1）条目名。该项记述中药资源物种及其科属的中文名、拉丁学名。其中蕨类植物、裸子植物、被子植物的名称主要参考《中国植物志》，藻类、动物、矿物的名称主要参考《中华本草》。

2）药材名。该项记述中药资源的药材名、药用部位与药材别名。凡《中华人民共和国药典》等法定标准收载者，原则上采用法定药材名；法定标准未收载者，主要参考《中华本草》《全国中草药名鉴》《中国中药资源志要》。药材别名记载湖南各地乡村中医、草医及民间习惯用名。

3）形态特征。该项简要描述中药资源的形态特征，突出鉴别特征。主要参考《中国植物志》，并结合普查实际所获取的信息进行描述。

4）生境分布。该项记述中药资源在湖南的生存环境与分布区域。生存环境主要源于凭证标本的生境，并参考相关志书的描述。分布区域源于凭证标本的采集地，以"地市级行政区划（县级行政区划）"的形式进行描述。在湖南五大中药资源分区中皆有分布且凭证标本超过20号者，记述为"湖南各地均有分布"。

5）资源情况。该项记述中药资源的蕴藏量情况，用丰富、较丰富、一般、较少、稀少来表示；并用"野生"或"栽培"记述药材的主要来源。

6）采收加工。该项记述药材的采收时间与加工方法。

7）药材性状。该项主要记述药材的性状特征、品质评价等内容。

8）功能主治。该项记述药材的性味、毒性、归经、功能和主治。

9）附注。该项记述中药资源最新的分类学地位与接受名的变动情况；记述《中华人民共和国药典》与地方标准收载的物种学名；描述物种的濒危等级、其他医药相关用途，以及本草、地方志书中的资源方面的记载情况等。

（4）附录。以名录形式收载中篇、下篇没有收载的湖南分布的中药资源。

目录

Contents

被子植物 [8] 1

葡萄科 [8] 2

灰毛蛇葡萄 [8] 2
蓝果蛇葡萄 [8] 4
广东蛇葡萄 [8] 6
羽叶蛇葡萄 [8] 8
三裂蛇葡萄 [8] 10
蛇葡萄 [8] 12
异叶蛇葡萄 [8] 14
牯岭蛇葡萄 [8] 16
显齿蛇葡萄 [8] 18
光叶蛇葡萄 [8] 20
白蔹 [8] 22
大叶蛇葡萄 [8] 24
毛枝蛇葡萄 [8] 26
白毛乌蔹莓 [8] 28
脱毛乌蔹莓 [8] 30
乌蔹莓 [8] 32
毛乌蔹莓 [8] 34
尖叶乌蔹莓 [8] 36
华中乌蔹莓 [8] 38
苦郎藤 [8] 40
异叶地锦 [8] 42
花叶地锦 [8] 44
绿叶地锦 [8] 46
三叶地锦 [8] 48
地锦 [8] 50
三叶崖爬藤 [8] 52
崖爬藤 [8] 54
狭叶崖爬藤 [8] 56
桦叶葡萄 [8] 58
东南葡萄 [8] 60
闽赣葡萄 [8] 62
刺葡萄 [8] 64
葛藟葡萄 [8] 66
毛葡萄 [8] 68
鸡足葡萄 [8] 70
华东葡萄 [8] 72
秋葡萄 [8] 74
小叶葡萄 [8] 76
葡萄 [8] 78
网脉葡萄 [8] 80
大果俞藤 [8] 82
俞藤 [8] 84

杜英科 [8] 86

中华杜英 [8] 86
杜英 [8] 88
褐毛杜英 [8] 90
日本杜英 [8] 92
山杜英 [8] 94
仿栗 [8] 96
薄果猴欢喜 [8] 98

猴欢喜 ·································· [8] 100

锦葵科 ····························· [8] 102

咖啡黄葵 ····························· [8] 102

黄蜀葵 ······························· [8] 104

箭叶秋葵 ····························· [8] 106

金铃花 ······························· [8] 108

苘麻 ································· [8] 110

蜀葵 ································· [8] 112

陆地棉 ······························· [8] 114

木芙蓉 ······························· [8] 116

重瓣木芙蓉 ··························· [8] 118

庐山芙蓉 ····························· [8] 120

朱槿 ································· [8] 122

玫瑰茄 ······························· [8] 124

华木槿 ······························· [8] 126

木槿 ································· [8] 128

紫花重瓣木槿 ························· [8] 130

野西瓜苗 ····························· [8] 132

锦葵 ································· [8] 134

野葵 ································· [8] 136

赛葵 ································· [8] 138

黄花稔 ······························· [8] 140

长梗黄花稔 ··························· [8] 142

白背黄花稔 ··························· [8] 144

地桃花 ······························· [8] 146

粗叶地桃花 ··························· [8] 148

梵天花 ······························· [8] 150

椴树科 ····························· [8] 152

光果田麻 ····························· [8] 152

田麻 ································· [8] 154

甜麻 ································· [8] 156

黄麻 ································· [8] 158

扁担杆 ······························· [8] 160

小花扁担杆 ··························· [8] 162

华椴 ································· [8] 164

粉椴 ································· [8] 166

少脉椴 ······························· [8] 168

椴树 ································· [8] 170

单毛刺蒴麻 ··························· [8] 172

刺蒴麻 ······························· [8] 174

梧桐科 ····························· [8] 176

梧桐 ································· [8] 176

山芝麻 ······························· [8] 180

马松子 ······························· [8] 182

瑞香科 ····························· [8] 184

尖瓣瑞香 ····························· [8] 184

长柱瑞香 ····························· [8] 186

芫花 ································· [8] 188

毛瑞香 ······························· [8] 190

瑞香 ································· [8] 192

白瑞香 ······························· [8] 194

结香 ································· [8] 196

了哥王 ······························· [8] 198

小黄构 ······························· [8] 200

圆锥荛花 ····························· [8] 202

北江荛花 ····························· [8] 204

细轴荛花 ····························· [8] 206

多毛荛花 ····························· [8] 208

白花荛花 ····························· [8] 210

胡颓子科 ··························· [8] 212

佘山羊奶子 ··························· [8] 212

长叶胡颓子 ··························· [8] 214

巴东胡颓子 ··························· [8] 216

蔓胡颓子 ····························· [8] 218

角花胡颓子 ··························· [8] 220

宜昌胡颓子 ··························· [8] 222

披针叶胡颓子 ························· [8] 224

银果牛奶子 ··························· [8] 226

木半夏 ······························· [8] 228

胡颓子 ······························· [8] 230

星毛羊奶子 ··························· [8] 232

牛奶子 ······························· [8] 234

大风子科 ·························· [8] 236
　山羊角树 ······················ [8] 236
　天料木 ························ [8] 238
　山桐子 ························ [8] 240
　毛叶山桐子 ···················· [8] 242
　山拐枣 ························ [8] 244
　柞木 ·························· [8] 246
　南岭柞木 ······················ [8] 248
董菜科 ·························· [8] 250
　鸡腿堇菜 ······················ [8] 250
　戟叶堇菜 ······················ [8] 252
　鳞茎堇菜 ······················ [8] 254
　南山堇菜 ······················ [8] 256
　球果堇菜 ······················ [8] 258
　心叶堇菜 ······················ [8] 260
　深圆齿堇菜 ···················· [8] 262
　七星莲 ························ [8] 264
　光蔓茎堇菜 ···················· [8] 266
　阔萼堇菜 ······················ [8] 268
　紫花堇菜 ······················ [8] 270
　如意草 ························ [8] 272
　长萼堇菜 ······················ [8] 274
　江西堇菜 ······················ [8] 276
　白花堇菜 ······················ [8] 278
　犁头叶堇菜 ···················· [8] 280
　堇 ···························· [8] 282
　柔毛堇菜 ······················ [8] 284
　早开堇菜 ······················ [8] 286
　庐山堇菜 ······················ [8] 288
　四川堇菜 ······················ [8] 290
　三角叶堇菜 ···················· [8] 292
　三色堇 ························ [8] 294
　紫花地丁 ······················ [8] 296
旌节花科 ························ [8] 298
　中国旌节花 ···················· [8] 298
　喜马山旌节花 ·················· [8] 300

云南旌节花 ······················ [8] 302
西番莲科 ························ [8] 304
　鸡蛋果 ························ [8] 304
　广东西番莲 ···················· [8] 306
柽柳科 ·························· [8] 308
　柽柳 ·························· [8] 308
番木瓜科 ························ [8] 310
　番木瓜 ························ [8] 310
秋海棠科 ························ [8] 312
　周裂秋海棠 ···················· [8] 312
　食用秋海棠 ···················· [8] 314
　紫背天葵 ······················ [8] 316
　秋海棠 ························ [8] 318
　中华秋海棠 ···················· [8] 320
　独牛 ·························· [8] 322
　粗喙秋海棠 ···················· [8] 324
　裂叶秋海棠 ···················· [8] 326
　红孩儿 ························ [8] 328
　掌裂叶秋海棠 ·················· [8] 330
葫芦科 ·························· [8] 332
　盒子草 ························ [8] 332
　冬瓜 ·························· [8] 334
　节瓜 ·························· [8] 338
　西瓜 ·························· [8] 340
　甜瓜 ·························· [8] 342
　菜瓜 ·························· [8] 346
　黄瓜 ·························· [8] 348
　笋瓜 ·························· [8] 351
　南瓜 ·························· [8] 353
　西葫芦 ························ [8] 356
　光叶绞股蓝 ···················· [8] 358
　五柱绞股蓝 ···················· [8] 360
　绞股蓝 ························ [8] 362
　雪胆 ·························· [8] 364
　马铜铃 ························ [8] 366
　蛇莲 ·························· [8] 368

葫芦 .... [8] 370

瓠瓜 .... [8] 372

瓠子 .... [8] 374

广东丝瓜 .... [8] 376

丝瓜 .... [8] 380

苦瓜 .... [8] 384

木鳖子 .... [8] 386

湖北裂瓜 .... [8] 388

佛手瓜 .... [8] 390

罗汉果 .... [8] 392

茅瓜 .... [8] 394

大苞赤瓟 .... [8] 396

齿叶赤瓟 .... [8] 398

皱果赤瓟 .... [8] 400

异叶赤瓟 .... [8] 402

长叶赤瓟 .... [8] 404

南赤瓟 .... [8] 406

鄂赤瓟 .... [8] 408

蛇瓜 .... [8] 410

王瓜 .... [8] 412

湘桂栝楼 .... [8] 414

栝楼 .... [8] 417

长萼栝楼 .... [8] 420

全缘栝楼 .... [8] 422

趾叶栝楼 .... [8] 424

双边栝楼 .... [8] 426

红花栝楼 .... [8] 430

马㼎儿 .... [8] 432

钮子瓜 .... [8] 434

水苋菜 .... [8] 436

千屈菜科 .... [8] 438

川黔紫薇 .... [8] 438

紫薇 .... [8] 440

南紫薇 .... [8] 442

千屈菜 .... [8] 444

节节菜 .... [8] 446

圆叶节节菜 .... [8] 448

菱科 .... [8] 450

菱 .... [8] 450

四角刻叶菱 .... [8] 452

细果野菱 .... [8] 454

桃金娘科 .... [8] 456

美花红千层 .... [8] 456

红千层 .... [8] 458

窿缘桉 .... [8] 460

桉 .... [8] 462

桃金娘 .... [8] 464

华南蒲桃 .... [8] 466

赤楠 .... [8] 468

轮叶蒲桃 .... [8] 470

石榴科 .... [8] 472

石榴 .... [8] 472

野牡丹科 .... [8] 474

棱果花 .... [8] 474

少花柏拉木 .... [8] 476

长萼野海棠 .... [8] 478

过路惊 .... [8] 480

鸭脚茶 .... [8] 482

异药花 .... [8] 484

地菍 .... [8] 486

金锦香 .... [8] 488

星毛金锦香 .... [8] 490

短毛熊巴掌 .... [8] 492

锦香草 .... [8] 494

叶底红 .... [8] 496

肉穗草 .... [8] 498

楮头红 .... [8] 500

使君子科 .... [8] 502

风车子 .... [8] 502

使君子 .... [8] 504

柳叶菜科 .... [8] 506

露珠草 .... [8] 506

谷蓼 ⋯⋯⋯⋯⋯⋯⋯ [8] 508

南方露珠草 ⋯⋯⋯⋯ [8] 510

毛脉柳叶菜 ⋯⋯⋯⋯ [8] 512

光滑柳叶菜 ⋯⋯⋯⋯ [8] 514

腺茎柳叶菜 ⋯⋯⋯⋯ [8] 516

柳叶菜 ⋯⋯⋯⋯⋯⋯ [8] 518

小花柳叶菜 ⋯⋯⋯⋯ [8] 520

长籽柳叶菜 ⋯⋯⋯⋯ [8] 522

倒挂金钟 ⋯⋯⋯⋯⋯ [8] 524

水龙 ⋯⋯⋯⋯⋯⋯⋯ [8] 526

假柳叶菜 ⋯⋯⋯⋯⋯ [8] 528

草龙 ⋯⋯⋯⋯⋯⋯⋯ [8] 530

毛草龙 ⋯⋯⋯⋯⋯⋯ [8] 532

黄花水龙 ⋯⋯⋯⋯⋯ [8] 534

丁香蓼 ⋯⋯⋯⋯⋯⋯ [8] 536

月见草 ⋯⋯⋯⋯⋯⋯ [8] 538

黄花月见草 ⋯⋯⋯⋯ [8] 540

粉花月见草 ⋯⋯⋯⋯ [8] 542

待宵草 ⋯⋯⋯⋯⋯⋯ [8] 544

小二仙草科 ⋯⋯⋯⋯ [8] 546

小二仙草 ⋯⋯⋯⋯⋯ [8] 546

穗状狐尾藻 ⋯⋯⋯⋯ [8] 548

狐尾藻 ⋯⋯⋯⋯⋯⋯ [8] 550

八角枫科 ⋯⋯⋯⋯⋯ [8] 552

八角枫 ⋯⋯⋯⋯⋯⋯ [8] 552

稀花八角枫 ⋯⋯⋯⋯ [8] 554

小花八角枫 ⋯⋯⋯⋯ [8] 556

毛八角枫 ⋯⋯⋯⋯⋯ [8] 558

云山八角枫 ⋯⋯⋯⋯ [8] 560

蓝果树科 ⋯⋯⋯⋯⋯ [8] 562

喜树 ⋯⋯⋯⋯⋯⋯⋯ [8] 562

珙桐 ⋯⋯⋯⋯⋯⋯⋯ [8] 564

蓝果树 ⋯⋯⋯⋯⋯⋯ [8] 566

山茱萸科 ⋯⋯⋯⋯⋯ [8] 568

桃叶珊瑚 ⋯⋯⋯⋯⋯ [8] 568

密毛桃叶珊瑚 ⋯⋯⋯ [8] 570

喜马拉雅珊瑚 ⋯⋯⋯ [8] 572

长叶珊瑚 ⋯⋯⋯⋯⋯ [8] 574

花叶青木 ⋯⋯⋯⋯⋯ [8] 576

倒心叶珊瑚 ⋯⋯⋯⋯ [8] 578

灯台树 ⋯⋯⋯⋯⋯⋯ [8] 580

红瑞木 ⋯⋯⋯⋯⋯⋯ [8] 582

川鄂山茱萸 ⋯⋯⋯⋯ [8] 584

山茱萸 ⋯⋯⋯⋯⋯⋯ [8] 586

尖叶四照花 ⋯⋯⋯⋯ [8] 588

头状四照花 ⋯⋯⋯⋯ [8] 590

大型四照花 ⋯⋯⋯⋯ [8] 592

香港四照花 ⋯⋯⋯⋯ [8] 594

四照花 ⋯⋯⋯⋯⋯⋯ [8] 596

中华青荚叶 ⋯⋯⋯⋯ [8] 598

西域青荚叶 ⋯⋯⋯⋯ [8] 600

白粉青荚叶 ⋯⋯⋯⋯ [8] 602

青荚叶 ⋯⋯⋯⋯⋯⋯ [8] 604

梾木 ⋯⋯⋯⋯⋯⋯⋯ [8] 606

小花梾木 ⋯⋯⋯⋯⋯ [8] 610

小梾木 ⋯⋯⋯⋯⋯⋯ [8] 612

毛梾 ⋯⋯⋯⋯⋯⋯⋯ [8] 614

角叶鞘柄木 ⋯⋯⋯⋯ [8] 616

有齿鞘柄木 ⋯⋯⋯⋯ [8] 618

被子植物

灰毛蛇葡萄

Ampelopsis bodinieri (Lévl. et Vant.) Rehd. var. *cinerea* (Gagnep.) Rehd.

| 药 材 名 | 上山龙（药用部位：根皮。别名：大接骨丹、过山龙）。

| 形态特征 | 木质藤本。小枝圆柱形，有纵棱纹，无毛。卷须二叉分枝，相隔 2 节间断与叶对生。叶片卵圆形或卵状椭圆形，不分裂或上部微 3 浅 裂，长 7 ~ 12.5 cm，宽 5 ~ 12 cm，先端急尖或渐尖，基部心形或 微心形，边缘每侧有 9 ~ 19 急尖锯齿，上面绿色，下面浅绿色，叶 片下面被灰色短柔毛；基出脉 5，中脉有侧脉 4 ~ 6 对，网脉在两 面均不明显凸出；叶柄长 2 ~ 6 cm，无毛。花序为复二歧聚伞花序， 疏散，花序梗长 2.5 ~ 6 cm，无毛；花梗长 2.5 ~ 3 mm，无毛；花 蕾椭圆形，高 2.5 ~ 3 mm；花萼浅碟形，萼齿不明显，边缘呈波状， 外面无毛；花瓣 5，长椭圆形，高 2 ~ 2.5 mm；雄蕊 5，花丝丝状， 花药黄色，椭圆形；花盘明显，5 浅裂；子房圆锥形，花柱明显，

基部略粗，柱头不明显扩大。 果实近球形，直径 0.6 ~ 0.8 cm；种子 3 ~ 4，倒卵状椭圆形，先端圆钝，基部有短喙，急尖，表面光滑，背腹微侧扁，种脐在种子背面下部向上呈带状渐狭， 腹部中棱脊凸出，两侧洼穴呈沟状，上部略宽，向上达种子中上部。花期 4 ~ 6 月，果期 7 ~ 8 月。

| **生境分布** | 生于丘陵岗地。分布于湘西北、湘西南等。

| **资源情况** | 野生资源较少。药材来源于野生。

| **采收加工** | 全年均可采挖根，除净泥土，刮去粗皮，剥取皮部，鲜用或阴干。

| **功能主治** | 酸、涩、微辛，平。祛风除湿，散瘀止血。用于风湿痹痛，血瘀崩漏，跌打损伤。

| **用法用量** | 内服煎汤，10 ~ 15 g。外用适量，捣敷。

██ 葡萄科 ██ Vitaceae ██ 蛇葡萄属 ██ Ampelopsis

蓝果蛇葡萄

Ampelopsis bodinieri (Lévl. et Vant.) Rehd.

| 药 材 名 | 同"灰毛蛇葡萄"。

| 形态特征 | 木质藤本。小枝圆柱形，有纵棱纹，无毛。卷须二叉分枝，相隔 2 节间断与叶对生。叶片卵圆形或卵状椭圆形，不分裂或上部微 3 浅裂，长 7 ~ 12.5 cm，宽 5 ~ 12 cm，先端急尖或渐尖，基部心形或微心形，边缘每侧有 9 ~ 19 急尖锯齿，上面绿色，下面浅绿色，两面均无毛；基出脉 5，中脉有侧脉 4 ~ 6 对，网脉在两面均不明显凸出；叶柄长 2 ~ 6 cm，无毛。花序为复二歧聚伞花序，疏散，花序梗长 2.5 ~ 6 cm，无毛；花梗长 2.5 ~ 3 mm，无毛；花蕾椭圆形，高 2.5 ~ 3 mm；花萼浅碟形，萼齿不明显，边缘呈波状，外面无毛；花瓣 5，长椭圆形，高 2 ~ 2.5 mm；雄蕊 5，花丝丝状，花药黄色，

椭圆形；花盘明显，5 浅裂；子房圆锥形，花柱明显，基部略粗，柱头不明显扩大。果实近球形，直径 0.6 ~ 0.8 cm；种子 3 ~ 4，倒卵状椭圆形，先端圆钝，基部有短喙，急尖，表面光滑，背腹微侧扁，种脐在种子背面下部向上呈带状渐狭，腹部中棱脊凸出，两侧洼穴呈沟状，上部略宽，向上达种子中上部。花期 4 ~ 6月，果期 7 ~ 8 月。

| **生境分布** | 生于岗地、低山、中山。湖南有广泛分布。

| **资源情况** | 野生资源较丰富。药材来源于野生。

| **采收加工** | 同"灰毛蛇葡萄"。

| **功能主治** | 同"灰毛蛇葡萄"。

| **用法用量** | 同"灰毛蛇葡萄"。

葡萄科 Vitaceae 蛇葡萄属 Ampelopsis

广东蛇葡萄

Ampelopsis cantoniensis (Hook. et Arn.) Planch.

| 药 材 名 | 无莉根（药用部位：全株或根。别名：狮子藤、赤枝山葡萄、牛牵丝）。

| 形态特征 | 木质藤本。小枝圆柱形。卷须二叉分枝，相隔 2 节间断与叶对生。
叶为二回羽状复叶或小枝上部着生一回羽状复叶，二回羽状复叶者
基部 1 对叶常为 3 小叶，侧生小叶大小和叶形变化较大，通常呈卵形、
卵状椭圆形或长椭圆形，上面深绿色，下面浅黄褐绿色，常在叶脉
基部疏生短柔毛，以后脱落至几无毛；侧脉下面最后一级网脉显著
但不凸出，叶柄长 2 ~ 8 cm，顶生小叶柄长 1 ~ 3 cm，侧生小叶柄
长 0 ~ 2.5 cm，嫩时被稀疏短柔毛，以后脱落至几无毛。花序为伞
房状多歧聚伞花序，顶生或与叶对生；花序梗嫩时或多或少被稀疏
短柔毛，花轴被短柔毛；花梗几无毛；花蕾卵圆形；花萼碟形，边

缘呈波状，无毛；花瓣 5，卵状椭圆形，无毛；雄蕊 5，花药卵状椭圆形；花盘
发达，边缘浅裂；子房下部与花盘合生，花柱明显，柱头扩大不明显。果实近球形，
有种子 2 ~ 4；种子倒卵圆形，种脐在种子背面中部呈椭圆形，背部中棱脊凸出，
表面有肋纹凸起，腹部中棱脊凸出。花期 4 ~ 7 月，果期 8 ~ 11 月。

| 生境分布 | 生于岗地、低山、中山。湖南有广泛分布。

| 资源情况 | 野生资源一般。栽培资源一般。药材来源于野生和栽培。

| 采收加工 | 全株，夏、秋季采收，洗净，除去杂质，切碎，晒干。根，秋后采挖，洗净泥土，
切片，晒干。

| 功能主治 | 辛、微苦，凉。祛风化湿，清热解毒。用于夏季感冒，风湿痹痛，痈疽肿毒，
湿疮湿疹。

| 用法用量 | 内服煎汤，15 ~ 30 g。外用适量，煎汤洗；或捣敷；或研末调敷。

葡萄科 Vitaceae 蛇葡萄属 Ampelopsis

羽叶蛇葡萄

Ampelopsis chaffanjoni (Lévl. et Vant.) Rehd.

| 药 材 名 | 羽叶蛇葡萄（药用部位：藤茎。别名：鱼藤、羽叶牛果藤）。

| 形态特征 | 木质藤本。小枝圆柱形。卷须二叉分枝，相隔 2 节间断与叶对生。叶为一回羽状复叶，通常有小叶 2 ~ 3 对，小叶长椭圆形或卵状椭圆形，长 7 ~ 15 cm，宽 3 ~ 7 cm，边缘有 5 ~ 11 尖锐细锯齿，上面绿色或深绿色，下面浅绿色或带粉绿色，两面均无毛；侧脉 5 ~ 7 对，网脉在两面微凸出；叶柄长 2 ~ 4.5 cm，顶生小叶柄长 2.5 ~ 4.5 cm，侧生小叶柄长 0 ~ 1.8 cm。花序为伞房状多歧聚伞花序，顶生或与叶对生；花序梗长 3 ~ 5 cm，无毛；花梗长 1.5 ~ 2 mm，无毛；花蕾卵圆形，高 1.5 ~ 2 mm，先端圆形；花萼碟形，萼片阔三角形，无毛；花瓣 5，卵状椭圆形，高 1.2 ~ 1.7 mm，无毛；雄蕊 5，

花药卵状椭圆形，长大于宽；花盘发达，波状浅裂；子房下部与花盘合生，花柱钻形，柱头不明显扩大。果实近球形，直径 0.8 ~ 1 cm，有种子 2 ~ 3；种子倒卵形，先端圆形，基部喙短尖，种脐在种子背面中部呈椭圆形，两侧有突出的钝肋纹，背部棱脊凸出，腹部中棱脊凸出，两侧洼穴呈沟状，向上略微扩大达种子上部，周围有钝肋纹突出。花期 5 ~ 7 月，果期 7 ~ 9 月。

| 生境分布 | 生于丘陵岗地、低山、中山。分布于湖南常德（汉寿）、张家界（永定）、郴州（宜章）、怀化（中方、会同、洪江、沅陵）、湘西州（吉首、花垣）等。

| 资源情况 | 野生资源较少。药材来源于野生。

| 采收加工 | 夏、秋季采收，洗净，切片，晒干。

| 功能主治 | 祛风除湿。用于气窜作痛，劳伤，风湿疼痛。

| 用法用量 | 内服煎汤，10 ~ 15 g。外用适量，捣敷。

葡萄科 Vitaceae 蛇葡萄属 Ampelopsis

三裂蛇葡萄
Ampelopsis delavayana Planch.

| 药 材 名 | 金刚散（药用部位：根、藤茎。别名：赤木通、野葡萄根、五爪金）。

| 形态特征 | 木质藤本。卷须 2 ~ 3 叉分枝，相隔 2 节间断与叶对生。叶为 3 小叶，中央小叶披针形或椭圆状披针形，长 5 ~ 13 cm，宽 2 ~ 4 cm，侧生小叶卵状椭圆形或卵状披针形，长 4.5 ~ 11.5 cm，宽 2 ~ 4 cm，基部不对称，近截形，边缘有粗锯齿，齿端通常尖细，上面绿色，嫩时被稀疏柔毛，以后脱落至几无毛，下面浅绿色，侧脉 5 ~ 7 对，网脉在两面均不明显；叶柄长 3 ~ 10 cm，中央小叶有柄或无柄，侧生小叶无柄，被稀疏柔毛。多歧聚伞花序与叶对生，花序梗长 2 ~ 4 cm，被短柔毛；花梗长 1 ~ 2.5 mm，伏生短柔毛；花蕾卵形，高 1.5 ~ 2.5 mm，先端圆形；花萼碟形，边缘呈波状浅裂，无毛；

花瓣 5, 卵状椭圆形, 高 1.3 ~ 2.3 mm, 外面无毛, 雄蕊 5, 花药卵圆形, 长宽近相等, 花盘明显, 5 浅裂; 子房下部与花盘合生, 花柱明显, 柱头不明显扩大。果实近球形, 有种子 2 ~ 3; 种子倒卵圆形, 先端近圆形, 基部有短喙, 种脐在种子背面中部向上渐狭成卵状椭圆形, 先端种脊凸出, 腹部中棱脊凸出, 两侧洼穴呈沟状楔形, 上部宽, 斜向上展达种子中部以上。花期 6 ~ 8 月, 果期 9 ~ 11 月。

| 生境分布 | 生于岗地、低山。湖南有广泛分布。

| 资源情况 | 野生资源较丰富。栽培资源一般。药材来源于野生和栽培。

| 采收加工 | 秋季采挖根, 夏、秋季采收藤茎, 洗净, 鲜用, 或切片晒干或烘干。

| 功能主治 | 辛、淡、涩, 平。清热利湿, 活血通络, 止血生肌, 解毒消肿。用于淋证, 白浊, 疝气, 偏坠, 风湿痹痛, 跌打瘀肿, 创伤出血, 疮痈。

| 用法用量 | 内服煎汤, 10 ~ 15 g; 或浸酒。外用适量, 鲜品捣敷; 或研末调敷。

葡萄科 Vitaceae 蛇葡萄属 Ampelopsis

蛇葡萄

Ampelopsis glandulosa (Wallich) Momiyama

| 药 材 名 | 蛇葡萄（药用部位：茎叶。别名：酸藤、山葡萄、水葡萄）。

| 形态特征 | 本种与异叶蛇葡萄的区别在于本种小枝、叶柄、叶下面和花轴被锈色长柔毛，花梗、花萼和花瓣被锈色短柔毛。花期 6 ~ 8 月，果期9 月至翌年 1 月。

| 生境分布 | 生于岗地、低山、中山。湖南有广泛分布。

| 资源情况 | 野生资源一般。药材来源于野生。

| 采收加工 | 夏、秋季采收，洗净，鲜用或晒干。

| 功能主治 | 苦，凉。清热利湿，散瘀止血，解毒。用于小便不利，风湿痹痛，

跌打瘀肿，内伤出血，疮毒。

| **用法用量** | 内服煎汤，15 ～ 30 g，鲜品加倍；或浸酒。外用适量，捣敷；或煎汤洗；或研末撒。

葡萄科 Vitaceae 蛇葡萄属 *Ampelopsis*

异叶蛇葡萄

Ampelopsis heterophylla (Thunb.) Sieb. et Zucc.

| 药 材 名 | 紫葛（药用部位：根皮。别名：见肿消、梦中消、见毒消）。

| 形态特征 | 木质藤本。小枝圆柱形，有纵棱纹，被疏柔毛。卷须 2 ~ 3 叉分枝，相隔 2 节间断与叶对生。叶为单叶，心形或卵形，3 ~ 5 中裂，常混生有不分裂者，长 3.5 ~ 14 cm，宽 3 ~ 11 cm，先端急尖，基部心形，基缺近呈钝角，稀圆形，边缘有急尖锯齿，上面绿色，无毛，下面浅绿色，脉上被疏柔毛，基出脉 5，中央脉有侧脉 4 ~ 5 对，网脉不明显凸出；叶柄长 1 ~ 7 cm，被疏柔毛；花序梗长 1 ~ 2.5 cm，被疏柔毛；花梗长 1 ~ 3 mm，疏生短柔毛；花蕾卵圆形，高 1 ~ 2 mm，先端圆形；花萼碟形，边缘有波状浅齿，外面疏生短柔毛；花瓣 5，卵状椭圆形，高 0.8 ~ 1.8 mm，外面几无毛；雄蕊 5，花药

长椭圆形，长大于宽；花盘明显，边缘浅裂；子房下部与花盘合生，花柱明显，基部略粗，柱头不扩大。果实近球形，直径 0.5～0.8 cm，有种子 2～4；种子长椭圆形，先端近圆形，基部有短喙，种脐在种子背面下部向上渐狭成卵状椭圆形，上部背面种脊凸出，腹部中棱脊凸出，两侧洼穴呈狭椭圆形，从种子基部向上斜展达种子先端。花期 4～6 月，果期 7～10 月。

| 生境分布 | 生于岗地、低山。湖南有广泛分布。

| 资源情况 | 野生资源较少。药材来源于野生。

| 采收加工 | 秋季采挖根，洗净泥土，剥取根皮，晒干。

| 功能主治 | 甘、微苦，寒。清热补虚，散瘀通络，解毒。用于产后烦渴，中风半身不遂，跌打损伤，痈肿恶疮。

| 用法用量 | 内服煎汤，15～30 g。外用适量，捣敷。

葡萄科 Vitaceae 蛇葡萄属 Ampelopsis

牯岭蛇葡萄

Ampelopsis heterophylla (Thunb.) Sieb. et Zucc. var. *kulingensis* (Rehd.) C. L. Li

| 药 材 名 | 牯岭蛇葡萄（药用部位：根、茎）。

| 形态特征 | 本种与异叶蛇葡萄的区别在于本种叶片显著呈五角形，上部侧角明显外倾，植株被短柔毛或几无毛。花期 5 ~ 7 月，果期 8 ~ 9 月。

| 生境分布 | 生于丘陵岗地。分布于湘东、湘中、湘南等。

| 资源情况 | 野生资源稀少。药材来源于野生。

| 采收加工 | 秋后采挖根，夏、秋季采收茎，洗净，晒干。

| 功能主治 | 利尿，消肿，止血。用于无名肿毒。

| 用法用量 |　内服煎汤，15 ~ 30 g。

葡萄科 Vitaceae 蛇葡萄属 Ampelopsis

显齿蛇葡萄

Ampelopsis grossedentata (Hand.-Mazz.) W. T. Wang

药材名

甜茶藤（药用部位：茎叶、根。别名：藤茶、田婆茶、龙须茶）。

形态特征

木质藤本。小枝圆柱形。卷须二叉分枝，相隔 2 节间断与叶对生。叶为一至二回羽状复叶，二回羽状复叶者基部 1 对叶为 3 小叶，小叶卵圆形、卵状椭圆形或长椭圆形，长 2 ~ 5 cm，宽 1 ~ 2.5 cm，先端急尖或渐尖，基部阔楔形或近圆形，边缘每侧有 2 ~ 5 锯齿，上面绿色，下面浅绿色，两面均无毛；侧脉 3 ~ 5 对，网脉微凸出，最后一级网脉不明显；叶柄长 1 ~ 2 cm，无毛；托叶早落。花序为伞房状多歧聚伞花序，与叶对生；花序梗长 1.5 ~ 3.5 cm，无毛；花梗长 1.5 ~ 2 mm，无毛；花蕾卵圆形，高 1.5 ~ 2 mm，先端圆形，无毛；花萼碟形，边缘波状浅裂，无毛；花瓣 5，卵状椭圆形，高 1.2 ~ 1.7 mm，无毛；雄蕊 5，花药卵圆形，长略大于宽；花盘发达，波状浅裂；子房下部与花盘合生，花柱钻形，柱头不明显扩大。果实近球形，直径 0.6 ~ 1 cm，有种子 2 ~ 4；种子倒卵圆形，先端圆形，基部有短喙，种脐在种子背面中部呈椭圆形，上部棱脊凸出，表面有钝肋纹凸起，腹部中棱脊凸出，两侧洼穴呈倒卵形，从基部向上达种子近中部。花期 5 ~ 8 月，果期 8 ~ 12 月。

| **生境分布** | 生于低山、岗地、中山。湖南有广泛分布。

| **资源情况** | 野生资源较丰富。药材来源于野生。

| **功能主治** | 甘、淡，凉。清热解毒，利湿消肿。用于咽喉肿痛，目赤肿痛，痈肿疮疖。

| **用法用量** | 内服煎汤，15 ~ 30 g，鲜品加倍。外用适量，煎汤洗。

葡萄科 Vitaceae 蛇葡萄属 Ampelopsis

光叶蛇葡萄

Ampelopsis heterophylla (Thunb.) Sieb. et Zucc. var. *hancei* Planch.

| 药 材 名 | 山葡萄（药用部位：根或根皮）。

| 形态特征 | 本种与异叶蛇葡萄的区别在于本种小枝、叶柄和叶片无毛或被极稀疏的短柔毛。花期 4 ~ 6 月，果期 8 ~ 10 月。

| 生境分布 | 生于岗地、中山。湖南各地均有分布。

| 资源情况 | 野生资源一般。药材来源于野生。

| 功能主治 | 苦，凉。清热利湿，解毒消肿。用于湿热黄疸，痢疾，无名肿毒，跌打损伤。

| **用法用量** | 内服煎汤，15 ~ 30 g。外用适量，煎汤洗。

葡萄科 Vitaceae 蛇葡萄属 Ampelopsis

白蔹
Ampelopsis japonica (Thunb.) Makino

| 药 材 名 | 白蔹（药用部位：块根。别名：兔核、白根、猫儿卵）。

| 形态特征 | 木质藤本。小枝圆柱形，无毛。卷须不分枝或卷须先端有短分叉，相隔 3 节以上间断与叶对生。叶为掌状 3 ~ 5 小叶，小叶片羽状深裂或小叶边缘有深锯齿而不分裂，羽状分裂者裂片宽 0.5 ~ 3.5 cm，掌状 5 小叶者中央小叶深裂至基部并有 1 ~ 3 关节，关节间有翅，翅宽 2 ~ 6 mm，侧生小叶有 1 关节或无关节，掌状 3 小叶者中央小叶有 1 关节或无关节，基部狭窄成翅状，翅宽 2 ~ 3 mm，上面绿色，无毛，下面浅绿色，在脉上被稀疏短柔毛或无毛；叶柄无毛。聚伞花序通常集生于花序梗先端，与叶对生；花序梗常呈卷须状卷曲；花梗极短或几无梗；花蕾卵球形；花萼碟形；花瓣 5，卵圆形；

雄蕊 5，花药卵圆形，长宽近相等；花盘发达，边缘波状浅裂；子房下部与花盘合生，花柱短棒状，柱头不明显扩大。果实球形，成熟后带白色，有种子 1 ～ 3；种子倒卵形，先端圆形，基部喙短钝，种脐在种子背面中部呈带状椭圆形，向上渐狭，表面无肋纹，背部种脊凸出，腹部中棱脊凸出。花期 5 ～ 6 月，果期 7 ～ 9 月。

| 生境分布 | 生于岗地、低山、海拔 1 500 m 以上的中山。湖南有广泛分布。

| 资源情况 | 野生资源较丰富。栽培资源一般。药材来源于野生和栽培。

| 采收加工 | 春、秋季采挖，除去茎及细须根，洗净，多纵切成 2 瓣、4 瓣或斜片，晒干。

| 药材性状 | 本品呈长圆形或纺锤形，多纵切成瓣或斜片。完整者长 5 ～ 12 cm，直径 1.5 ～ 3.5 cm。表面红棕色或红褐色，有纵皱纹、细横纹及横长皮孔，栓皮易层层脱落，脱落处显淡红棕色，剖面类白色或淡红棕色，皱缩不平。斜片呈卵圆形，长 2.5 ～ 5 cm，宽 2 ～ 3 cm，切面类白色或浅红棕色，可见放射状纹理，周边较厚，微翘起或略弯曲。体轻，质硬脆，粉性。气微，味微甜。

| 功能主治 | 苦、辛，微寒。清热解毒，散结止痛，生肌敛疮。用于疮疡肿毒，瘰疬，烫伤，湿疮，温疟，惊痫，血痢，肠风，痔漏，带下，跌打损伤，外伤出血。

| 用法用量 | 内服煎汤，3 ～ 10 g。外用适量，研末撒或调涂。

葡萄科 Vitaceae 蛇葡萄属 Ampelopsis

大叶蛇葡萄

Ampelopsis megalophylla Diels et Gilg

| 药 材 名 | 藤茶（药用部位：枝叶。别名：霉茶叶）。

| 形态特征 | 木质藤本。小枝圆柱形，无毛。卷须 3 分枝，相隔 2 节间断与叶对
生。叶为二回羽状复叶，基部 1 对叶常为 3 小叶，稀为羽状复叶，
小叶长椭圆形或卵状椭圆形，长 4 ~ 12 cm，宽 2 ~ 6 cm，先端渐尖，
基部微心形、圆形或近截形，边缘每侧有 3 ~ 15 粗锯齿，上面绿色，
下面粉绿色，两面均无毛；叶柄无毛，顶生小叶柄长 1 ~ 3 cm，侧
生小叶柄长 0 ~ 1 cm，无毛。花序为伞房状多歧聚伞花序或复二歧
聚伞花序，顶生或与叶对生；花序梗长 3.5 ~ 6 cm，无毛；花梗长
2 ~ 3 mm，先端较粗，无毛；花蕾近球形，高 1 ~ 1.5 mm，先端
圆形；花萼碟形，边缘呈波状浅裂或裂片呈三角形，无毛；花瓣 5，

椭圆形，高 0.7 ~ 1.2 mm，无毛；雄蕊 5，花药椭圆形，长略大于宽；花盘发达，波状浅裂；子房下部与花盘合生，花柱钻形，柱头不明显扩大。果实微呈倒卵圆形，有种子 1 ~ 4；种子倒卵形，先端圆形，基部喙尖锐，种脐在种子背面中部呈椭圆形，上部种脊凸出，腹部中棱脊凸出，两侧洼穴呈沟状，从种子基部向上达种子上部 1/3 处。花期 6 ~ 8 月，果期 7 ~ 10 月。

| 生境分布 | 生于低山、岗地、中山。分布于湘南等。

| 资源情况 | 野生资源稀少。药材来源于野生。

| 采收加工 | 夏季采摘，置沸水中稍烫，即时捞起，沥干水分，摊放通风处吹干，至表面显星点白霜时，即可烘干。

| 药材性状 | 本品枝呈圆柱形，长短不一，多分枝，直径 2 ~ 10 mm；表面褐色，具纵棱，皮孔呈小疙瘩状凸起，有的可见与叶对生的卷须；质坚硬，难折断，断面不平坦，浅褐色。羽状复叶互生，叶片卷缩，易碎，多已脱落，灰绿色或灰褐色。无臭，味微涩。

| 功能主治 | 苦、微涩，凉。清热利湿，平肝，降血压，活血通络。用于痢疾，泄泻，小便淋痛，高血压，头昏目胀，跌打损伤。

| 用法用量 | 内服煎汤，15 ~ 30 g；或泡茶。

葡萄科 Vitaceae 蛇葡萄属 Ampelopsis

毛枝蛇葡萄

Ampelopsis rubifolia (Wall.) Planch.

| 药 材 名 | 同"大叶蛇葡萄"。

| 形态特征 | 木质藤本。小枝显著有 5 ~ 7 棱，密被锈色卷曲柔毛。卷须二叉分枝，
相隔 2 节间断与叶对生。叶为一或二回羽状复叶，二回羽状复叶者
基部 1 对叶为 3 小叶，小叶卵状椭圆形或卵圆形，长 3.5 ~ 14 cm，
宽 2 ~ 6.5 cm，先端急尖、渐尖或短尾尖，基部微心形或圆形，边
缘每侧有 5 ~ 15 锯齿，上面深绿色，嫩时被短柔毛，以后毛脱落，
下面绿褐色，密被锈色柔毛，以后毛脱落变稀疏；叶柄密被锈色卷
曲柔毛，小叶柄长 0 ~ 1.5 cm。花序为伞房状多歧聚伞花序，假顶
生或与叶对生；花序梗密被锈色卷曲柔毛；花梗被锈色短柔毛；花
蕾卵圆形；花萼碟形；花瓣 5，卵状长椭圆形，外面被短柔毛；雄蕊 5，

花药卵圆形，长略大于宽；花盘发达，波状浅裂；子房下部与花盘合生，花柱钻形，柱头不明显扩大。果实近球形，直径 0.8 ～ 1.5 cm，有种子 1 ～ 4；种子倒卵圆形，先端圆形，基部有短喙，种脐在种子背面中部呈椭圆形，上部种脊凸出，表面有凸出的钝肋纹，腹部中棱脊凸出，两侧洼穴不明显，边缘有突出的钝肋纹。花期 6 ～ 7 月，果期 9 ～ 10 月。

| 生境分布 | 生于低山。分布于湘南等。

| 资源情况 | 野生资源稀少。药材来源于野生。

| 采收加工 | 同"大叶蛇葡萄"。

| 药材性状 | 同"大叶蛇葡萄"。

| 功能主治 | 同"大叶蛇葡萄"。

| 用法用量 | 同"大叶蛇葡萄"。

葡萄科 Vitaceae 乌蔹莓属 Cayratia

白毛乌蔹莓 Cayratia albifolia C. L. Li

| 药 材 名 | 乌蔹莓（药用部位：全草或根。别名：拔、茏葛、龙尾）。

| 形态特征 | 半木质或草质藤本。小枝圆柱形，被灰色柔毛。卷须 3 分枝，相隔
2 节间断与叶对生。叶为鸟足状 5 小叶，小叶长椭圆形或卵状椭圆形，
先端急尖或渐尖，基部楔形，或侧生小叶基部近圆形，边缘每侧有
20 ～ 28 锯齿，齿钝或急尖，上面绿色，中脉上被稀短柔毛或无毛，
下面灰白色，密被灰色短柔毛，脉上毛较密而平展；侧脉 6 ～ 10 对，
网脉在两面不明显；叶柄长 5 ～ 12 cm，中央小叶柄长 3 ～ 5 cm，
侧生小叶有短柄或无柄，侧生小叶总柄被灰色疏柔毛；托叶膜质，
褐色，披针形或卵状披针形，先端渐尖，被稀疏短柔毛。花序腋生，
伞房状多歧聚伞花序；花序梗被灰色疏柔毛；花梗被短柔毛；花蕾

卵圆形；花萼浅碟形，萼齿不明显，外面被乳突状柔毛；花瓣 4，卵圆形或卵状椭圆形，外面被乳突状毛；雄蕊 4，花药卵圆形，长宽近相等；花盘明显，4浅裂；子房下部与花盘合生，花柱短，柱头微扩大。果实球形；种子倒卵状椭圆形。花期 5 ~ 6 月，果期 7 ~ 8 月。

| **生境分布** | 生于岗地、中山、低山。湖南各地均有分布。

| **资源情况** | 野生资源一般。药材来源于野生。

| **采收加工** | 夏、秋季采收，除去杂质，洗净，切段，晒干或鲜用。

| **功能主治** | 酸、苦，寒；无毒。清热利湿，解毒消肿。用于热毒痈肿，疔疮，丹毒，咽喉肿痛，蛇虫咬伤，烫火伤，风湿痹痛，黄疸，泻痢，白浊，尿血。

| **用法用量** | 内服煎汤，15 ~ 30 g；或浸酒；或捣汁饮。外用适量，捣敷。

葡萄科 Vitaceae 乌蔹莓属 Cayratia

脱毛乌蔹莓

Cayratia albifolia C. L. Li var. *glabra* (Gagnep.) C. L. Li

药材名

脱毛乌蔹莓（药用部位：根、叶）。

形态特征

草质藤本。小枝圆柱形，有纵棱纹，被灰色短柔毛。卷须3分枝，相隔2节间断与叶对生。鸟足状复叶具5小叶，小叶长椭圆形或卵状椭圆形，长6～15 cm，宽2.5～7 cm，先端急尖或渐尖，基部楔形或侧生小叶基部近圆形，边缘每侧有20～28锯齿，齿钝或急尖，上面绿色，中脉上被稀短柔毛或无毛，下面浅绿色，脉上疏被短柔毛或无毛；侧脉6～10对，网脉在两面不明显；叶柄长6～11 cm，中央小叶柄长3～5 cm，侧生小叶有短柄或无柄，侧生小叶总柄长0.8～1.5 cm，被灰色疏柔毛；托叶膜质，褐色，披针形或卵状披针形，先端渐尖，被稀疏短柔毛。花序腋生，伞房状多歧聚伞花序；花序梗长2.5～5 cm，被灰色疏柔毛；花梗长2～3 mm；花蕾卵圆形，先端圆钝；花萼浅碟形，萼齿不明显，外面被乳突状柔毛；花瓣4，卵圆形或卵状椭圆形，外面被乳突状毛；雄蕊4，花药卵圆形，长宽近相等；花盘明显，4浅裂；子房下部与花盘合生，花柱短，柱头微扩大。果实球形，直径 1 ~ 1.2 cm，有种子 2 ~ 4；种子倒卵圆形，先端圆形或微凹，基部有短喙。花期 5 ~ 7 月，果期 8 ~ 9 月。

| **生境分布** | 生于丘陵岗地、低山。分布于湘南、湘西南等。

| **资源情况** | 野生资源较少。药材来源于野生。

| **功能主治** | 清热解毒，消肿。用于痈肿疮毒，跌打损伤，毒蛇咬伤。

| **用法用量** | 内服煎汤，15 ~ 30 g。

葡萄科 Vitaceae 乌蔹莓属 *Cayratia*

乌蔹莓 *Cayratia japonica* (Thunb.) Gagnep.

| 药 材 名 | 乌蔹莓（药用部位：全草或根。别名：拔、茏葛、龙尾）。

| 形态特征 | 草质藤本。小枝圆柱形。卷须 2 ~ 3 叉分枝，相隔 2 节间断与叶对生。叶为鸟足状 5 小叶，中央小叶长椭圆形或椭圆状披针形，先端急尖或渐尖，基部楔形，侧生小叶椭圆形或长椭圆形，长 1 ~ 7 cm，宽 0.5 ~ 3.5 cm，先端急尖或圆形，基部楔形或近圆形，边缘每侧有 6 ~ 15 锯齿，上面绿色，无毛，下面浅绿色，微被毛或无毛；侧脉 5 ~ 9 对，网脉不明显；叶柄长 1.5 ~ 10 cm，中央小叶柄长 0.5 ~ 2.5 cm，侧生小叶有短柄或无柄，侧生小叶微被毛或无毛；托叶早落。花序腋生，复二歧聚伞花序；花序梗微被毛或无毛；花梗几无毛；花蕾卵圆形，先端圆形；花萼碟形，全缘或波状浅裂，外

面被乳突状毛或几无毛；花瓣4，三角状卵圆形，高1～1.5 mm，外面被乳突状毛；雄蕊4，花药卵圆形，长宽近相等；花盘发达，4浅裂；子房下部与花盘合生，花柱短，柱头微扩大。果实近球形，有种子2～4；种子三角状倒卵形。花期3～8月，果期8～11月。

| **生境分布** | 生于岗地、低山、中山。湖南有广泛分布。

| **资源情况** | 野生资源丰富。栽培资源一般。药材来源于野生和栽培。

| **采收加工** | 夏、秋季采收，除去杂质，洗净，切段，晒干或鲜用。

| **功能主治** | 酸、苦、寒；无毒。清热利湿，解毒消肿。用于热毒痈肿，疔疮，丹毒，咽喉肿痛，蛇虫咬伤，烫火伤，风湿痹痛，黄疸，泻痢，白浊，尿血。

| **用法用量** | 内服煎汤，15～30 g；或浸酒；或捣汁饮。外用适量，捣敷。

葡萄科 Vitaceae 乌蔹莓属 *Cayratia*

毛乌蔹莓 *Cayratia japonica* (Thunb.) Gagnep. var. *mollis* (Wall.) Momiyama

| 药 材 名 | 同"乌蔹莓"。

| 形态特征 | 本种与乌蔹莓的区别在于本种叶下面满被或仅脉上密被疏柔毛；花期 5 ~ 7 月，果期 7 月至翌年 1 月。

| **生境分布** | 生于岗地、低山。分布于湘东、湘中、湘北、湘西北等。

| **资源情况** | 野生资源较少。药材来源于野生。

| **采收加工** | 同"乌蔹莓"。

| **功能主治** | 同"乌蔹莓"。

| **用法用量** | 同"乌蔹莓"。

葡萄科 Vitaceae 乌蔹莓属 Cayratia

尖叶乌蔹莓 *Cayratia japonica* (Thunb.) Gagnep. var. *pseudotrifolia* (W. T. Wang) C. L. Li

| 药 材 名 | 母猪藤（药用部位：茎叶。别名：过路边、蜈蚣藤、小拦蛇）、母猪藤根（药用部位：根）。

| 形态特征 | 本种与乌蔹莓的区别在于本种叶多为 3 小叶。花期 5 ~ 8 月，果期 9 ~ 10 月。

| 生境分布 | 生于丘陵岗地、低山、中山。分布于湘东、湘中、湘西北等。

| 资源情况 | 野生资源较少。药材来源于野生。

| 采收加工 | **母猪藤：**夏、秋季采收，切段，鲜用或晒干。
母猪藤根：夏、秋季采挖，洗净泥土，切片，鲜用或晒干。

| **功能主治** | **母猪藤**：舒筋活血。用于骨折。

母猪藤根：辛，凉；有毒。清热解毒。用于肺痈，疮疖。

| **用法用量** | **母猪藤**：外用适量，捣敷。

母猪藤根：内服煎汤，3 ～ 5 g。外用适量，捣敷。

葡萄科 | Vitaceae | 乌蔹莓属 | *Cayratia*

华中乌蔹莓 *Cayratia oligocarpa* (Lévl. et Vant.) Gagnep.

| **药 材 名** | 大母猪藤（药用部位：根、叶。别名：野葡萄、绿叶扁担藤、地五加）。

| **形态特征** | 草质藤本。小枝圆柱形。卷须二叉分枝，相隔 2 节间断与叶对生。叶为鸟足状 5 小叶，中央小叶长椭圆状披针形或长椭圆形，边缘有（5 ～）7 ～ 14（～ 17）锯齿，侧生小叶卵状椭圆形或卵圆形，先端急尖或渐尖，基部楔形或近圆形，边缘每侧有 5 ～ 10 锯齿，上面绿色，伏生疏柔毛或近无毛，下面浅绿褐色，密被节状毛，中脉上毛平展；侧脉 4 ～ 9 对，网脉不明显；叶柄长 2.5 ～ 7 cm，中央小叶柄长 1.5 ～ 3 cm，侧生小叶有短柄，侧生小叶总柄长 0.5 ～ 1.5 cm，密被褐色节状长柔毛；托叶膜质，褐色，狭披针形，几无毛。花序腋生，复二歧聚伞花序；花序梗密被褐色节状长柔毛；花梗密被褐

色节状长柔毛；花蕾卵圆形，先端截圆形；花萼浅碟形，萼齿不明显，外面被褐色节状毛；花瓣 4，卵圆形，高 1 ~ 1.5 mm，外面被节状毛；雄蕊 4，花药卵圆形，长宽近相等；花盘发达，4 浅裂，子房下部与花盘合生，花柱细小，柱头略扩大。果实近球形，有种子 2 ~ 4；种子倒卵状长椭圆形，先端圆形或微凹，基部有短喙。花期 5 ~ 7 月，果期 8 ~ 9 月。

| **生境分布** | 生于岗地、低山、中山。分布于湘东、湘中、湘西北等。

| **资源情况** | 野生资源稀少。药材来源于野生。

| **采收加工** | 根，秋季采挖，洗净，切片。叶，夏、秋季采收，鲜用或晒干。

| **功能主治** | 微苦，平。祛风除湿，通络止痛。用于风湿痹痛，牙痛，无名肿毒。

| **用法用量** | 内服煎汤，15 ~ 30 g，鲜品加倍；或浸酒；或炖肉服。外用适量，捣敷。

葡萄科 Vitaceae 白粉藤属 Cissus

苦郎藤 *Cissus assamica* (Laws.) Craib

| 药 材 名 | 毛叶白粉藤（药用部位：藤茎。别名：左爬藤、葫芦叶）、毛叶白粉藤根（药用部位：根）。

| 形态特征 | 木质藤本。小枝圆柱形。卷须二叉分枝，相隔2节间断与叶对生。叶阔心形或心状卵圆形，长5~7 cm，宽4~14 cm，先端短尾尖或急尖，基部心形，基缺呈圆形或张开成钝角，边缘每侧有20~44尖锐锯齿，上面绿色，无毛，下面浅绿色，脉上伏生丁字毛或脱落至几无毛，干时上面颜色较深；基出脉5，中脉有侧脉4~6对，网脉在下面较明显；叶柄长2~9 cm，伏生稀疏丁字毛或近无毛；托叶草质，卵圆形，先端圆钝，几无毛。花序与叶对生，二级分枝集生成伞形；花序梗被稀疏丁字毛或近无毛；花梗伏生稀疏丁

字毛；花蕾卵圆形，先端钝；花萼碟形，全缘或呈波状，近无毛；花瓣 4，三角状卵形，高 1.5 ~ 2 mm，无毛；雄蕊 4，花药卵圆形，长宽近相等；花盘明显，4 裂；子房下部与花盘合生，花柱钻形，柱头微扩大。果实倒卵圆形，有种子 1；种子椭圆形，先端圆形，基部尖锐，表面有凸出的尖锐棱纹。花期 5 ~ 6 月，果期 7 ~ 10 月。

| 生境分布 | 生于丘陵岗地。分布于湖南郴州（苏仙）等。

| 资源情况 | 野生资源稀少。药材来源于野生。

| 采收加工 | **毛叶白粉藤：**全年均可采收，洗净，切段，鲜用或晒干。
毛叶白粉藤根：秋季采挖，洗净泥土，切片，鲜用或晒干。

| 功能主治 | **毛叶白粉藤：**止咳，平喘，解毒。用于咳嗽，哮喘，毒蛇咬伤。
毛叶白粉藤根：辛，平。祛风除湿，散瘀，拔毒。用于风湿痹痛，跌打扭伤，痈疽肿毒。

| 用法用量 | **毛叶白粉藤：**内服煎汤，3 ~ 6 g。外用适量，捣敷。
毛叶白粉藤根：内服煎汤，5 ~ 10 g。外用适量，捣敷。孕妇禁服。

葡萄科 Vitaceae 地锦属 Parthenocissus

异叶地锦

Parthenocissus dalzielii Gagnep.

| 药 材 名 | 吊岩风（药用部位：根、茎、叶。别名：三皮风、三角风、青藤）。

| 形态特征 | 木质藤本。小枝圆柱形。卷须总状 5 ~ 8 分枝，相隔 2 节间断与叶对生，卷须先端嫩时膨大成圆珠形，后遇附着物扩大成吸盘状。叶二型，着生在短枝上的常为 3 小叶，较小的单叶常着生在长枝上，单叶者叶片卵圆形，基部心形或微心形，3 小叶者中央小叶长椭圆形，最宽处在近中部，侧生小叶卵状椭圆形，最宽处在下部，近圆形；单叶者基出脉 3 ~ 5，中央脉有侧脉 2 ~ 3 对，3 小叶者小叶有侧脉 5 ~ 6 对；叶柄长 5 ~ 20 cm，中央小叶有短柄，长 0.3 ~ 1 cm，侧生小叶无柄，完全无毛。花序假顶生于短枝先端，基部有分枝，主轴不明显，形成多歧聚伞花序；花序梗无毛；小苞片卵形，先端急

尖，无毛；花梗无毛；花蕾先端圆形；花萼碟形，近全缘或呈波状，外面无毛；花瓣 4，倒卵状椭圆形，高 1.5 ~ 2.7 mm，无毛；雄蕊 5，花丝长 0.4 ~ 0.9 mm，下部略宽，花药黄色，椭圆形或卵状椭圆形；花盘不明显；子房近球形，花柱短，柱头不明显扩大。果实近球形，有种子 1 ~ 4；种子倒卵形。花期 5 ~ 7 月，果期 7 ~ 11 月。

| **生境分布** | 生于岗地、低山、中山。湖南各地均有分布。

| **资源情况** | 野生资源一般。栽培资源一般。药材来源于野生和栽培。

| **采收加工** | 秋、冬季采挖全株，洗净，切段或片，鲜用或晒干。

| **功能主治** | 微辛、涩，温。祛风除湿，散瘀止痛，解毒消肿。用于风湿痹痛，胃痛，偏头痛，产后瘀滞腹痛，跌打损伤，痈疮肿毒。

| **用法用量** | 内服煎汤，15 ~ 30 g。外用适量，煎汤洗；或捣敷；或研末撒。

葡萄科 Vitaceae 地锦属 Parthenocissus

花叶地锦 *Parthenocissus henryana* (Hemsl.) Diels et Gilg

| 药 材 名 |

顺地红（药用部位：根。别名：猪蹄甲子）。

| 形态特征 |

木质藤本。小枝显著四棱形，无毛。卷须总状 4 ~ 7 分枝，相隔 2 节间断与叶对生，卷须先端嫩时膨大成块状，后遇附着物扩大成吸盘状。叶为掌状 5 小叶，小叶倒卵形、倒卵状长圆形或宽倒卵状披针形，上面绿色，下面浅绿色，两面均无毛或嫩时微被稀疏短柔毛，侧脉 3 ~ 6（~ 7）对，网脉在上面不明显，在下面微凸出；叶柄长 2.5 ~ 8 cm，小叶柄长 0.3 ~ 1.5 cm，无毛。圆锥状多歧聚伞花序主轴明显，假顶生，花序内常有退化较小的单叶；花序梗长 1.5 ~ 9 cm，无毛；花梗长 0.5 ~ 1.5 mm，无毛；花蕾椭圆形或近球形，高 1 ~ 2.2 mm，先端圆形；花萼碟形，全缘，无毛；花瓣 5，长椭圆形，高 0.8 ~ 2 mm，无毛；雄蕊 5，花丝长 0.7 ~ 0.9 mm，花药长椭圆形，长 0.9 ~ 1.1 mm；花盘不明显；子房卵状椭圆形，花柱基部略比子房先端小或界限极不明显，柱头不显著或微扩大。果实近球形，直径 0.8 ~ 1 cm，有种子 1 ~ 3；种子倒卵形，先端圆形，基部有短喙，种脐在种子背面中

部呈椭圆形，腹部中棱脊凸出，两侧洼穴呈沟状，从种子基部向上达种子先端。花期 5 ~ 7 月，果期 8 ~ 10 月。

| **生境分布** | 生于丘陵岗地、低山、中山。分布于湘西、湘西南等。

| **资源情况** | 野生资源一般。药材来源于野生。

| **采收加工** | 秋、冬季采挖，除去细根，洗净泥土，切片，鲜用或晒干。

| **功能主治** | 破血散瘀，消肿解毒。用于痛经，闭经，跌打损伤，风湿骨痛，疮毒。

| **用法用量** | 内服煎汤，9 ~ 15 g。外用适量，捣敷。

绿叶地锦 *Parthenocissus laetevirens* Rehd.

| 药 材 名 | 大绿藤（药用部位：根、藤茎。别名：痧症药）。

| 形态特征 | 木质藤本。小枝圆柱形或有显著纵棱，嫩时被短柔毛，以后脱落至无毛。卷须总状 5 ~ 10 分枝，相隔 2 节间断与叶对生，卷须先端嫩时膨大成块状，后遇附着物扩大成吸盘状。叶为掌状 5 小叶，小叶倒卵状长椭圆形或倒卵状披针形，上面无毛，显著呈泡状隆起，下面浅绿色，在脉上被短柔毛；侧脉 4 ~ 9 对，网脉在上面不明显，在下面微凸起；叶柄长 2 ~ 6 cm，被短柔毛，小叶有短柄或几无柄。多歧聚伞花序圆锥状，中轴明显，假顶生，花序中常有退化小叶；花序梗长 0.5 ~ 4 cm，被短柔毛；花梗长 2 ~ 3 mm，无毛；花蕾椭圆形或微呈倒卵状椭圆形，先端圆形；花萼碟形，全缘，无毛；花

瓣 5，椭圆形，无毛；雄蕊 5，花丝长 1.4 ~ 2.4 mm，下部略宽，花药长椭圆形，长 1.6 ~ 2.6 mm；花盘不明显；子房近球形，花柱明显，基部略粗，柱头不明显扩大。果实球形，直径 0.6 ~ 0.8 cm，有种子 1 ~ 4；种子倒卵形。花期 7 ~ 8 月，果期 9 ~ 11 月。

| **生境分布** | 生于丘陵岗地、低山。湖南各地均有分布。

| **资源情况** | 野生资源一般。药材来源于野生。

| **功能主治** | 辛，温。接骨，止痛。用于骨折，疝气腹痛。

| **用法用量** | 外用适量，捣敷。

葡萄科 Vitaceae 地锦属 Parthenocissus

三叶地锦
Parthenocissus semicordata (Wall.) Planch.

| 药 材 名 | 三爪金龙（药用部位：全株。别名：小红藤、绿葡萄藤、三爪风）。

| 形态特征 | 木质藤本。小枝圆柱形，嫩时被疏柔毛，以后脱落至几无毛。卷须总状4～6分枝，相隔2节间断与叶对生，先端嫩时尖细卷曲，后遇附着物扩大成吸盘状。叶为3小叶，着生在短枝上，中央小叶倒卵状椭圆形或倒卵圆形，侧生小叶卵状椭圆形或长椭圆形，长5～10 cm，宽（2～）3～5 cm，先端短尾尖，基部不对称，近圆形，外侧边缘有7～15锯齿，内侧边缘上半部有4～6锯齿，上面绿色，下面浅绿色，下面中脉和侧脉上被短柔毛；侧脉4～7对，网脉在两面不明显或微凸出；叶柄长3.5～15 cm，疏生短柔毛，小叶几无柄。多歧聚伞花序着生在短枝上，花序基部分枝，主轴不明显；

花序梗长 1.5 ～ 3.5 cm，被疏柔毛或无毛；花梗无毛；花蕾椭圆形，先端圆形；花萼碟形，全缘，无毛；花瓣 5，卵状椭圆形，无毛；雄蕊 5，花丝长 0.6 ～ 0.9 mm，花药卵状椭圆形，长 0.4 ～ 0.6 mm；花盘不明显；子房扁球形，花柱短，柱头不扩大。果实近球形，直径 0.6 ～ 0.8 cm，有种子 1 ～ 2；种子倒卵形。花期 5 ～ 7 月，果期 9 ～ 10 月。

| 生境分布 | 生于低山、岗地、中山。分布于湖南邵阳（绥宁、新宁）、常德（鼎城）、永州（蓝山）、怀化（洪江）、娄底（新化）等。

| 资源情况 | 野生资源一般。药材来源于野生。

| 功能主治 | 辛，温。祛风除湿，散瘀通络。用于风湿痹痛，跌打损伤，骨折。

| 用法用量 | 内服煎汤，10 ～ 15 g；或浸酒。外用适量，煎汤洗；或捣敷。

葡萄科 Vitaceae 地锦属 Parthenocissus

地锦

Parthenocissus tricuspidata (Sieb. et Zucc.) Planch.

| 药 材 名 | 地锦草（药用部位：全株。别名：草血竭、血见愁草、仙桃草）。

| 形态特征 | 木质藤本。小枝圆柱形，微被疏柔毛或几无毛。卷须 5 ～ 9 分枝，相隔 2 节间断与叶对生。卷须先端嫩时膨大成圆珠形，后遇附着物扩大成吸盘状。叶为单叶，通常着生在短枝上者 3 浅裂，稀有着生在长枝上者小型，不裂，叶片通常倒卵圆形，长 4.5 ～ 17 cm，宽 4 ～ 16 cm，先端裂片急尖，基部心形，边缘有粗锯齿，上面绿色，无毛，下面浅绿色，中脉上疏生短柔毛或无毛，基出脉 5，中央脉有侧脉 3 ～ 5 对，网脉在上面不明显，在下面微凸出；叶柄长 4 ～ 12 cm，疏生短柔毛或无毛。花序着生在短枝上，基部分枝，形成多歧聚伞花序，花序长 2.5 ～ 12.5 cm，主轴不明显；花序梗长

1 ~ 3.5 cm，几无毛；花梗长 2 ~ 3 mm，无毛；花蕾倒卵状椭圆形，高 2 ~ 3 mm，先端圆形；花萼碟形，全缘或呈波状，无毛；花瓣 5，长椭圆形，高 1.8 ~ 2.7 mm，无毛；雄蕊 5，花丝长 1.5 ~ 2.4 mm，花药长椭圆状卵形，长 0.7 ~ 1.4 mm；花盘不明显；子房椭圆形，花柱明显，基部粗，柱头不扩大。果实球形，有种子 1 ~ 3；种子倒卵圆形。花期 5 ~ 8 月，果期 9 ~ 10 月。

| **生境分布** | 生于岗地、低山。湖南有广泛分布。

| **资源情况** | 野生资源较丰富。栽培资源较少。药材来源于野生和栽培。

| **采收加工** | 10 月采收，洗净，晒干或鲜用。

| **药材性状** | 本品藤茎呈圆柱形，灰绿色，光滑，外表有细纵条纹，并有细圆点状凸起的皮孔，皮孔呈棕褐色。节略膨大，节上常有叉状分枝的卷须。叶互生，常脱落。断面中央有类白色髓，木部黄白色，皮部呈纤维片状剥离。气微，味淡。

| **功能主治** | 辛，平。清热解毒，利湿退黄，活血止血。用于痢疾，泄泻，黄疸，咯血，吐血，尿血，便血，崩漏，乳汁不下，跌打肿痛，热毒疮疡。

| **用法用量** | 内服煎汤，10 ~ 15 g，鲜品 15 ~ 30 g；或入散剂。外用适量，鲜品捣敷；或干品研末撒。

葡萄科 Vitaceae 崖爬藤属 Tetrastigma

三叶崖爬藤 *Tetrastigma hemsleyanum* Diels et Gilg

| 药 材 名 |

三叶青（药用部位：叶）。

| 形态特征 |

草质藤本。小枝纤细，有纵棱纹，被疏柔毛
或无毛。卷须不分枝，相隔 2 节间断与叶对
生。叶为 3 小叶，小叶披针形、长椭圆状披
针形或卵状披针形；侧脉 5 ~ 6 对，网脉在
两面不明显，无毛；叶柄长 2 ~ 7.5 cm，中
央小叶柄长 0.5 ~ 1.8 cm，侧生小叶柄较短，
被疏柔毛或无毛。花序腋生，长 1 ~ 5 cm，
比叶柄短、与叶柄近等长或较叶柄长，下
部有节，节上有苞片，或假顶生而基部无
节和苞片，二级分枝通常 4，集生成伞形，
花二歧状着生在分枝末端；花序梗被短柔
毛；花梗通常被灰色短柔毛；花蕾卵圆形，
高 1.5 ~ 2 mm，先端圆形；花萼碟形，萼
齿细小，卵状三角形；花瓣 4，卵圆形，高
1.3 ~ 1.8 mm，先端有小角，外展，无毛；
雄蕊 4，花药黄色；花盘明显，4 浅裂；子
房陷在花盘中呈短圆锥状，花柱短，柱头
4 裂。果实近球形或倒卵状球形，直径约
0.6 cm，有种子 1；种子倒卵状椭圆形，先
端微凹，基部圆钝，表面光滑，种脐在种子
背面中部向上呈椭圆形，腹面两侧洼穴呈沟

状，从下部近 1/4 处向上斜展直达种子先端。花期 4 ~ 6 月，果期 8 ~ 11 月。

| **生境分布** | 生于低山、丘陵岗地。分布于湖南衡阳、常德（汉寿）、郴州（宜章）、永州（道县）、湘西州（永顺）。

| **资源情况** | 野生资源稀少。药材来源于野生。

| **采收加工** | 夏、秋季采摘，鲜用。

| **功能主治** | 清热解毒。用于痈疽发背。

| **用法用量** | 外用适量，捣敷。

葡萄科 Vitaceae 崖爬藤属 Tetrastigma

崖爬藤
Tetrastigma obtectum (Wall.) Planch.

| 药 材 名 | 走游草（药用部位：全株或根。别名：藤五甲、五叶崖爬藤、毛五加）。

| 形态特征 | 草质藤本。小枝圆柱形。卷须 4 ~ 7 呈伞状集生，相隔 2 节间断与叶对生。叶为掌状 5 小叶，小叶菱状椭圆形或椭圆状披针形；侧脉 4 ~ 5 对，网脉不明显；叶柄长 1 ~ 4 cm，小叶柄极短或几无柄，被疏柔毛或无毛；托叶褐色，膜质，卵圆形，常宿存。花序长 1.5 ~ 4 cm，比叶柄短、与叶柄近等长或较叶柄长，顶生或假顶生于具 1 ~ 2 叶的短枝上，多数花集生成单伞形；花序梗长 1 ~ 4 cm，被稀疏柔毛或无毛；花蕾椭圆形或卵状椭圆形，高 1.5 ~ 3 mm，先端近截形或近圆形；花萼浅碟形，边缘呈波状浅裂，外面无毛或被稀疏柔毛；花瓣 4，长椭圆形，高 1.3 ~ 2.7 mm，先端有短角，外

面无毛；雄蕊 4，花丝丝状，花药黄色，卵圆形，长宽近相等，雌花内雄蕊显著短而败育；花盘明显，4 浅裂，在雌花中不发达；子房锥形，花柱短，柱头扩大成碟形，边缘不规则分裂。果实球形，直径 0.5 ~ 1 cm，有种子 1；种子椭圆形，先端圆形，基部有短喙。花期 4 ~ 6 月，果期 8 ~ 11 月。

| **生境分布** | 生于丘陵岗地、低山、中山。湖南各地均有分布。

| **资源情况** | 野生资源一般。栽培资源较少。药材来源于野生和栽培。

| **采收加工** | 全株，秋季采挖，洗净泥沙，除去杂质，切碎，晒干。根，冬季采挖，洗净，切片，晒干。

| **功能主治** | 辛，温。祛风除湿，活血通络，解毒消肿。用于风湿痹痛，跌打损伤，流注痰核，痈疮肿毒，毒蛇咬伤。

| **用法用量** | 内服煎汤，10 ~ 15 g；或浸酒。外用适量，煎汤洗；或捣敷；或研末撒、麻油调涂。

葡萄科 Vitaceae 崖爬藤属 Tetrastigma

狭叶崖爬藤

Tetrastigma serrulatum (Roxb.) Planch. var. *seerulatum*

| 药 材 名 | 五爪金龙（药用部位：全草或根。别名：五爪藤、五爪龙、灯笼草）。

| 形态特征 | 草质藤本。小枝纤细，圆柱形。卷须不分枝，相隔 2 节间断与叶对生。叶为鸟足状 5 小叶，小叶卵状披针形或倒卵状披针形，侧生小叶基部不对称，边缘常呈波状，边缘每侧有 5 ~ 8 细锯齿，细锯齿长约 1 mm，常着生于波形凹处，上面绿色，下面浅绿色，两面无毛；侧脉 4 ~ 8 对，网脉在两面明显凸出；叶柄长 1 ~ 5.5 cm，中央小叶柄长 0.5 ~ 1.3 cm，侧生小叶总柄长 0.2 ~ 1 cm，侧生小叶柄短或近无柄，无毛。花序腋生，比叶柄短、与叶柄近等长或较叶柄长，下部有节和苞片，或在侧枝上与叶对生，下部无节和苞片，二级分枝 4 ~ 5，集生成伞形；花序梗无毛；花梗几无毛或无毛；花蕾卵

状椭圆形；花萼细小，萼齿不明显，无毛；花瓣 4，卵状椭圆形；雄蕊 4，花丝丝状，花药黄色，卵圆形，长宽近相等；花盘在雄花中明显，4 浅裂；子房下部与花盘合生。果实圆球形，有种子 2；种子倒卵状椭圆形，种脐在种子背面下部向上呈狭带形，下端略呈龟头状，腹部中棱脊凸出，两侧洼穴呈沟状，从基部向上斜展达种子先端。花期 3 ~ 6 月，果期 7 ~ 10 月。

| **生境分布** | 生于丘陵岗地。分布于湖南永州（新田）等。

| **资源情况** | 野生资源稀少。药材来源于野生。

| **功能主治** | 辛，温。祛风除湿，接骨续筋，散瘀消肿。用于风湿痹痛，跌打损伤，骨折筋伤，烫火伤，无名肿毒，皮肤湿烂。

| **用法用量** | 内服煎汤，5 ~ 10 g；或浸酒。外用适量，捣烂；或研末调敷。

葡萄科 Vitaceae 葡萄属 Vitis

桦叶葡萄

Vitis betulifolia Diels et Gilg

| 药 材 名 | 桦叶葡萄根皮（药用部位：根皮。别名：大血藤）、桦叶葡萄（药用部位：根）。

| 形态特征 | 木质藤本。小枝圆柱形。卷须二叉分枝，相隔 2 节间断与叶对生。叶卵圆形或卵状椭圆形，长 4 ~ 12 cm，宽 3.5 ~ 9 cm，不分裂或 3 浅裂，先端急尖或渐尖，基部心形或近截形，稀上部叶基部近圆形，边缘每侧具锯齿 15 ~ 25，齿急尖；基出脉 5，中脉有侧脉 4 ~ 6 对，网脉在下面微凸出；叶柄长 2 ~ 6.5 cm，嫩时被蛛丝状绒毛，以后脱落至无毛；托叶膜质，褐色，条状披针形，先端急尖或钝，全缘，无毛。圆锥花序疏散，与叶对生，下部分枝发达，长 4 ~ 15 cm，初时被蛛丝状绒毛，以后脱落至几无毛；花梗长 1.5 ~ 3 mm，无毛；

花蕾倒卵圆形，高 1.5 ~ 2 mm，先端圆形；花萼碟形，边缘膜质，全缘，高约 0.2 mm；花瓣 5，呈帽状黏合脱落；雄蕊 5，花丝丝状，长 1 ~ 1.5 mm，花药黄色，椭圆形，长约 4 mm，雌花内雄蕊显著短而败育；花盘发达，5 裂；子房在雌花中卵圆形，花柱短，柱头微扩大。果实圆球形，成熟时紫黑色，直径 0.8 ~ 1 cm；种子倒卵形。花期 3 ~ 6 月，果期 6 ~ 11 月。

| 生境分布 | 生于低山、丘陵岗地。分布于湘南等。

| 资源情况 | 野生资源稀少。药材来源于野生。

| 采收加工 | **桦叶葡萄根皮**：冬季采挖根，洗净泥土，剥取根皮，切片，鲜用或晒干。
桦叶葡萄：冬季采挖，洗净泥土，晒干。

| 功能主治 | **桦叶葡萄根皮**：涩，平。舒筋活血，利湿解毒。用于风湿瘫痪，跌打骨折，痢疾，无名肿毒。
桦叶葡萄：舒筋活络。用于风湿瘫痪，劳伤。

| 用法用量 | **桦叶葡萄根皮**：内服煎汤，5 ~ 10 g。外用适量，捣敷。
桦叶葡萄：内服煎汤，5 ~ 10 g。

葡萄科 Vitaceae 葡萄属 Vitis

东南葡萄 *Vitis chunganensis* Hu

| 药 材 名 |

东南葡萄（药用部位：根、茎）。

| 形态特征 |

木质藤本。小枝圆柱形，幼嫩时棱纹不明显，老后有显著纵棱纹，无毛。卷须二叉分枝，相隔 2 节间断与叶对生。叶卵形或卵状长椭圆形，长 6.5 ～ 22.5 cm，宽 4.5 ～ 13.5 cm，先端急尖、渐尖或尾状渐尖，基部心形，基缺两侧近乎靠近或靠叠，边缘有 12 ～ 22 细牙齿，上面绿色，无毛，下面被白色粉霜，稀粉霜不明显而呈绿色，无毛；基出脉 5 ～ 7，中脉有侧脉 5 ～ 7 对，网脉不明显；叶柄长 2 ～ 6.5 cm，无毛；托叶卵状长椭圆形或披针形，先端钝，无毛，早落。花杂性异株；圆锥花序疏散，长 5 ～ 9 cm，与叶对生，下部分枝发达，基部分枝偶尔退化成卷须；花序梗长 1 ～ 2 cm，被短柔毛或脱落至几无毛；花梗长 1.2 ～ 2 mm，无毛；花蕾近球形或椭圆形，高 1 ～ 1.5 mm，无毛；花萼碟形，无毛，高约 0.2 mm；花瓣 5，呈帽状黏合脱落；雄蕊 5，花丝丝状，长 0.5 ～ 0.7 mm，花药黄色，椭圆形，长约 0.4 mm，雌花内雄蕊短而败育；花盘发达，5 裂；雌蕊 1，子房卵圆形，花柱细短，柱

头扩大。果实球形，成熟时紫黑色，直径 0.8 ~ 1.2 cm；种子倒卵形。花期 4 ~ 6 月，果期 6 ~ 8 月。

| **生境分布** | 生于岗地、中山、低山。湖南各地均有分布。

| **资源情况** | 野生资源一般。药材来源于野生。

| **采收加工** | 根，秋、冬季采收，洗净泥土，切片，晒干。茎，夏、秋季采收，除去杂质，晒干。

| **功能主治** | 祛风除湿。用于风湿痛。

| **用法用量** | 内服煎汤，15 ~ 30 g。

闽赣葡萄

Vitis chungii Metcalf

| 药 材 名 | 红扁藤（药用部位：全株。别名：背带藤）。

| 形态特征 | 木质藤本。小枝圆柱形。卷须二叉分枝，相隔 2 节间断与叶对生。叶长椭圆状卵形或卵状披针形，长 4 ~ 15 cm，宽 2 ~ 8 cm，先端渐尖或尾尖，稀急尖，基部截形、圆形或近圆形，稀微心形，边缘每侧有 7 ~ 9 锯齿，疏离，齿尖锐，上面绿色，无毛，下面无毛，常被白色粉霜；基出脉 3，中脉有侧脉 4 ~ 5 对，网脉在两面凸出，无毛；叶柄长 1 ~ 3.5 cm，无毛；托叶膜质，褐色，条形，无毛，早落。花杂性异株；圆锥花序基部分枝不发达，圆柱形，长 3.5 ~ 10 cm，与叶对生；花序梗长 1.5 ~ 2.5 cm，初时被短柔毛，以后脱落至无毛；花萼碟形，全缘；花瓣 5，呈帽状黏合脱落；雄蕊 5，

花丝丝状，长 0.8 ~ 1.2 mm，花药黄色，椭圆形，长 0.4 ~ 0.5 mm，雌花内雄蕊短而败育；花盘发达，5 裂；雌蕊 1，子房卵圆形，花柱短，柱头扩大。果实球形，成熟时紫红色；种子倒卵状椭圆形。花期 4 ~ 6 月，果期 6 ~ 8 月。

| **生境分布** | 生于丘陵岗地。分布于湖南郴州（苏仙）、永州（新田）、长沙（浏阳）等。

| **资源情况** | 野生资源稀少。药材来源于野生。

| **采收加工** | 夏、秋季采收，洗净，根、茎均切段或片，叶切碎，鲜用或晒干。

| **功能主治** | 甘、涩，平。消肿拔毒。用于疮痈疖肿。

| **用法用量** | 内服煎汤，9 ~ 15 g。外用适量，捣敷。

葡萄科 Vitaceae 葡萄属 Vitis

刺葡萄
Vitis davidii (Roman. du Caill.) Foex.

| 药 材 名 |

刺葡萄根（药用部位：根）。

| 形态特征 |

木质藤本。小枝圆柱形，幼时纵棱纹不明显，被皮刺，无毛。卷须二叉分枝，相隔 2 节间断与叶对生。叶卵圆形或卵状椭圆形，基出脉 5，中脉有侧脉 4 ~ 5 对，网脉明显，在下面比在上面凸出，无毛，常疏生小皮刺；托叶近草质，绿褐色，卵状披针形，长 2 ~ 3 mm，宽 1 ~ 2 mm，无毛，早落。花杂性异株；圆锥花序基部分枝发达，长 7 ~ 24 cm，与叶对生；花序梗长 1 ~ 2.5 cm，无毛；花梗长 1 ~ 2 mm，无毛；花蕾倒卵圆形，高 1.2 ~ 1.5 mm，先端圆形；花萼碟形，边缘萼片不明显；花瓣 5，呈帽状黏合脱落；雄蕊 5，花丝丝状，长 1 ~ 1.4 mm，花药黄色，椭圆形，长 0.6 ~ 0.7 mm，雌花内雄蕊短而败育；花盘发达，5 裂；雌蕊 1，子房圆锥形，花柱短，柱头扩大。果实球形，成熟时紫红色，直径 1.2 ~ 2.5 cm；种子倒卵状椭圆形，先端圆钝，基部有短喙，种脐在种子背面中部呈圆形，腹面中棱脊凸起，两侧洼穴狭窄，向上达种子 3/4 处。花期 4 ~ 6 月，果期 7 ~ 10 月。

生境分布	生于低山、丘陵岗地。分布于湘南、湘西、湘中等。
资源情况	野生资源一般。药材来源于野生。
采收加工	秋、冬季采挖，洗净，切片，鲜用或晒干。
功能主治	甘、微苦，平。散瘀消积，舒筋止痛。用于吐血，腹胀癥积，关节肿痛，筋骨伤痛。
用法用量	内服煎汤，30 ~ 60 g，鲜品加倍；或浸酒。

葡萄科 Vitaceae 葡萄属 Vitis

葛藟葡萄
Vitis flexuosa Thunb.

| **药 材 名** | 葛藟根（药用部位：根或根皮）、葛藟叶（药用部位：叶）、葛藟果实（药用部位：果实）、葛藟汁（药用部位：藤汁）。

| **形态特征** | 木质藤本。小枝圆柱形。卷须二叉分枝，相隔 2 节间断与叶对生。叶卵形、三角状卵形、卵圆形或卵状椭圆形，先端急尖或渐尖，基部浅心形或近截形，心形者基缺先端凹成钝角，边缘每侧有微不整齐的 5 ～ 12 锯齿，上面绿色，无毛，下面初时疏被蛛丝状绒毛，以后毛脱落；基出脉 5，中脉有侧脉 4 ～ 5 对，网脉不明显；叶柄被稀疏蛛丝状绒毛或几无毛；托叶早落。圆锥花序疏散，与叶对生，基部分枝发达或细长而短，长 4 ～ 12 cm；花序梗长 2 ～ 5 cm，被蛛丝状绒毛或几无毛；花梗长 1.1 ～ 2.5 mm，无毛；花蕾倒卵圆形，高 2 ～ 3 mm，先端圆形或近截形；花萼浅碟形，边缘呈波状浅裂，

无毛；花瓣 5，呈帽状黏合脱落；雄蕊 5，花丝丝状，长 0.7 ~ 1.3 mm，花药黄色，卵圆形，长 0.4 ~ 0.6 mm，雌花内雄蕊短小，败育；花盘发达，5 裂；雌蕊 1，在雄花中退化，子房卵圆形，花柱短，柱头微扩大。果实球形，直径 0.8 ~ 1 cm；种子倒卵状椭圆形，先端近圆形，基部有短喙。花期 3 ~ 5 月，果期 7 ~ 11 月。

| 生境分布 | 生于岗地、低山、中山。湖南有广泛分布。

| 资源情况 | 野生资源较丰富。栽培资源较少。药材来源于野生和栽培。

| 采收加工 | 葛藟根：秋、冬季采挖根，洗净泥土，切片；或剥取根皮，切片，鲜用或晒干。
葛藟叶：夏、秋季采摘，洗净，鲜用或晒干。
葛藟果实：夏、秋季果实成熟时采收，鲜用或晒干。
葛藟汁：夏、秋季砍断藤茎，收集汁液，鲜用。

| 功能主治 | 葛藟根：甘，平。利湿退黄，活血通络，解毒消肿。用于黄疸性肝炎，风湿痹痛，跌打损伤，痈肿。
葛藟叶：甘，平。消积，解毒，敛疮。用于食积，痢疾，湿疹，烫火伤。
葛藟果实：甘，平。润肺止咳，凉血止血，消食。用于肺燥咳嗽，吐血，食积，泻痢。
葛藟汁：甘，平。益气生津，活血舒筋。用于乏力，口渴，哕逆，跌打损伤。

| 用法用量 | 葛藟根：内服煎汤，15 ~ 30 g。外用适量，捣敷。
葛藟叶：内服煎汤，10 ~ 15 g。外用适量，煎汤洗；或捣汁涂。
葛藟果实：内服煎汤，10 ~ 15 g。
葛藟汁：内服原汁，5 ~ 10 g。外用适量，涂敷；或点眼。

葡萄科 Vitaceae 葡萄属 Vitis

毛葡萄
Vitis heyneana Roem. et Schult

药 材 名

毛葡萄（药用部位：根皮、叶。别名：橡根藤、五角叶葡萄、飞天白鹤）。

形态特征

木质藤本。小枝圆柱形，被灰色或褐色蛛丝状绒毛。卷须二叉分枝，密被绒毛，相隔 2 节间断与叶对生。叶卵圆形、长卵状椭圆形或卵状五角形，先端急尖或渐尖，基部心形或微心形，基缺先端凹成钝角，稀成锐角，边缘每侧有 9 ~ 19 尖锐锯齿，上面绿色，初时疏被蛛丝状绒毛，以后脱落至无毛，下面密被灰色或褐色绒毛，稀毛脱落变稀疏；基出脉 3 ~ 5，中脉有侧脉 4 ~ 6 对，上面脉上有时疏被短柔毛或无毛，下面脉上密被绒毛，有时被短柔毛，稀被绒毛状柔毛；叶柄密被蛛丝状绒毛；托叶膜质，褐色，卵状披针形。花杂性异株；圆锥花序疏散，与叶对生，分枝发达；花序梗长 1 ~ 2 cm，被灰色或褐色蛛丝状绒毛；花梗无毛；花蕾倒卵圆形或椭圆形，先端圆形；花萼碟形，近全缘；花瓣 5，呈帽状黏合脱落；雄蕊 5，花丝丝状，花药黄色，椭圆形或阔椭圆形，长约 0.5 mm，雌花内雄蕊显著短而败育；花盘发达，5 裂；雌蕊 1，子房卵圆形，花柱短，柱头微扩大。果实圆球形；种子倒卵形。花期 4 ~ 6 月，果期 6 ~ 10 月。

| **生境分布** | 生于岗地、低山、中山。湖南有广泛分布。

| **资源情况** | 野生资源较丰富。药材来源于野生。

| **采收加工** | 根皮，全年均可采剥，洗净，晒干。叶，夏、秋季采摘，晒干，搓为绒絮。

| **功能主治** | 微苦、酸，平。根皮，调经活血，舒筋活络。用于月经不调，带下，跌打损伤，筋骨疼痛。叶，止血。用于外伤出血。

| **用法用量** | 根皮，内服煎汤，6 ~ 9 g。外用适量，捣敷。不可与大葱同用。叶，搓为绒絮，外敷。

葡萄科 Vitaceae 葡萄属 Vitis

鸡足葡萄
Vitis lanceolatifoliosa C. L. Li

药材名

鸡足葡萄（药用部位：叶）。

形态特征

木质藤本。小枝圆柱形，有纵棱纹，密被锈色蛛丝状绒毛。卷须二叉分枝，每隔 2 节间断与叶对生。叶为掌状 3～5 小叶，中央小叶带状披针形，稀长椭圆形或倒卵状披针形，长 3.5～9 cm，宽 1.5～2.5 cm，先端渐尖，基部楔形，边缘每侧有 5～6 波状细牙齿，侧生小叶卵状披针形，长 3～8 cm，宽 1.2～3 cm，先端渐尖，基部不对称，斜楔形或斜圆形，外侧有 6～11 细牙齿，不分裂或基部 2 裂，上面深绿色，初时疏被蛛丝状绒毛，以后脱落，仅中脉被极短的柔毛，下面密被褐色蛛丝状绒毛；侧脉 3～5 对，网脉不明显；叶柄长 3～5 cm，密被褐色蛛状丝绒毛；托叶近膜质，深褐色，椭圆形，长 1.8～2.5 mm，宽 1～1.3 mm，先端急尖，全缘，无毛或近无毛。圆锥花序疏散，与叶对生，分枝发达，花序梗长 4～8 cm，密被锈色蛛丝状绒毛；花梗长 1～1.3 mm，几无毛；花蕾倒卵圆形，高 1.7～2.8 mm，先端圆形；花萼碟形，萼齿不明显；花瓣 5，呈帽状黏合脱落；雄蕊 5，花盘发达，5 裂；

雌蕊 1，子房卵圆形，花柱短，柱头微扩大。果实球形，直径 0.8 ～ 1 cm；种子倒卵圆形，先端近圆形，基部有短喙，种脐在种子背面中部呈椭圆形，种脊凸出，腹面中棱脊凸起，两侧洼穴呈宽沟状，向上达种子的 1/3 处。花期 5 月，果期 8 ～ 9 月。

| 生境分布 | 生于海拔 600 ～ 800 m 的山坡、溪边灌丛或疏林。分布于湖南岳阳（平江）、永州（道县、江华）、怀化（会同）等。

| 资源情况 | 野生资源稀少。药材主要来源于野生。

| 功能主治 | 甘，凉。清热解毒，利湿消肿。用于感冒发热，咽喉肿痛，湿热黄疸，目赤肿痛，痈肿疮疖。

葡萄科 Vitaceae 葡萄属 Vitis

华东葡萄
Vitis pseudoreticulata W. T. Wang

| 药 材 名 | 华东葡萄（药用部位：根或根皮。别名：野葡萄、乌桉藤）。

| 形态特征 | 木质藤本。小枝圆柱形，嫩枝疏被蛛丝状绒毛，以后脱落至近无毛。卷须二叉分枝，相隔 2 节间断与叶对生。叶卵圆形或肾状卵圆形，先端急尖或短渐尖，稀呈圆形，基部心形，基缺凹成圆形或钝角，上面绿色，初时疏被蛛丝状绒毛，以后脱落至无毛，下面初时疏被蛛丝状绒毛，以后毛脱落；基出脉 5，中脉有侧脉 3 ~ 5 对，下面沿侧脉被白色短柔毛，网脉在下面明显；叶柄长 3 ~ 6 cm，初时被蛛丝状绒毛，以后毛脱落，并有短柔毛；托叶早落。圆锥花序疏散，与叶对生，基部分枝发达，杂性异株，疏被蛛丝状绒毛，以后毛脱落；花梗长 1 ~ 1.5 mm，无毛；花蕾倒卵圆形，高 2 ~ 2.5 mm，先端

圆形；花萼碟形，萼齿不明显，无毛；花瓣 5，呈帽状黏合脱落；雄蕊 5，花丝丝状，长约 1 mm，花药黄色，椭圆形，长约 0.2 mm，宽约 0.1 mm，雌花内雄蕊显著短而败育；花盘发达；雌蕊 1，子房锥形，花柱不明显扩大。果实成熟时紫黑色，直径 0.8 ~ 1 cm；种子倒卵圆形，先端微凹，基部有短喙。花期 4 ~ 6 月，果期 6 ~ 10 月。

| 生境分布 | 生于岗地、低山。湖南各地均有分布。

| 资源情况 | 野生资源较少。药材来源于野生。

| 采收加工 | 秋季采挖根，洗净泥土，切片；或剥取根皮，切片，晒干。鲜用随时可采。

| 功能主治 | 清热解毒，消肿止痛，舒筋活血。用于乳痈，附骨疽，跌打损伤，疮疡肿毒。

| 用法用量 | 内服煎汤，15 ~ 30 g，鲜品加倍。外用适量，捣敷；或研末调敷。

| 附　　注 | 本种为蛇葡萄的伪品，皮部很薄，木部占切面的绝大部分。

葡萄科 Vitaceae 葡萄属 Vitis

秋葡萄 *Vitis romaneti* Roman. du Caill. ex Planch.

| 药 材 名 | 秋葡萄茎（药用部位：茎或茎中液汁。别名：扁担藤）。

| 形态特征 | 木质藤本。小枝圆柱形，密被短柔毛和有柄腺毛，腺毛长 1 ~ 1.5 mm。卷须常 2 或 3 分枝，相隔 2 节间断与叶对生。叶卵圆形或阔卵圆形，微 5 裂或不分裂，基部深心形，基缺凹成锐角，稀成钝角，有时两侧靠近，边缘有粗锯齿，齿端尖锐；基出脉 5，脉基部常疏生有柄腺体，中脉有侧脉 4 ~ 5 对，网脉在上面微凸出，在下面凸出，被短柔毛；叶柄被短柔毛和有柄腺毛；托叶膜质，褐色，卵状披针形，长 7 ~ 14 mm，宽 3 ~ 5 mm，先端渐尖，全缘，无毛。花杂性异株；圆锥花序疏散，长 5 ~ 13 cm，与叶对生，基部分枝发达，花序梗长 1.5 ~ 3.5 cm，密被短柔毛和有柄腺毛；花梗长

1.6 ~ 2 mm，无毛；花蕾倒卵状椭圆形，高 1.5 ~ 2 mm，先端圆形；花萼碟形，高约 2 mm，几全缘，无毛；花瓣 5，呈帽状黏合脱落；雄蕊 5，花丝丝状，长 1.4 ~ 1.8 mm，花药黄色，椭圆状卵形，长约 0.5 mm，雌花内雄蕊短而败育；花盘发达，5 裂；雌蕊 1，子房圆锥形，花柱短，柱头扩大。果实球形，直径 0.7 ~ 0.8 cm；种子倒卵形。花期 4 ~ 6 月，果期 7 ~ 9 月。

| 生境分布 |　生于丘陵岗地、低山。分布于湘中、湘西北等。

| 资源情况 |　野生资源一般。药材来源于野生。

| 采收加工 |　茎，秋、冬季采割，洗净，切片，晒干。茎中液汁，夏、秋季植株生长旺盛时砍断藤茎，收集液汁，鲜用。

| 功能主治 |　甘、微涩，凉。去翳明目，止血生肌。用于翳膜遮睛，吐血，外伤出血。

| 用法用量 |　内服煎汤，15 ~ 30 g。外用适量，捣敷；或取茎中液汁点眼。

葡萄科 Vitaceae 葡萄属 Vitis

小叶葡萄
Vitis sinocinerea W. T. Wang

| 药 材 名 | 小叶葡萄（药用部位：全株或根）。

| 形态特征 | 木质藤本。小枝圆柱形，疏被短柔毛和稀疏蛛丝状绒毛。卷须不分枝或二叉分枝，相隔 2 节间断与叶对生。叶卵圆形，3 浅裂或不明显分裂，先端急尖，基部浅心形或近截形，边缘每侧有 5 ~ 9 锯齿，上面绿色，密被短柔毛或脱落至几无毛，下面密被淡褐色蛛丝状绒毛；基出脉 5，中脉有侧脉 3 ~ 4 对，脉上密被短柔毛并疏生蛛丝状绒毛；叶柄长 1 ~ 3 cm，密被短柔毛；托叶膜质，褐色，卵状披针形，长约 2 mm，宽约 1 mm，先端钝或渐尖，几无毛。圆锥花序小，狭窄，长 3 ~ 6 cm，与叶对生，基部分枝不发达，花序梗长 1.5 ~ 2 cm，被短柔毛；花梗长 1.5 ~ 2 mm，几无毛；花蕾倒卵状椭圆形，高

1.5 ~ 2 mm，先端圆形；花萼碟形，几全缘，无毛；花瓣 5，呈帽状黏合脱落；雄蕊 5，花丝丝状，长约 1 mm，花药黄色，椭圆形，长约 0.5 mm；花盘发达，5 裂；雌蕊在雄花内退化。果实成熟时紫褐色，直径 0.6 ~ 1 cm；种子倒卵圆形，先端微凹，基部有短喙。花期 4 ~ 6 月，果期 7 ~ 10 月。

| 生境分布 | 生于岗地、中山。湖南各地均有分布。

| 资源情况 | 野生资源较少。药材来源于野生。

| 采收加工 | 夏、秋季采收，洗净，根、茎均切段或片，叶切碎，鲜用或晒干。

| 功能主治 | 祛风除湿，解毒。

| 用法用量 | 内服煎汤，9 ~ 15 g。外用适量，捣敷。

葡萄 *Vitis vinifera* L.

| 药 材 名 | 葡萄（药用部位：果实。别名：蒲陶、草龙珠、赐紫樱桃）。

| 形态特征 | 木质藤本。小枝圆柱形。卷须二叉分枝，相隔 2 节间断与叶对生。叶卵圆形，显著 3 ~ 5 浅裂或中裂，长 7 ~ 18 cm，宽 6 ~ 16 cm，中裂片先端急尖，裂片常靠合，基部常缢缩，裂缺狭窄，间或宽阔，基部深心形，基缺凹成圆形，两侧常靠合，边缘有 22 ~ 27 锯齿，齿深而粗大，不整齐，齿端急尖，上面绿色，下面浅绿色，被疏柔毛或无毛；基出脉 5，中脉有侧脉 4 ~ 5 对，网脉不明显突出；叶柄长 4 ~ 9 cm，几无毛；托叶早落。圆锥花序密集或疏散，多花，与叶对生，基部分枝发达，长 10 ~ 20 cm，花序梗长 2 ~ 4 cm，疏生蛛丝状绒毛或几无毛；花梗长 1.5 ~ 2.5 mm，无毛；花蕾倒卵圆

形，高 2 ~ 3 mm，先端近圆形；花萼浅碟形，边缘呈波状，外面无毛；花瓣 5，呈帽状黏合脱落；雄蕊 5，花丝丝状，长 0.6 ~ 1 mm，花药黄色，卵圆形，长 0.4 ~ 0.8 mm，在雌花内显著短而败育或完全退化；花盘发达，5 浅裂；雌蕊 1，在雄花中完全退化，子房卵圆形，花柱短，柱头扩大。果实球形或椭圆形，直径 1.5 ~ 2 cm；种子倒卵状椭圆形，先端近圆形。花期 4 ~ 5 月，果期 8 ~ 9 月。

| **生境分布** | 生于岗地、低山、中山。湖南有广泛分布。

| **资源情况** | 野生资源丰富。栽培资源较少。药材来源于野生和栽培。

| **采收加工** | 夏、秋季果实成熟时采收，鲜用或风干。

| **药材性状** | 本品鲜品呈圆形或椭圆形。干品均皱缩，长 3 ~ 7 mm，直径 2 ~ 6 mm，表面淡黄绿色至暗红色；先端有残存柱基，微凸尖，基部有果柄痕，有的残存果柄；质稍柔软，易被撕裂，富糖质。气微，味甜、微酸。

| **功能主治** | 甘、酸，平。补气血，强筋骨，利小便。用于气血虚弱，肺虚咳嗽，心悸盗汗，烦渴，风湿痹痛，淋病，水肿，痘疹不透。

| **用法用量** | 内服煎汤，15 ~ 30 g；或捣汁含咽；或熬膏；或浸酒。外用适量，浸酒涂擦；或研末撒。

葡萄科 Vitaceae 葡萄属 Vitis

网脉葡萄 *Vitis wilsoniae* H. J. Veitch

| 药 材 名 | 野葡萄根（药用部位：根）、野葡萄叶（药用部位：叶）。

| 形态特征 | 木质藤本。幼枝近圆柱形，有白色蛛丝状柔毛，后变无毛。叶心形或心状卵形，长 8 ~ 15 cm，宽 5 ~ 10 cm，通常不裂，有时不明显的 3 浅裂，边缘有小牙齿，下面沿脉有锈色蛛丝状毛，两面常有白粉；叶脉在下面隆起，网脉明显；叶柄长 4 ~ 7 cm。圆锥花序长 8 ~ 15 cm；花小，淡绿色；花萼盘形，全缘；花瓣 5；雄蕊 5。浆果球形，直径 7 ~ 12（~ 18）mm，蓝黑色，有白粉。

| 生境分布 | 生于低山、岗地。分布于湘西北，以及怀化（洪江）、衡阳（衡东）、邵阳（隆回）等。

| 资源情况 | 野生资源较少。药材来源于野生。

| 采收加工 | **野葡萄根**：秋、冬季采挖，洗净，切片，鲜用或晒干。
野葡萄叶：夏、秋季采摘，洗净，鲜用或晒干。

| 功能主治 | **野葡萄根**：清热解毒。用于痈疽疔疮，慢性骨髓炎。
野葡萄叶：用于关节酸痛。

| 用法用量 | **野葡萄根**：外用适量，捣敷。
野葡萄叶：外用适量，捣敷。

葡萄科 Vitaceae 俞藤属 Yua

大果俞藤 Yua austro-orientalis (Metcalf) C. L. Li

| 药 材 名 | 大果俞藤（药用部位：全株。别名：东南爬山虎）。

| 形态特征 | 木质藤本。小枝圆柱形，褐色或灰褐色，多皮孔，无毛；卷须二叉分枝，与叶对生。叶为掌状 5 小叶，叶片较厚，亚革质，倒卵状披针形或倒卵状椭圆形，先端急尖、短渐尖或钝，基部楔形，边缘上部每侧有 2 ~ 5 锯齿，稀齿不明显，上面绿色，无毛，下面淡绿色，无毛，常有白粉，两面干时网脉凸起，侧脉 6 ~ 9 对；叶柄长 3 ~ 6 cm，小叶柄长 0.2 ~ 1.2 cm，侧生小叶柄常较短，中间小叶柄较长，无毛。花序为复二歧聚伞花序，被白粉，无毛，与叶对生，花序梗长 1.5 ~ 2 cm，花梗长 3 ~ 6 mm；花蕾长椭圆形；花萼杯状，全缘；花瓣 5，高约 3 mm，花蕾时黏合，以后展开脱落；雄蕊 5，

长 3 ~ 3.8 mm，花药黄色，长椭圆形，长约 2 mm；雌蕊长 2 ~ 2.5 mm，花柱渐狭，柱头不明显扩大。果实圆球形，直径 1.5 ~ 2.5 cm，紫红色，味酸、甜；种子梨形，背腹侧扁，长 6 ~ 8 mm，宽约 5 mm，先端微凹，基部有短喙，背面种脐在种子中部，腹面两侧洼穴达种子上部 2/3 处，种脐和洼穴周围有 6 ~ 9 横肋，干时十分明显，胚乳在横切面呈 "M" 形。花期 5 ~ 7 月，果期 10 ~ 12 月。

| **生境分布** | 生于丘陵岗地、低山。分布于湖南邵阳、娄底（新化）、郴州（桂东）等。

| **资源情况** | 野生资源稀少。药材来源于野生。

| **采收加工** | 全年均可采收，除去杂质，晒干。

| **功能主治** | 酸，平。祛风通络，散瘀消肿。

| **用法用量** | 内服煎汤，15 ~ 30 g。

葡萄科 Vitaceae 俞藤属 *Yua*

俞藤 *Yua thomsoni* (Laws.) C. L. Li

| 药 材 名 | 粉叶地锦（药用部位：藤茎、根。别名：细母猪藤、五皮风、五叶龙）。

| 形态特征 | 木质藤本。小枝圆柱形，褐色，嫩枝略有棱纹，无毛。卷须二叉分枝，相隔 2 节间断与叶对生。叶为掌状 5 小叶，草质，小叶披针形或卵状披针形，长 2.5 ～ 7 cm，宽 1.5 ～ 3 cm，先端渐尖或尾状渐尖，基部楔形，边缘上半部每侧有 4 ～ 7 细锐锯齿，上面绿色，无毛，下面淡绿色，常被白色粉霜，无毛或在脉上被稀疏短柔毛，网脉不明显突出，侧脉 4 ～ 6 对；小叶柄长 2 ～ 10 cm，有时侧生小叶近无柄，无毛；叶柄长 2.5 ～ 6 cm，无毛。花序为复二歧聚伞花序，与叶对生，无毛；花萼碟形，全缘，无毛；花瓣 5，稀 4，高 3 ～ 3.5 mm，无毛，花蕾时黏合，以后展开脱落；雄蕊 5，稀 4，长约 2.5 mm，

花药长椭圆形，长约 1.5 mm；雌蕊长约 3 mm，花柱细，柱头不明显扩大。果实近球形，直径 1 ~ 1.3 cm，紫黑色，味淡甜；种子梨形，长 5 ~ 6 mm，宽约 4 mm，先端微凹，背面种脐达种子中部，腹面两侧洼穴从基部达种子 2/3 处，周围无明显横肋纹，胚乳横切面呈 "M" 形。花期 5 ~ 6 月，果期 7 ~ 9 月。

| **生境分布** | 生于低山、岗地、海拔 1 500 m 以上的中山。湖南有广泛分布。

| **资源情况** | 野生资源一般。药材来源于野生。

| **采收加工** | 秋、冬季采收，洗净，切片或段，鲜用或晒干。

| **功能主治** | 辛、甘，平。祛风除湿，解毒消肿。用于风湿关节痛，妇女带下，无名肿毒。

| **用法用量** | 内服煎汤，15 ~ 30 g；或浸酒。

杜英科 Elaeocarpaceae 杜英属 Elaeocarpus

中华杜英

Elaeocarpus chinensis (Gardn. et Chanp.) Hook. f. ex Benth.

| 药 材 名 | 高山望（药用部位：根。别名：老来红、小冬桃）、小冬桃（药用部位：花、叶）。

| 形态特征 | 常绿小乔木，高 3 ~ 7 m。嫩枝有柔毛，老枝秃净，干后黑褐色。叶薄革质，卵状披针形或披针形，长 5 ~ 8 cm，宽 2 ~ 3 cm，先端渐尖，基部圆形，稀阔楔形，上面绿色，有光泽，下面有细小黑色腺点，在芽体开放时上面略有疏毛，很快上下两面变秃净，侧脉 4 ~ 6 对，在上面隐约可见，在下面稍凸起，网脉不明显，边缘有波状小钝齿；叶柄纤细，长 1.5 ~ 2 cm，幼嫩时略被毛。总状花序生于无叶的去年生枝条上，长 3 ~ 4 cm，花序轴有微毛；花梗长 3 mm；花两性或单性。两性花萼片 5，披针形，长 3 mm，内外两面有微

毛；花瓣 5，长圆形，长 3 mm，不分裂，内面有稀疏微毛；雄蕊 8 ～ 10，长 2 mm，花丝极短，花药先端无附属物；子房 2 室，胚珠 4，生于子房上部。雄花的萼片、花瓣和两性花的相同，雄蕊 8 ～ 10，无退化子房。核果椭圆形，长不及 1 cm。花期 5 ～ 6 月。

| 生境分布 | 生于岗地、中山。湖南有广泛分布。

| 资源情况 | 野生资源较少。栽培资源较少。药材来源于野生和栽培。

| 功能主治 | 高山望：辛，温。散瘀，消肿。用于跌打瘀肿疼痛。
小冬桃：用于胃痛，遗精，带下。

| 用法用量 | 高山望：内服煎汤，3 ～ 9 g。外用适量，捣敷。
小冬桃：内服煎汤，5 ～ 10 g。外用适量，捣敷。

杜英科 Elaeocarpaceae 杜英属 Elaeocarpus

杜英

Elaeocarpus decipiens Hemsl.

| 药 材 名 | 杜英（药用部位：根）。

| 形态特征 | 常绿乔木，高 5 ~ 15 m。嫩枝及顶芽初时被微毛，不久变秃净，干后黑褐色。叶革质，披针形或倒披针形，长 7 ~ 12 cm，宽 2 ~ 3.5 cm，上面深绿色，干后发亮，下面秃净无毛，幼嫩时亦无毛，先端渐尖，尖头钝，基部楔形，常下延，侧脉 7 ~ 9 对，在上面不明显，在下面稍凸起，网脉在上下两面均不明显，边缘有小钝齿；叶柄长 1 cm，初时有微毛，在结果时变秃净。总状花序多生于叶腋及无叶的去年生枝条上，长 5 ~ 10 cm，花序轴纤细，有微毛；花梗长 4 ~ 5 mm；花白色，萼片披针形，长 5.5 mm，宽 1.5 mm，先端尖，两侧有微毛；花瓣倒卵形，与萼片等长，上半部撕裂，裂片

14 ～ 16，外侧无毛，内侧近基部有毛；雄蕊 25 ～ 30，长 3 mm，花丝极短，花药先端无附属物；花盘 5 裂，有毛；子房 3 室，花柱长 3.5 mm，胚珠每室 2。核果椭圆形，长 2 ～ 2.5 cm，宽 1.3 ～ 2 cm，外果皮无毛，内果皮坚骨质，表面有多数沟纹，1 室；种子 1，长 1.5 cm。花期 6 ～ 7 月。

| 生境分布 | 生于岗地、低山。湖南有广泛分布。

| 资源情况 | 野生资源较丰富。药材来源于野生。

| 采收加工 | 秋、冬季采挖，洗净泥土，切片，晒干。

| 功能主治 | 辛，温。散瘀消肿。用于跌打损伤。

| 用法用量 | 内服煎汤，3 ～ 9 g。

杜英科 Elaeocarpaceae 杜英属 Elaeocarpus

褐毛杜英

Elaeocarpus duclouxii Gagnep.

| 药 材 名 | 冬桃（药用部位：果实。别名：大关杜英、广西杜英）。

| 形态特征 | 常绿乔木，高 20 m，直径 50 cm。嫩枝被褐色茸毛，老枝干后暗褐色，有稀疏皮孔。叶聚生于枝顶，革质，长圆形，长 6 ～ 15 cm，宽 3 ～ 6 cm，先端急尖，基部楔形，上面深绿色，初时有柔毛，干后发亮，下面被褐色茸毛，侧脉 8 ～ 10 对，在上面能见，在下面凸起，网脉在上面不明显，在下面稍凸起，边缘有小钝齿；叶柄长 1 ～ 1.5 cm，被褐色毛。总状花序常生于无叶的去年生枝条上，长 4 ～ 7 cm，纤细，被褐色毛；小苞片 1，生于花梗基部，线状披针形，长 3 ～ 4 mm，宽 1 mm，被毛；花梗长 3 ～ 4 mm，被毛；萼片 5，披针形，长 4 ～ 5 mm，两面有柔毛；花瓣 5，稍超出萼片，长 5 ～ 6 mm，外面有

稀疏柔毛，内侧多毛，上半部撕裂，裂片 10 ~ 12；雄蕊 28 ~ 30，长 3 mm，花丝极短，花药先端无芒刺；花盘 5 裂，被毛；子房 3 室，被毛，花柱长 4 mm，基部有毛；胚珠每室 2。核果椭圆形，长 2.5 ~ 3 cm，宽 1.7 ~ 2 cm，外果皮秃净无毛，干后变黑色，内果皮坚骨质，厚 3 mm，表面多沟纹，1 室；种子长 1.4 ~ 1.8 cm。花期 6 ~ 7 月。

| **生境分布** | 生于低山、丘陵岗地。分布于湘西南、湘西北，以及郴州（嘉禾）、永州（零陵）等。

| **资源情况** | 野生资源较少。药材来源于野生。

| **采收加工** | 果实成熟时采摘，洗净，鲜用或晒干。

| **功能主治** | 理肺止咳，清热通淋，养胃消食。用于咳嗽，发热，咽喉肿痛，食积。

| **用法用量** | 内服煎汤，10 ~ 30 g，鲜品加倍。

杜英科 Elaeocarpaceae 杜英属 Elaeocarpus

日本杜英 *Elaeocarpus japonicus* Sieb. et Zucc.

| 药 材 名 | 薯豆（药用部位：根）。

| 形态特征 | 乔木。嫩枝秃净无毛；叶芽有发亮绢毛。叶革质，通常卵形，亦有椭圆形或倒卵形，长 6 ~ 12 cm，宽 3 ~ 6 cm，先端尖锐，尖头钝，基部圆形或钝，初时上下两面密被银灰色绢毛，很快变秃净，老叶上面深绿色，发亮，干后仍有光泽，下面无毛，有多数细小黑色腺点，侧脉 5 ~ 6 对，在下面凸起，网脉在上下两面均明显；边缘有疏锯齿；叶柄长 2 ~ 6 cm，初时被毛，不久完全秃净。总状花序长 3 ~ 6 cm，生于当年枝的叶腋内，花序轴有短柔毛；花梗长 3 ~ 4 mm，被微毛；花两性或单性。两性花萼片 5，长圆形，长 4 mm，两面有毛；花瓣长圆形，两面有毛，与萼片等长，先端全缘或有数个浅齿；雄

蕊 15，花丝极短，花药长 2 mm，有微毛，先端无附属物；花盘 10 裂，连合成环；子房有毛，3 室，花柱长 3 mm，有毛。雄花萼片 5 ~ 6，花瓣 5 ~ 6，两面均被毛；雄蕊 9 ~ 14；退化子房存在或缺失。核果椭圆形，长 1 ~ 1.3 cm，宽 8 mm，1 室；种子 1，长 8 mm。花期 4 ~ 5 月。

| 生境分布 | 生于岗地、低山、中山。分布于湘中、湘东、湘南、湘西北等。

| 资源情况 | 野生资源较少。药材来源于野生。

| 采收加工 | 秋、冬季采挖，洗净泥土，晒干。

| 功能主治 | 辛，温。散瘀消肿。用于跌打损伤，瘀肿。

| 用法用量 | 外用适量，捣敷。

杜英科 Elaeocarpaceae 杜英属 Elaeocarpus

山杜英
Elaeocarpus sylvestris (Lour.) Poir.

| 药 材 名 |　山杜英（药用部位：根）。

| 形态特征 |　小乔木，高约 10 m。小枝纤细，通常秃净无毛；老枝干后暗褐色。叶纸质，倒卵形或倒披针形，长 4 ~ 8 cm，宽 2 ~ 4 cm，幼态叶长达 15 cm，宽达 6 cm，上下两面均无毛，干后黑褐色，不发亮，先端钝，或略尖，基部窄楔形，下延，侧脉 5 ~ 6 对。在上面隐约可见，在下面稍凸起，网脉不大明显，边缘有钝锯齿或波状钝齿；叶柄长 1 ~ 1.5 cm，无毛。总状花序生于枝顶叶腋内，长 4 ~ 6 cm，花序轴纤细，无毛，有时被灰白色短柔毛；花梗长 3 ~ 4 mm，纤细，通常秃净；萼片 5，披针形，长 4 mm，无毛；花瓣倒卵形，上半部撕裂，裂片 10 ~ 12，外侧基部有毛；雄蕊 13 ~ 15，长约 3 mm，花药有

微毛，先端无毛丛，亦缺附属物；花盘 5 裂，圆球形，完全分开，被白色毛；子房被毛，2 ～ 3 室，花柱长 2 mm。核果细小，椭圆形，长 1 ～ 1.2 cm，内果皮薄骨质，有腹缝沟 3。花期 4 ～ 5 月。

| **生境分布** | 生于岗地、低山。湖南有广泛分布。

| **资源情况** | 野生资源一般。药材来源于野生。

| **采收加工** | 秋、冬季采挖，洗净泥土，切片，晒干。

| **功能主治** | 散瘀消肿。用于跌打损伤。

| **用法用量** | 外用适量，捣敷。

杜英科 Elaeocarpaceae **猴欢喜属** *Sloanea*

仿栗 *Sloanea hemsleyana* (Ito) Rehd. et Wils.

| 药 材 名 |

仿栗（药用部位：根。别名：药王树）。

| 形态特征 |

乔木，高 25 m。顶芽有黄褐色柔毛；嫩枝秃净无毛，老枝干后暗褐色，有皮孔。叶簇生于枝顶，薄革质，形状多变，通常狭窄倒卵形或倒披针形，有时为卵形，长 10 ~ 15（~ 20）cm，宽 3 ~ 5（~ 7）cm，先端急尖，有时渐尖，基部收窄而钝，有时为微心形，上面绿色，干后稍发亮，无毛，下面浅绿色，无毛，偶在脉腋内有毛束，侧脉7 ~ 9 对，基部 1 对常较纤弱，边缘有不规则钝齿，有时为波状钝齿；叶柄长 1 ~ 2.5（~ 3.5）cm，秃净无毛。花生于枝顶，多朵排成总状花序，花序轴及花梗有柔毛；萼片 4，卵形，长 6 ~ 7 mm，两面有柔毛；花瓣白色，与萼片等长，或稍超出萼片，先端有撕裂状齿刻，被微毛；雄蕊与花瓣等长，花药长 5 mm，先端有长 1.5 mm 的芒刺；子房被褐色茸毛，花柱凸出雄蕊之上，长 5 ~ 6 mm。蒴果大小不一，4 ~ 5 片裂开，稀为 3 或 6 片裂片，果片长 2.5 ~ 5 cm，厚 3 ~ 5 mm；内果皮紫红色或黄褐色；针刺长 1 ~ 2 cm；果柄长 2.5 ~ 6 cm，通常粗壮；种子黑褐色，发亮，长 1.2 ~ 1.5 cm，下半部有黄褐色假种皮。花期 7 月。

| **生境分布** | 生于岗地。分布于湖南湘西州（永顺）等。

| **资源情况** | 野生资源稀少。药材来源于野生。

| **采收加工** | 秋、冬季采挖，洗净泥土，晒干。

| **功能主治** | 用于痢疾，腰痛。

| **用法用量** | 内服煎汤，10 ~ 15 g。

薄果猴欢喜

Sloanea leptocarpa Diels

| 药 材 名 | 薄果猴欢喜（药用部位：根。别名：红壳木）。

| 形态特征 | 乔木，高达 25 m。嫩枝被褐色柔毛，老枝秃净。叶革质，披针形
或倒披针形，有时为狭长圆形，长 7 ~ 14 cm，宽 2 ~ 3.5 cm，初
时两面有柔毛，至少在脉上有毛，老叶上面秃净，下面脉上有毛，
脉腋间有毛丛，先端渐尖，基部窄而钝，侧脉 7 ~ 8 对，在下面
凸起，全缘，干后常折皱；叶柄长 1 ~ 3 cm，稍纤细，被褐色柔
毛。花生于当年枝顶的叶腋内，单生或数朵丛生；花梗纤细，长
1 ~ 2 cm，有柔毛；萼片 4 ~ 5，卵圆形，大小不相等，长 4 ~ 5 mm，
宽 3 ~ 4 mm，有柔毛；花瓣 4 ~ 5，长 6 ~ 7 mm，宽度不等，
上端齿状撕裂，被短柔毛；雄蕊多数，长 6 ~ 7 mm，有时较

短，花丝长 3 ~ 4 mm，花药有毛；子房被褐色毛，花柱尖细。蒴果圆球形，宽 1.5 ~ 2 cm，3 ~ 4 片裂开，果片薄；针刺短，长 1 ~ 2 mm，有柔毛；种子长约 1 cm，成熟时黑色，假种皮淡黄色，长为种子的一半。花期 4 ~ 5 月，果期 9 月。

| **生境分布** | 生于丘陵岗地、低山中。分布于湖南湘西州（花垣）等。

| **资源情况** | 野生资源稀少。药材来源于野生。

| **采收加工** | 秋、冬季采挖，洗净泥土，切片，晒干。

| **功能主治** | 消肿止痛，祛风除湿。用于骨折，跌打损伤，风寒感冒，皮肤瘙痒。

| **用法用量** | 内服煎汤，10 ~ 15 g。外用适量，捣敷。

猴欢喜
Sloanea sinensis (Hance) Hemsl.

| 药 材 名 | 猴欢喜（药用部位：根）。

| 形态特征 | 乔木，高 20 m。嫩枝无毛。叶薄革质，形状及大小多变，通常长圆形或狭窄倒卵形，长 6 ~ 9（~ 12）cm，宽 3 ~ 5 cm，先端短急尖，基部楔形，或收窄而略圆，有时为圆形或披针形，宽 2 ~ 3 cm，通常全缘，有时上半部有数个疏锯齿，上面干后暗晦、无光泽，下面秃净无毛，侧脉 5 ~ 7 对；叶柄长 1 ~ 4 cm，无毛。花多朵簇生于枝顶叶腋；花梗长 3 ~ 6 cm，被灰色毛；萼片 4，阔卵形，长 6 ~ 8 mm，两侧被柔毛；花瓣 4，长 7 ~ 9 mm，白色，外侧有微毛，先端撕裂，有齿刻；雄蕊与花瓣等长，花药长为花丝的 3 倍；子房被毛，卵形，长 4 ~ 5 mm，花柱连合，长 4 ~ 6 mm，下半部有微毛。蒴果大小

不一，宽 2 ～ 5 cm，3 ～ 7 爿裂开；果爿长短不一，长 2 ～ 3.5 cm，厚 3 ～ 5 mm；针刺长 1 ～ 1.5 cm；内果皮紫红色；种子长 1 ～ 1.3 cm，黑色，有光泽，假种皮长 5mm，黄色。花期 9 ～ 11 月，果期翌年 6 ～ 7 月成熟。

| 生境分布 | 生于岗地、低山、中山。湖南各地均有分布。

| 资源情况 | 野生资源一般。药材来源于野生。

| 采收加工 | 秋、冬季采挖，洗净泥土，晒干。

| 功能主治 | 健脾和胃，祛风益肾。用于脾虚胃痛，风湿痹痛，腰膝酸软。

| 用法用量 | 内服煎汤，10 ～ 15 g。

锦葵科 Malvaceae 秋葵属 *Abelmoschus*

咖啡黄葵
Abelmoschus esculentus (L.) Moench Meth.

| 药 材 名 | 秋葵（药用部位：根、叶、花、种子。别名：毛茄、黄蜀葵）。

| 形态特征 | 一年生草本，高 1 ~ 2 m。茎圆柱形，疏生散刺。叶掌状 3 ~ 7 裂，直径 10 ~ 30 cm，裂片阔至狭，边缘具粗齿及凹缺，两面均被疏硬毛；叶柄长 7 ~ 15 cm，被长硬毛；托叶线形，长 7 ~ 10 mm，被疏硬毛。花单生于叶腋间，花梗长 1 ~ 2 cm，疏被糙硬毛；小苞片 8 ~ 10，线形，长约 1.5 cm，疏被硬毛；花萼钟形，较长于小苞片，密被星状短绒毛；花黄色，内面基部紫色，直径 5 ~ 7 cm，花瓣倒卵形，长 4 ~ 5 cm。蒴果筒状尖塔形，长 10 ~ 25 cm，直径 1.5 ~ 2 cm，先端具长喙，疏被糙硬毛；种子球形，多数，直径 4 ~ 5 mm，具毛脉纹。花期 5 ~ 9 月。

| **生境分布** | 生于岗地、海拔 1 500 m 以上的低山。湖南有广泛分布。 |

| **资源情况** | 野生资源较丰富。栽培资源较少。药材来源于野生和栽培。 |

| **采收加工** | 根，11 月到翌 年 2 月前采挖，抖去泥土，晒干或炕干。叶，9 ~ 10 月采收，晒干。花，6 ~ 8 月采摘，晒干。种子，9 ~ 10 月果实成熟时采摘，脱粒，晒干。 |

| **功能主治** | 淡，寒。利咽，通淋，下乳，调经。用于咽喉肿痛，小便淋涩，产后乳汁稀少，月经不调。 |

| **用法用量** | 内服煎汤，9 ~ 15 g。 |

锦葵科 Malvaceae 秋葵属 Abelmoschus

黄蜀葵

Abelmoschus manihot (L.) Medicus Malv.

| 药 材 名 | 黄蜀葵（药用部位：根、叶、花、种子。别名：秋葵、豹子眼睛花、霸天伞）。

| 形态特征 | 一年生或多年生草本，高 1 ~ 2 m，疏被长硬毛。叶掌状 5 ~ 9 深裂，直径 15 ~ 30 cm，裂片长圆状披针形，长 8 ~ 18 cm，宽 1 ~ 6 cm，边缘具粗钝锯齿，两面疏被长硬毛；叶柄长 6 ~ 18 cm，疏被长硬毛；托叶披针形，长 1 ~ 1.5 cm。花单生于枝端叶腋；小苞片 4 ~ 5，卵状披针形，长 15 ~ 25 mm，宽 4 ~ 5 mm，疏被长硬毛；花萼呈佛焰苞状，5 裂，近全缘，较长于小苞片，被柔毛，果实时脱落；花大，淡黄色，内面基部紫色，直径约 12 cm；雄蕊柱长 1.5 ~ 2 cm，花药近无柄；柱头紫黑色，匙状盘形。蒴果卵状椭圆形，长 4 ~ 5 cm，

直径 2.5 ～ 3 cm，被硬毛；种子多数，肾形，被柔毛组成的多条条纹。花期 8 ～ 10 月。

| **生境分布** | 生于岗地、低山、中山。湖南有广泛分布。

| **资源情况** | 野生资源较丰富。栽培资源较少。药材来源于野生和栽培。

| **采收加工** | 秋季采挖根，夏、秋季采收叶、花，秋季采集种子，鲜用或晒干。

| **功能主治** | 甘，寒。清热解毒，润燥滑肠。根、叶外用于疔疮，腮腺炎，骨折，刀伤；花外用于烫伤。种子用于大便秘结，小便不利，水肿，尿路结石，乳汁不通。

| **用法用量** | 根、叶，外用适量，鲜品捣敷。花，浸菜油。种子，内服煎汤，9 ～ 15 g；或研末，每服 1.5 ～ 3 g。

锦葵科 Malvaceae 秋葵属 Abelmoschus

箭叶秋葵

Abelmoschus sagittifolius (Kurz) Merr.

| 药 材 名 | 五指山参（药用部位：根）。

| 形态特征 | 多年生草本，高 40 ～ 100 cm。萝卜状肉质根，小枝被糙硬长毛。叶形多样，下部的叶卵形，中部以上的叶卵状戟形、箭形至掌状 3 ～ 5 浅裂或深裂，裂片阔卵形至阔披针形，长 3 ～ 10 cm，先端钝，基部心形或戟形，边缘具锯齿或缺刻，上面疏被刺毛，下面被长硬毛；叶柄长 4 ～ 8 cm，疏被长硬毛。花单生于叶腋，花梗纤细，长 4 ～ 7 cm，密被糙硬毛；小苞片 6 ～ 12，线形，长约 1.5 cm，宽 1 ～ 1.7 mm，疏被长硬毛；花萼呈佛焰苞状，长约 7 mm，先端具 5 齿，密被细绒毛；花红色或黄色，直径 4 ～ 5 cm，花瓣倒卵状长圆形，长 3 ～ 4 cm；雄蕊柱长约 2 cm，平滑无毛；花柱分枝 5，

柱头扁平。蒴果椭圆形，长约 3 cm，直径约 2 cm，被刺毛，具短喙；种子肾形，具腺状条纹。花期 5 ~ 9 月。

| **生境分布** | 生于岗地、低山。湖南有广泛分布。

| **资源情况** | 野生资源较丰富。药材来源于野生。

| **采收加工** | 秋、冬季采挖，洗净，切片，晒干。

| **功能主治** | 甘、淡，平。滋阴润肺，和胃。用于肺燥咳嗽，肺痨，胃痛，疳积，神经衰弱。

| **用法用量** | 内服煎汤，10 ~ 15 g。

锦葵科 Malvaceae 苘麻属 Abutilon

金铃花
Abutilon striatum Dickson.

| 药 材 名 | 猩猩花（药用部位：叶、花。别名：风铃花）。

| 形态特征 | 常绿灌木，高达 1 m。叶掌状 3 ～ 5 深裂，直径 5 ～ 8 cm，裂片卵状渐尖形，先端长渐尖，边缘具锯齿或粗齿，两面均无毛或仅下面疏被星状柔毛；叶柄长 3 ～ 6 cm，无毛；托叶钻形，长约 8 mm，常早落。花单生于叶腋，花梗下垂，长 7 ～ 10 cm，无毛；花萼钟形，长约 2 cm，裂片 5，卵状披针形，深裂达花萼长度的 3/4，密被褐色星状短柔毛；花钟形，橘黄色，具紫色条纹，长 3 ～ 5 cm，直径约 3 cm，花瓣 5，倒卵形，外面疏被柔毛；雄蕊柱长约 3.5 cm，花药褐黄色，多数，集生于柱端；子房钝头，被毛，花柱分枝 10，紫色，柱头头状，凸出于雄蕊柱先端。果实未见。花期 5 ～ 10 月。

| **生境分布** | 生于岗地、低山。湖南有广泛分布。

| **资源情况** | 野生资源较丰富。药材来源于野生。

| **采收加工** | 叶，全年均可采摘，鲜用或晒干。花，5 ~ 10 月采收，晒干或烘干。

| **功能主治** | 辛，寒。活血散瘀，止痛。用于跌打肿痛，腹痛。

| **用法用量** | 内服煎汤，5 ~ 15 g。外用适量，鲜品捣敷。

锦葵科 Malvaceae 苘麻属 Abutilon

苘麻
Abutilon theophrasti Medicus Malv.

| 药 材 名 | 苘麻子（药用部位：种子。别名：苘实、空麻子、冬葵子）。

| 形态特征 | 一年生亚灌木状草本，高达 1 ~ 2 m。茎枝被柔毛。叶互生，圆心形，长 5 ~ 10 cm，先端长渐尖，基部心形，边缘具细圆锯齿，两面均密被星状柔毛；叶柄长 3 ~ 12 cm，被星状细柔毛；托叶早落。花单生于叶腋，花梗长 1 ~ 3 cm，被柔毛，近先端具节；花萼杯状，密被短绒毛，裂片 5，卵形，长约 6 mm；花黄色，花瓣倒卵形，长约 1 cm；雄蕊柱平滑无毛，心皮 15 ~ 20，长 1 ~ 1.5 cm，先端平截，具扩展、被毛的长芒 2，排列成轮状，密被软毛。蒴果半球形，直径约 2 cm，长约 1.2 cm，分果爿 15 ~ 20，被粗毛，先端具长芒 2；种子肾形，褐色，被星状柔毛。花期 7 ~ 8 月。

| 生境分布 | 生于岗地、低山。湖南有广泛分布。

| 资源情况 | 野生资源较丰富。药材来源于野生。

| 采收加工 | 秋季果实成熟时采收，晒干后，打下种子，筛去果皮及杂质，再晒干。

| 药材性状 | 本品呈三角状扁肾形，一端较尖，长 3.4 ~ 4 mm，宽约 3 mm。表面暗褐色，散有稀疏短毛，边缘凹陷处具淡棕色的种脐。种皮坚硬，剥落后可见圆柱形胚根，子叶折叠成 "W" 形，胚乳与子叶交错。气微，味淡。

| 功能主治 | 苦，平。清利湿热，解毒消痈，退翳明目。用于赤白痢疾，小便淋痛，痈疽肿毒，乳腺炎，目翳。

| 用法用量 | 内服煎汤，6 ~ 12 g；或入散剂。

锦葵科 Malvaceae 蜀葵属 Althaea

蜀葵

Althaea rosea (L.) Cavan. Diss.

| 药 材 名 |

蜀葵（药用部位：根、叶、花、种子。别名：棋盘花、麻杆花、一丈红）。

| 形态特征 |

二年生直立草本，高达2m。茎枝密被刺毛。叶近圆心形，直径6～16cm，掌状5～7浅裂或波状棱角，裂片三角形或圆形，中裂片长约3cm，宽4～6cm，上面疏被星状柔毛，粗糙，下面被星状长硬毛或绒毛；叶柄长5～15cm，被星状长硬毛；托叶卵形，长约8mm，先端具3尖。花腋生，单生或近簇生，排列成总状花序，具叶状苞片，花梗长约5mm，果实时延长至1～2.5cm，被星状长硬毛；小苞片杯状，常6～7裂，裂片卵状披针形，长10mm，密被星状粗硬毛，基部合生；花萼钟状，直径2～3cm，5齿裂，裂片卵状三角形，长1.2～1.5cm，密被星状粗硬毛；花大，直径6～10cm，有红色、紫色、白色、粉红色、黄色和黑紫色等，单瓣或重瓣，花瓣倒卵状三角形，长约4cm，先端凹缺，基部狭，爪被长髯毛；雄蕊柱无毛，长约2cm，花丝纤细，长约2mm，花药黄色；花柱分枝多数，微被细毛。果实盘状，直径约2cm，被短柔毛，分果片近圆形，多数，背部厚达 1 mm，具纵槽。花期 2 ～ 8 月。

| **生境分布** | 生于岗地、低山、中山。湖南有广泛分布。

| **资源情况** | 野生资源较丰富。药材来源于野生。

| **采收加工** | 根，春、秋季采挖，晒干，切片。叶、花，花前采叶，夏季采花，鲜用或阴干。种子，秋季采集，晒干。

| **功能主治** | 甘，凉。根，清热，解毒，排脓，利尿。用于肠炎，痢疾，尿路感染，小便赤痛，子宫颈炎，带下。叶，用于痈肿疮疡。花，通利二便，解毒散结。用于二便不利，梅核气，解河豚毒，痈肿疮疡，烫火伤。种子，利尿通淋。用于尿路结石，小便不利，水肿。

| **用法用量** | 根，内服煎汤，9 ～ 18 g。花，内服煎汤，3 ～ 6 g。外用适量，鲜品捣敷；或煎汤洗。叶，外用适量，鲜品捣敷；或煎汤洗。种子，内服煎汤，3 ～ 6 g。

锦葵科 Malvaceae 棉属 Gossypium

陆地棉 *Gossypium hirsutum* L.

| 药 材 名 | 棉花（药用部位：种子上的绵毛）、棉花子（药用部位：种子）、棉花油（药用部位：种子所榨取的脂肪油）、棉花壳（药用部位：外果皮）、棉花根（药用部位：根或根皮）。

| 形态特征 | 一年生草本，高 0.6 ~ 1.5 m。小枝疏被长毛。叶阔卵形，直径 5 ~ 12 cm，长、宽近相等或宽大于长，基部心形或心状截头形，常 3 浅裂，稀 5 裂，中裂片常深裂达叶片之半，裂片宽三角状卵形，先端突渐尖，基部宽，上面近无毛，沿脉被粗毛，下面疏被长柔毛；叶柄长 3 ~ 14 cm，疏被柔毛；托叶卵状镰形，长 5 ~ 8 mm，早落。花单生于叶腋，花梗通常较叶柄略短；小苞片 3，分离，基部心形，具腺体 1，边缘具 7 ~ 9 齿，连齿长达 4 cm，宽约 2.5 cm，被长硬

毛和纤毛；花萼杯状，裂片 5，三角形，具缘毛；花白色或淡黄色，后变淡红色或紫色，长 2.5 ~ 3 cm；雄蕊柱长 1.2 cm。蒴果卵圆形，长 3.5 ~ 5 cm，具喙，3 ~ 4 室；种子分离，卵圆形，具白色长绵毛和灰白色不易剥离的短绵毛。花期夏、秋季。

| 生境分布 | 生于岗地、低山。湖南有广泛分布。

| 资源情况 | 野生资源一般。栽培资源较少。药材来源于野生和栽培。

| 采收加工 | 棉花：秋季采收，晒干。

棉花子：秋季采收棉花时收集，晒干。

棉花油：采集棉花子，翻炒后除去杂质，磨碾，磨碾时一边加水，一边翻棉花子，直至细坯不成团，而后蒸坯、包饼、压榨，最后澄清，过滤。

棉花壳：轧取棉花时收集。

棉花根：秋季采挖，洗净，切片，晒干；或剥取根皮，切段，晒干。

| 功能主治 | 棉花：甘，温。止血。用于吐血，便血，血崩，金创出血。

棉花子：辛，热；有毒。温肾，通乳，活血止血。用于阳痿，腰膝冷痛，带下，遗尿，胃痛，乳汁不通，崩漏，痔血。

棉花油：辛，热。解毒杀虫。用于恶疮，疥癣。

棉花壳：辛，温。温胃降逆，化痰止咳。用于噎膈，胃寒呃逆，咳嗽气喘。

棉花根：甘，温。止咳平喘，通经止痛。用于咳嗽，气喘，月经不调，崩漏。

| 用法用量 | 棉花：内服烧存性，研末，5 ~ 9 g。外用适量，烧存性，研末撒。

棉花子：内服煎汤，6 ~ 10 g；或入丸、散剂。外用适量，煎汤熏洗。

棉花油：外用适量，涂擦。

棉花壳：内服煎汤，9 ~ 15 g。

棉花根：内服煎汤，15 ~ 30 g。孕妇慎服。

锦葵科 Malvaceae 木槿属 Hibiscus

木芙蓉 *Hibiscus mutabilis* L.

| **药 材 名** | 木芙蓉（药用部位：花、叶、根。别名：三变花，九头花，拒霜花）。

| **形态特征** | 落叶灌木或小乔木，高 2～5 m，小枝、叶柄、花梗和花萼均密被星状毛与直毛相混的细绵毛。叶宽卵形至圆卵形或心形，直径 10～15 cm，常 5～7 裂，裂片三角形，先端渐尖，具钝圆锯齿，上面疏被星状细毛和点，下面密被星状细绒毛；主脉 7～11；叶柄长 5～20 cm；托叶披针形，长 5～8 mm，常早落。花单生于枝端叶腋间，花梗长 5～8 cm，近端具节；小苞片 8，线形，长 10～16 mm，宽约 2 mm，密被星状绵毛，基部合生；花萼钟形，长 2.5～3 cm，裂片 5，卵形，渐尖头；花初开时白色或淡红色，后变深红色，直径约 8 cm，花瓣近圆形，直径 4～5 cm，外面被毛，

基部具髯毛；雄蕊柱长 2.5 ~ 3 cm，无毛；花柱分枝 5，疏被毛。蒴果扁球形，直径约 2.5 cm，被淡黄色刚毛和绵毛，果爿 5；种子肾形，背面被长柔毛。花期 8 ~ 10 月。

| 生境分布 | 生于岗地、低山、中山。湖南有广泛分布。

| 资源情况 | 野生资源丰富。栽培资源较少。药材来源于野生和栽培。

| 采收加工 | 花，夏、秋季采摘，晒干。叶，夏、秋季采收，阴干。根，秋、冬季采挖，晒干。

| 功能主治 | 微辛，凉。清热解毒，消肿排脓，凉血止血。用于肺热咳嗽，月经过多，带下，痈肿疮疖，乳腺炎，淋巴结炎，腮腺炎，烫火伤，毒蛇咬伤，跌打损伤。

| 用法用量 | 内服煎汤，9 ~ 30 g。外用适量，研末，用油、凡士林、酒、醋或浓茶调敷。

锦葵科 Malvaceae 木槿属 Hibiscus

重瓣木芙蓉 *Hibiscus mutabilis* L. f. *plenus* (Andrews) S. Y. Hu Fl.

| 药 材 名 | 同"木芙蓉"。

| 形态特征 | 本种与木芙蓉的区别在于本种花系重瓣。

| 生境分布 | 生于岗地。分布于湖南长沙、邵阳（新邵）、郴州（永兴）等。

| 资源情况 | 野生资源较少。药材来源于野生。

| 采收加工 | 同"木芙蓉"。

| **功能主治** | 同"木芙蓉"。

| **用法用量** | 同"木芙蓉"。

锦葵科 Malvaceae 木槿属 Hibiscus

庐山芙蓉 *Hibiscus paramutabilis* Bailey

| 药 材 名 | 庐山芙蓉（药用部位：根皮、叶）。

| 形态特征 | 落叶灌木至小乔木，高 1 ~ 4 m，小枝、叶及叶柄均被星状短柔毛。叶掌状，5 ~ 7 浅裂，有时 3 裂，长 5 ~ 14 cm，宽 6 ~ 15 cm，基部截形至近心形，裂片先端渐尖形，边缘具疏离波状齿，主脉 5，两面均被星状毛；叶柄长 3 ~ 14 cm；托叶线形，长约 6 mm，密被星状短柔毛，早落。花单生于枝端叶腋间，花梗长 2 ~ 4 cm，密被锈色长硬毛及短柔毛；小苞片 4 ~ 5，叶状，卵形，长约 2 cm，宽 1 ~ 1.2 cm，密被短柔毛及长硬毛；花萼钟状，裂片 5，卵状披针形，长 2 ~ 3 cm，下部 1/4 处合生，密被黄锈色星状绒毛；花冠白色，内面基部紫红色，直径 10 ~ 12 cm，花瓣倒卵形，长 5 ~ 7 cm，

先端圆或微缺，具脉纹，基部具白色髯毛，花瓣外面被星状柔毛；雄蕊柱长约 3.5 cm；花柱分枝 5，被长毛。蒴果长圆状卵圆形，长约 2.5 cm，直径约 2 cm，果爿 5，密被黄锈色星状绒毛及长硬毛；种子肾形，被红棕色长毛，毛长约 3 mm。花期 7 ～ 8 月。

| **生境分布** | 生于中山，低山。分布于湖南邵阳（绥宁）、常德（桃源）、郴州（临武）、永州（东安、双牌）、湘西州（泸溪）等。

| **资源情况** | 野生资源较丰富。药材来源于野生。

| **采收加工** | 全年均可采收，晒干或鲜用。

| **功能主治** | 苦、酸，寒。清热凉血、消肿解毒。用于疮毒疔肿、衄血。

| **用法用量** | 内服煎汤，根皮 15 ～ 30 g，叶 15 ～ 30 g。

锦葵科 Malvaceae 木槿属 Hibiscus

朱槿
Hibiscus rosa-sinensis L.

| 药 材 名 | 扶桑（药用部位：根、叶、花。别名：大红花、红木槿、月月红）。

| 形态特征 | 常绿灌木，高 1 ~ 3 m。小枝圆柱形，疏被星状柔毛。叶阔卵形或狭卵形，长 4 ~ 9 cm，宽 2 ~ 5 cm，先端渐尖，基部圆形或楔形，边缘具粗齿或缺刻，两面除背面沿脉上有少许疏毛外均无毛；叶柄长 5 ~ 20 mm，上面被长柔毛；托叶线形，长 5 ~ 12 mm，被毛。花单生于上部叶腋间，常下垂，花梗长 3 ~ 7 cm，疏被星状柔毛或近平滑无毛，近端有节；小苞片 6 ~ 7，线形，长 8 ~ 15 mm，疏被星状柔毛，基部合生；花萼钟形，长约 2 cm，被星状柔毛，裂片 5，卵形至披针形；花冠漏斗形，直径 6 ~ 10 cm，玫瑰红色或淡红色、淡黄色等，花瓣倒卵形，先端圆，外面疏被柔毛；雄蕊柱长 4 ~ 8 cm，

平滑无毛；花柱分枝 5。蒴果卵形，长约 2.5 cm，平滑无毛，有喙。花期全年。

| **生境分布** | 生于岗地。分布于湘东、湘中、湘南、湘西北等。

| **资源情况** | 野生资源稀少。药材来源于野生。

| **采收加工** | 全年均可采收根、叶，夏、秋季采摘花，晒干或鲜用。

| **功能主治** | 甘，平。解毒，利尿，调经。根用于腮腺炎，支气管炎，尿路感染，子宫颈炎，带下，月经不调，闭经；叶、花外用于疔疮痈肿，乳腺炎，淋巴腺炎；花还用于月经不调。

| **用法用量** | 内服煎汤，根 15 ~ 30 g，叶 15 ~ 30 g，花 30 g。外用适量，鲜品捣敷。

锦葵科 Malvaceae 木槿属 Hibiscus

玫瑰茄
Hibiscus sabdariffa L.

| 药材名 | 玫瑰茄（药用部位：花萼。别名：红金梅、红梅果、洛神葵）。

| 形态特征 | 一年生直立草本，高达 2 m。茎淡紫色，无毛。叶异型，下部的叶卵形，不分裂，上部的叶掌状 3 深裂，裂片披针形，长 2 ~ 8 cm，宽 5 ~ 15 mm，具锯齿，先端钝或渐尖，基部圆形至宽楔形，两面均无毛，主脉 3 ~ 5，背面中肋具腺；叶柄长 2 ~ 8 cm，疏被长柔毛；托叶线形，长约 1 cm，疏被长柔毛。花单生于叶腋，近无梗；小苞片 8 ~ 12，红色，肉质，披针形，长 5 ~ 10 mm，宽 2 ~ 3 mm，疏被长硬毛，近先端具刺状附属物，基部与花萼合生；花萼杯状，淡紫色，直径约 1 cm，疏被刺和粗毛，基部 1/3 处合生，裂片5，三角状渐尖形，长 1 ~ 2 cm；花黄色，内面基部深红色，直

径 6 ~ 7 cm。蒴果卵球形，直径约 1.5 cm，密被粗毛，果爿 5；种子肾形，无毛。花期夏、秋季。

| **生境分布** | 生于岗地、低山。分布于湘东、湘中、湘南等。

| **资源情况** | 野生资源一般。栽培资源较少。药材来源于野生和栽培。

| **采收加工** | 11 月中、下旬，叶黄子黑时，将果枝剪下，摘取花萼连同果实，晒 1 天，待缩水后脱出花萼，置干净草席或竹箩上晒干。

| **药材性状** | 本品略呈圆锥状或不规则形，长 2.5 ~ 4 cm，直径约 1 cm，紫红色至紫黑色，5 裂，裂片披针形，下部可见与花萼愈合的小苞片，约 10 裂，披针形，基部有去除果实后留下的空洞。花冠黄棕色，外表面有线状条纹，内表面基部黄褐色，偶见稀疏的粗毛。体轻，质脆。气微清香，味酸。

| **功能主治** | 酸，凉。敛肺止咳，降血压，解酒。用于肺虚咳嗽，高血压，醉酒。

| **用法用量** | 内服煎汤，9 ~ 15 g；或开水泡。

锦葵科 Malvaceae 木槿属 Hibiscus

华木槿
Hibiscus sinosyriacus Bailey

| 药 材 名 | 大花木槿（药用部位：花）。

| 形态特征 | 落叶灌木，高 2 ～ 4 m。小枝幼时被星状柔毛。叶阔楔状卵圆形，长、宽均为 7 ～ 12 cm，通常 3 裂，裂片三角形，中裂片较大，侧裂片较小，基部楔形、阔楔形至近圆形，边缘具尖锐粗齿，两面疏被星状柔毛，主脉 3 ～ 5；叶柄长 3 ～ 6 cm，被星状柔毛；托叶线形，长约 12 mm，被星状疏柔毛。花单生于小枝先端叶腋间，花梗长 1 ～ 2.5 cm，密被黄色星状绒毛；小苞片 6 或 7，披针形，长 1.7 ～ 2.5 cm，宽 3 ～ 5 mm，密被星状柔毛，基部微合生；花萼钟形，较小苞片长或短，裂片 5，卵状三角形，密被金黄色星状绒毛；花淡紫色，直径 7 ～ 9 cm，花瓣倒卵形，长 6 ～ 7 cm，外面被星状长柔毛；雄蕊柱长 4 ～ 5 cm；花柱枝 5，平滑无毛。果实未见。花期 6 ～ 7 月。

| **生境分布** | 生于海拔 1 000 m 的山谷灌丛中。分布于湖南邵阳（城步）、衡阳（衡山）、湘西州（永顺）等。 |

| **资源情况** | 野生资源稀少。药材来源于野生。 |

| **功能主治** | 清湿热，凉血。 |

锦葵科 Malvaceae 木槿属 Hibiscus

木槿 *Hibiscus syriacus* L.

药材名

木槿花（药用部位：花。别名：里梅花，朝开暮落花、木荆花）。

形态特征

落叶灌木，高 3 ~ 4 m。小枝密被黄色星状绒毛。叶菱形至三角状卵形，长 3 ~ 10 cm，宽 2 ~ 4 cm，具深浅不同的 3 裂或不裂，先端钝，基部楔形，边缘具不整齐齿缺，下面沿叶脉微被毛或近无毛；叶柄长 5 ~ 25 mm，上面被星状柔毛；托叶线形，长约 6 mm，疏被柔毛。花单生于枝端叶腋间，花梗长 4 ~ 14 mm，被星状短绒毛；小苞片 6 ~ 8，线形，长 6 ~ 15 mm，宽 1 ~ 2 mm，密被星状疏绒毛；花萼钟形，长 14 ~ 20 mm，密被星状短绒毛，裂片 5，三角形；花钟形，淡紫色，直径 5 ~ 6 cm，花瓣倒卵形，长 3.5 ~ 4.5 cm，外面疏被纤毛和星状长柔毛；雄蕊柱长约 3 cm；花柱枝无毛。蒴果卵圆形，直径约 12 mm，密被黄色星状绒毛；种子肾形，背部被黄白色长柔毛。花期 7 ~ 10 月。

生境分布

生于岗地、低山。湖南有广泛分布。

| **资源情况** | 野生资源较丰富。栽培资源丰富。药材来源于野生和栽培。 |

| **采收加工** | 夏、秋季选晴天早晨，花半开时采摘，晒干或鲜用。 |

| **药材性状** | 本品多皱缩成团或不规则形，长 2 ～ 4 cm，宽 1 ～ 2 cm，全体被毛。花萼钟形，黄绿色或黄色，先端 5 裂，裂片三角形，萼筒外方有苞片 6 ～ 8，条形，萼筒下常带花梗，长 3 ～ 7 mm，花萼、苞片、花梗表面均密被细毛及星状毛；花瓣 5 或重瓣，黄白色至黄棕色，基部与雄蕊合生，并密生白色长柔毛；雄蕊多数，花丝下部连合成筒状，包围花柱，柱头 5 分歧，伸出花丝筒外。质轻脆，气微香，味淡。 |

| **功能主治** | 甘、苦，凉。清热利湿，凉血解毒。用于肠风泻血，赤白下痢，痔疮出血，肺热咳嗽，咯血，带下，疮疖痈肿，烫伤。 |

| **用法用量** | 内服煎汤，3 ～ 9 g，鲜品 30 ～ 60 g。外用适量，研末；或鲜品捣敷。 |

锦葵科 Malvaceae 木槿属 Hibiscus

紫花重瓣木槿

Hibiscus syriacus L. f. *violaceus* Gagnep. f.

| 药 材 名 |

紫花重瓣木槿（药用部位：花、茎皮、根皮、种子）。

| 形态特征 |

落叶灌木，高 3 ~ 4 m。小枝密被黄色星状绒毛。叶菱形至三角状卵形，长 3 ~ 10 cm，宽 2 ~ 4 cm，具深浅不同的 3 裂或不裂，先端钝，基部楔形，边缘具不整齐齿缺，下面沿叶脉微被毛或近无毛；叶柄长 5 ~ 25 mm，上面被星状柔毛；托叶线形，长约 6 mm，疏被柔毛。花单生于枝端叶腋间，花梗长 4 ~ 14 mm，被星状短绒毛；小苞片 6 ~ 8，线形，长 6 ~ 15 mm，宽 1 ~ 2 mm，密被星状疏绒毛；花萼钟形，长 14 ~ 20 mm，密被星状短绒毛，裂片 5，三角形；花钟形，青紫色，直径 5 ~ 6 cm，花瓣倒卵形、重瓣，长 3.5 ~ 4.5 cm，外面疏被纤毛和星状长柔毛；雄蕊柱长约 3 cm；花柱枝无毛。蒴果卵圆形，直径约 12 mm，密被黄色星状绒毛；种子肾形，背部被黄白色长柔毛。花期 7 ~ 10 月。

| 生境分布 |

生于岗地。分布于湖南长沙（长沙）等。

| **资源情况** | 野生资源稀少。栽培资源较少。药材来源于野生和栽培。

| **采收加工** | 夏、秋季花半开时采摘花，秋、冬季采剥茎皮、根皮，成熟时采收种子，晒干。

| **功能主治** | 花，清热解毒，凉血消肿。用于小便不利，痢疾，痔疮出血，带下；外用于疮疖痈肿，烧伤，烫伤；还用于明目。茎皮、根皮，清热利湿，杀虫止痒。用于痢疾，带下；外用于妇女阴痒，体癣，足癣。种子，清肺化痰，解毒止痛。用于痰喘咳嗽，神经性头痛；外用于黄水疮。

| **用法用量** | 内服煎汤，花 3 ~ 9 g，根皮、茎皮 10 ~ 15 g，种子 15 ~ 30 g。

锦葵科 Malvaceae 木槿属 Hibiscus

野西瓜苗
Hibiscus trionum L.

| 药 材 名 | 野西瓜苗（药用部位：全草或根。别名：秃汉头、野芝麻、和尚头）、野西瓜苗子（药用部位：种子）。

| 形态特征 | 一年生直立或平卧草本，高 25 ～ 70 cm。茎柔软，被白色星状粗毛。叶二型，下部的叶圆形，不分裂，上部的叶掌状 3 ～ 5 深裂，直径 3 ～ 6 cm，中裂片较长，两侧裂片较短，裂片倒卵形至长圆形，通常羽状全裂，上面疏被粗硬毛或无毛，下面疏被星状粗刺毛；叶柄长 2 ～ 4 cm，被星状粗硬毛和星状柔毛；托叶线形，长约 7 mm，被星状粗硬毛。花单生于叶腋，花梗长约 2.5 cm，果实时延长达 4 cm，被星状粗硬毛；小苞片 12，线形，长约 8 mm，被粗长硬毛，基部合生；花萼钟形，淡绿色，长 1.5 ～ 2 cm，被粗长硬毛或星状

粗长硬毛，裂片 5，膜质，三角形，具纵向紫色条纹，中部以上合生；花淡黄色，内面基部紫色，直径 2 ~ 3 cm，花瓣 5，倒卵形，长约 2 cm，外面疏被极细柔毛；雄蕊柱长约 5 mm，花丝纤细，长约 3 mm，花药黄色；花柱分枝 5，无毛。蒴果长圆状球形，直径约 1 cm，被粗硬毛，果爿 5，果皮薄，黑色；种子肾形，黑色，具腺状突起。花期 7 ~ 10 月。

| 生境分布 | 生于低山。分布于湖南湘西州（永顺）等。

| 资源情况 | 野生资源稀少。药材来源于野生。

| 采收加工 | **野西瓜苗**：夏、秋季采收，去净泥土，晒干或鲜用。
野西瓜苗子：秋季果实成熟时采摘果实，晒干，打下种子筛净，再晒干。

| 功能主治 | **野西瓜苗**：甘，寒。清热解毒，利咽止咳。用于咽喉肿痛，咳嗽，泻痢，疮毒，烫伤。
野西瓜苗子：辛，平。补肾，润肺。用于肾虚头晕，耳鸣，耳聋，肺痨咳嗽。

| 用法用量 | **野西瓜苗**：内服煎汤，15 ~ 30 g，鲜品 30 ~ 60 g。外用适量，鲜品捣敷；或干品研末油调涂。
野西瓜苗子：内服煎汤，9 ~ 15 g。

锦葵科 Malvaceae 锦葵属 *Malva*

锦葵
Malva sinensis Cavan.

| 药 材 名 | 锦葵（药用部位：花、叶、茎。别名：荆葵、旌节花、淑气花）。

| 形态特征 | 二年生或多年生直立草本，高 50 ～ 90 cm。分枝多，疏被粗毛。叶圆心形或肾形，具 5 ～ 7 圆齿状钝裂片，长 5 ～ 12 cm，宽几相等，基部近心形至圆形，边缘具圆锯齿，两面均无毛或仅在脉上疏被短糙伏毛；叶柄长 4 ～ 8 cm，近无毛，但上面槽内被长硬毛；托叶偏斜，卵形，具锯齿，先端渐尖。花 3 ～ 11 簇生，花梗长 1 ～ 2 cm，疏被粗毛或无毛；小苞片 3，长圆形，长 3 ～ 4 mm，宽 1 ～ 2 mm，先端圆形，疏被柔毛；花萼杯状，长 6 ～ 7 mm，裂片 5，宽三角形，两面均被星状疏柔毛；花紫红色或白色，直径 3.5 ～ 4 cm，花瓣 5，匙形，长 2 cm，先端微缺，爪具髯毛；雄蕊柱长 8 ～ 10 mm，被刺毛，

花丝无毛；花柱分枝 9 ~ 11，被微细毛。果实扁圆形，直径 5 ~ 7 mm，分果片 9 ~ 11，肾形，被柔毛；种子黑褐色，肾形，长 2 mm。花期 5 ~ 10 月。

| **生境分布** | 生于岗地。湖南有广泛分布。

| **资源情况** | 野生资源较少。药材来源于野生。

| **功能主治** | 咸，寒。利尿通便，清热解毒。用于二便不利，带下，淋巴结结核，咽喉肿痛。

| **用法用量** | 内服煎汤，3 ~ 9 g；或研末，1 ~ 3 g，开水送服。

| **附　　注** | 本种的拉丁学名在 FOC 中被修订为 *Malva cathayensis* M. G. Gilbert。

锦葵科 Malvaceae 锦葵属 Malva

野葵 *Malva verticillata* L.

| 药 材 名 |

冬葵子（药用部位：种子。别名：葵子、葵菜子）、冬葵果（药用部位：果实）、冬葵根（药用部位：根）、冬葵叶（药用部位：嫩苗、叶。别名：冬葵苗叶、棋盘叶）。

| 形态特征 |

二年生草本，高 50 ~ 100 cm。茎被星状长柔毛。叶肾形或圆形，直径 5 ~ 11 cm，通常掌状 5 ~ 7 裂，裂片三角形，具钝尖头，边缘具钝齿，两面被极疏糙伏毛或近无毛；叶柄长 2 ~ 8 cm，近无毛，上面槽内被绒毛；托叶卵状披针形，被星状柔毛。花 3 至多朵簇生于叶腋；花梗极短至近无；小苞片 3，线状披针形，长 5 ~ 6 mm，被纤毛；花萼杯状，直径 5 ~ 8 mm，萼裂片 5，广三角形，疏被星状长硬毛；花冠稍长于萼片，淡白色至淡红色；花瓣 5，长 6 ~ 8 mm，先端凹入，爪无毛或具少数细毛；雄蕊柱长约 4 mm，被毛；花柱分枝 10 ~ 11。果实扁球形，直径 5 ~ 7 mm，分果瓣 10 ~ 12，背面平滑，厚 1 mm，两侧具网纹；种子肾形，直径约 1.5 mm，无毛，紫褐色。花期 3 ~ 11 月。

| 生境分布 | 生于岗地、丘陵岗地。栽培于菜园中。湖南各地均有分布。

| 资源情况 | 野生资源一般。栽培资源丰富。药材来源于野生和栽培。

| 采收加工 | 冬葵子：7 ~ 11 月采收，晒干。

冬葵果：夏、秋季果实成熟时采收，除去杂质，阴干。

冬葵叶：夏、秋季采收，鲜用。

| 药材性状 | 冬葵子：本品呈橘瓣状肾形，黑色至棕褐色。质坚硬，破碎后子叶心形，两片重叠折曲。气微，味涩。

冬葵果：本品呈扁球状盘形，直径 4 ~ 7 mm，外被膜质宿萼，果柄细短，具分果瓣 10 ~ 12；分果类扁圆形，直径 1.4 ~ 2.5 mm。表面黄白色或黄棕色，具隆起的环向细脉纹。气微，味涩。

| 功能主治 | 冬葵子：甘，寒。利水通淋，滑肠通便，下乳。用于淋病，水肿，大便不通，乳汁不行。

冬葵果：甘、涩，凉。清热利尿，消肿。用于尿闭，水肿，口渴，尿路感染。

冬葵根：甘，温。补中益气。用于气虚乏力，腰膝酸软，体虚自汗，脱肛，子宫脱垂，慢性肾小球肾炎，糖尿病。

冬葵叶：甘，寒。清热，利湿，滑肠，通乳。用于肺热咳嗽，咽喉肿痛，热毒下痢，湿热黄疸，二便不通，乳汁不下，疮疖痈肿，丹毒。

| 用法用量 | 冬葵子：内服煎汤，6 ~ 15 g；或入散剂。脾虚肠滑者禁服，孕妇慎服。

冬葵果：内服煎汤，3 ~ 9 g。

冬葵根：内服煎汤，10 ~ 15 g。

冬葵叶：内服煎汤，10 ~ 30 g，鲜品可用至 60 g；或捣汁。外用适量，捣敷；或研末调敷；或煎汤含漱。脾虚肠滑者禁服，孕妇慎服。

锦葵科 Malvaceae 赛葵属 Malvastrum

赛葵
Malvastrum coromandelianum (L.) Gurcke

| 药 材 名 | 赛葵（药用部位：全株。别名：黄花棉、山黄麻、山茶心）。

| 形态特征 | 亚灌木状，直立，高达 1 m，疏被单毛和星状粗毛。叶卵状披针形或卵形，长 3 ~ 6 cm，宽 1 ~ 3 cm，先端钝尖，基部宽楔形至圆形，边缘具粗锯齿，上面疏被长毛，下面疏被长毛和星状长毛；叶柄长 1 ~ 3 cm，密被长毛；托叶披针形，长约 5 mm。花单生于叶腋，花梗长约 5 mm，被长毛；小苞片线形，长 5 mm，宽 1 mm，疏被长毛；花萼浅杯状，5 裂，裂片卵形，渐尖头，长约 8 mm，基部合生，疏被单长毛和星状长毛；花黄色，直径约 1.5 cm，花瓣 5，倒卵形，长约 8 mm，宽约 4 mm；雄蕊柱长 6 mm，无毛。果实直径约 6 mm，分果爿 8 ~ 12，肾形，疏被星状柔毛，直径约 2.5 mm，

背部宽约 1 mm，具 2 芒刺。

| **生境分布** | 生于丘陵岗地。分布于湖南永州（道县、江永）等。

| **资源情况** | 野生资源稀少。栽培资源较少。药材来源于野生和栽培。

| **采收加工** | 秋季采挖，洗净泥沙，除去杂质，切碎，晒干或鲜用。

| **功能主治** | 微甘，凉。清热利湿，解毒消肿。用于湿热泻痢，黄疸，肺热咳嗽，咽喉肿痛，痔疮，痈肿疮毒，跌打损伤，前列腺炎。

| **用法用量** | 内服煎汤，10 ~ 15 g，鲜品 60 ~ 120 g。外用适量，鲜品捣敷。

锦葵科 Malvaceae 黄花稔属 Sida

黄花稔 *Sida acuta* Burm. f. Fl. Ind.

| 药 材 名 | 黄花稔（药用部位：全株。别名：扫把麻、小本黄花草、吸血仔）。

| 形态特征 | 直立亚灌木状草本，高 1 ~ 2 m。分枝多，小枝被柔毛至近无毛。叶披针形，长 2 ~ 5 cm，宽 4 ~ 10 mm，先端短尖或渐尖，基部圆或钝，具锯齿，两面疏被星状柔毛或均无毛，上面偶被单毛；叶柄长 4 ~ 6 mm，疏被柔毛；托叶线形，与叶柄近等长，常宿存。花单朵或成对生于叶腋，花梗长 4 ~ 12 mm，被柔毛，中部具节；花萼浅杯状，无毛，长约 6 mm，下半部合生，裂片 5，尾状渐尖；花黄色，直径 8 ~ 10 mm，花瓣倒卵形，先端圆，基部狭，长 6 ~ 7 mm，被纤毛；雄蕊柱长约 4 mm，疏被硬毛。蒴果近圆球形，分果爿 4 ~ 9，通常 5 ~ 6，长约 3.5 mm，先端具 2 短芒，果皮具网状皱纹。

花期冬、春季。

| **生境分布** | 生于岗地、中山。湖南各地均有分布。

| **资源情况** | 野生资源一般。栽培资源较少。药材来源于野生和栽培。

| **采收加工** | 秋季采收，洗净，切碎，晒干。

| **功能主治** | 微辛，凉。清湿热，解毒消肿，活血止痛。用于湿热泻痢，乳痈，痔疮，疮疡肿毒，跌打损伤，骨折，外伤出血。

| **用法用量** | 内服煎汤，15 ~ 30 g。外用适量，捣敷；或研末撒敷。

锦葵科 Malvaceae 黄花稔属 Sida

长梗黄花稔 *Sida cordata* (Burm. f.) Borss. Blumea

| 药 材 名 | 藤本粘头婆（药用部位：全株）。

| 形态特征 | 披散近灌木状，高达 1 m。小枝细瘦，被黏质和星状柔毛及长柔毛。叶心形，长 1 ~ 5 cm，先端渐尖，边缘具钝齿或锯齿，两面均被星状柔毛；叶柄长 1 ~ 3 cm，被星状长柔毛；托叶线形，长 2 ~ 3 mm，疏被柔毛。花腋生，通常单生或簇生成具叶的总状花序，疏被星状柔毛和长柔毛，花梗纤细，长 2 ~ 4 cm，中部以上具节，花后延长；花萼杯状，长约 4 mm，疏被长柔毛，裂片三角形，锐尖头；花黄色；雄蕊柱疏被长硬毛。蒴果近球形，直径约 3 mm，分果爿 5，卵形，不具芒，先端截形，疏被柔毛。花期 7 月至翌年 2 月。

| **生境分布** | 生于岗地。湖南各地均有分布。

| **资源情况** | 野生资源稀少。药材来源于野生。

| **采收加工** | 全年均可采挖，除去杂质，晒干。

| **功能主治** | 利尿，清热解毒。用于水肿，小便淋痛，咽喉痛，感冒发热，泄泻；叶还用于疮疖。

| **用法用量** | 内服煎汤，15 ～ 30 g。外用适量，捣敷。

锦葵科 Malvaceae 黄花稔属 Sida

白背黄花稔 *Sida rhombifolia* L.

| 药 材 名 | 黄花稔（药用部位：全株。别名：小本黄花草、吸血仔、四吻草）。

| 形态特征 | 直立亚灌木，高约 1 m。分枝多，枝被星状绵毛。叶菱形或长圆状披针形，长 25 ～ 45 mm，宽 6 ～ 20 mm，先端浑圆至短尖，基部宽楔形，边缘具锯齿，上面疏被星状柔毛至近无毛，下面被灰白色星状柔毛；叶柄长 3 ～ 5 mm，被星状柔毛；托叶纤细，刺毛状，与叶柄近等长。花单生于叶腋，花梗长 1 ～ 2 cm，密被星状柔毛，中部以上有节；花萼杯形，长 4 ～ 5 mm，被星状短绵毛，裂片 5，三角形；花黄色，直径约 1 cm，花瓣倒卵形，长约 8 mm，先端圆，基部狭；雄蕊柱无毛，疏被腺状乳突，长约 5 mm，花柱分枝 8 ～ 10。果实半球形，直径 6 ～ 7 mm，分果爿 8 ～ 10，被星状柔毛，先端

具 2 短芒。花期秋、冬季。

| **生境分布** | 生于岗地、低山。湖南有广泛分布。

| **资源情况** | 同"黄花稔"。

| **采收加工** | 同"黄花稔"。

| **功能主治** | 同"黄花稔"。

| **用法用量** | 同"黄花稔"。

锦葵科 Malvaceae 梵天花属 Urena

地桃花 *Urena lobata* L.

药材名

地桃花（药用部位：全草或根。别名：天下捶、桃子草、三角风）。

形态特征

直立亚灌木状草本，高达 1 m。小枝被星状绒毛。茎下部的叶近圆形，长 4 ~ 5 cm，宽 5 ~ 6 cm，先端 3 浅裂，基部圆形或近心形，边缘具锯齿；茎中部的叶卵形，长 5 ~ 7 cm，宽 3 ~ 6.5 cm；茎上部的叶长圆形至披针形，长 4 ~ 7 cm，宽 1.5 ~ 3 cm；叶上面被柔毛，下面被灰白色星状绒毛；叶柄长 1 ~ 4 cm，被灰白色星状毛；托叶线形，长约 2 mm，早落。花腋生，单生或稍丛生，淡红色，直径约 15 mm；花梗长约 3 mm，被绵毛；小苞片 5，长约 6 mm，基部 1/3 合生；花萼杯状，裂片 5，与小苞片近等长，两者均被星状柔毛；花瓣 5，倒卵形，长约 15 mm，外面被星状柔毛；雄蕊柱长约 15 mm，无毛；花柱分枝 10，微被长硬毛。果实扁球形，直径约 1 cm，分果爿被星状短柔毛和锚状刺。花期 7 ~ 10 月。

生境分布

生于岗地、低山。湖南各地均有分布。

| **资源情况** | 野生资源较丰富。栽培资源较少。药材来源于野生和栽培。

| **采收加工** | 全草，全年均可采挖，除去杂质，切碎，晒干。根，冬季采挖，洗净泥沙，切片，晒干。

| **药材性状** | 本品干燥根呈圆柱形，略弯曲，支根少数，上生多数须根，表面淡黄色，具纵皱纹；质硬，断面呈破裂状。茎灰绿色至暗绿色，具粗浅的纵纹，密被星状毛和柔毛，上部嫩枝具数条纵棱；质硬，木部断面不平坦，皮部富纤维，难折断。叶多破碎，完整者多卷曲，上表面深绿色，下表面粉绿色，密被短柔毛和星状毛，掌状网脉，下面凸出。气微，味淡。

| **功能主治** | 甘、辛，凉。祛风利湿，活血消肿，清热解毒。用于感冒，风湿痹痛，痢疾，泄泻，淋证，带下，月经不调，跌打肿痛，喉痹，乳痈，疮疖，毒蛇咬伤。

| **用法用量** | 内服煎汤，30 ～ 60 g；或捣汁。外用适量，捣敷。脾胃虚寒者禁服。

锦葵科 Malvaceae 梵天花属 Urena

粗叶地桃花

Urena lobata L. var. *scabriuscula* (DC.) Walp.

| 药 材 名 | 消风草（药用部位：全草。别名：狗扯尾、田芙蓉、千金垂草）。

| 形态特征 | 本种与地桃花的区别在于本种的叶密被粗短绒毛和绵毛，上部的叶卵形或近圆形，具锯齿；小苞片线形，密被绵毛，略长过于萼片；花瓣长 10 ~ 13 mm。

| **生境分布** | 生于丘陵岗地。分布于湖南永州（道县、江华）等。

| **资源情况** | 野生资源稀少。栽培资源较少。药材来源于野生和栽培。

| **采收加工** | 全年均可采挖，除去杂质，切碎，晒干。

| **功能主治** | 辛，微温。行气活血，祛风解毒。用于跌打损伤，风湿痛，痢疾，刀伤出血，吐血。

| **用法用量** | 内服煎汤，30～60 g；或捣汁。外用适量，捣敷。

锦葵科 Malvaceae 梵天花属 Urena

梵天花
Urena procumbens L.

| 药 材 名 | 梵天花（药用部位：全株。别名：三角枫、三合枫、野茄）。

| 形态特征 | 小灌木，高 80 cm。枝平铺，小枝被星状绒毛。下部的叶为掌状 3 ～ 5 深裂，裂口深达叶片中部以下，圆形而狭，长 1.5 ～ 6 cm，宽 1 ～ 4 cm，裂片菱形或倒卵形，呈葫芦状，先端钝，基部圆形至近心形，具锯齿，两面均被星状短硬毛，叶柄长 4 ～ 15 mm，被绒毛；托叶钻形，长约 1.5 mm，早落。花单生或近簇生，花梗长 2 ～ 3 mm；小苞片长约 7 mm，基部 1/3 处合生，疏被星状毛；花萼短于小苞片或与小苞片近等长，卵形，尖头，被星状毛；花冠淡红色，花瓣长 10 ～ 15 mm；雄蕊柱无毛，与花瓣等长。果实球形，直径约 6 mm，具刺和长硬毛，刺端有倒钩；种子平滑无毛。花

期 6 ～ 9 月。

| **生境分布** | 生于岗地、低山。湖南各地均有分布。

| **资源情况** | 野生资源一般。栽培资源较少。药材来源于野生和栽培。

| **采收加工** | 夏、秋季采挖，洗净，除去杂质，切碎，晒干。

| **药材性状** | 本品干燥全株长 20 ～ 50 cm；茎直径 3 ～ 7 mm，圆柱形，棕黑色，幼枝暗绿色至灰青色；质坚硬，纤维性，木部白色，中心有髓。叶通常 3 ～ 5 深裂，裂片倒卵形或菱形，灰褐色至暗绿色，微被毛；幼叶卵圆形。蒴果腋生，扁球形，副萼宿存，被茸毛和倒钩刺，果皮干燥、厚膜质。

| **功能主治** | 甘、苦，凉。祛风利湿，清热解毒。用于风湿痹痛，泄泻，痢疾，感冒，咽喉肿痛，肺热咳嗽，风毒流注，疮疡肿毒，跌打损伤，毒蛇咬伤。

| **用法用量** | 内服煎汤，9 ～ 15 g，鲜品 15 ～ 30 g。外用适量，捣敷。

椴树科 Tiliaceae 田麻属 Corchoropsis

光果田麻
Corchoropsis psilocarpa Harms et Loes. ex Loes.

| 药 材 名 |

光果田麻（药用部位：全草）。

| 形态特征 |

一年生草本，高 30 ~ 60 cm。分枝紫红色，被白色短柔毛和平展的长柔毛。叶卵形或狭卵形，长 1.5 ~ 4 cm，宽 0.6 ~ 2.2 cm，边缘有钝牙齿，两面均密生星状短柔毛，基出脉 3；叶柄长 0.2 ~ 1.2 cm；托叶钻形，长约 3 mm，脱落。花单生于叶腋，直径约 6 mm；萼片 5，狭披针形，长约 2.5 mm；花瓣 5，黄色，倒卵形；发育雄蕊和退化雄蕊近等长；雌蕊无毛。蒴果角状圆筒形，长 1.8 ~ 2.6 cm，无毛，裂成 3 瓣；种子卵形，长约 2 mm。果期秋、冬季。

| 生境分布 |

生于岗地、低山。分布于湖南湘潭（湘潭）、岳阳（君山）、郴州（宜章）、湘西州（龙山）等。

| 资源情况 |

野生资源稀少。药材来源于野生。

| **采收加工** | 夏、秋季采挖，洗净，晒干。

| **功能主治** | 酸，平。平胆利湿，解毒。用于风湿痹痛，跌打损伤，黄疸。

| **用法用量** | 内服煎汤，9 ～ 15 g。外用适量，鲜品捣敷。

| **附　　注** | 本种的拉丁学名在 FOC 中被修订为 *Corchoropsis crenata* Sieb. et Zucc. var. *hupehensis* Pampanini。

椴树科 Tiliaceae 田麻属 Corchoropsis

田麻 *Corchoropsis tomentosa* (Thunb.) Makino

| 药 材 名 | 田麻（药用部位：全草。别名：黄花喉草、白喉草、野络麻）。

| 形态特征 | 一年生草本，高 40 ~ 60 cm。分枝被星状短柔毛。叶卵形或狭卵形，长 2.5 ~ 6 cm，宽 1 ~ 3 cm，边缘有钝牙齿，两面均密生星状短柔毛，基出脉 3；叶柄长 0.2 ~ 2.3 cm；托叶钻形，长 2 ~ 4 mm，脱落。花有细柄，单生于叶腋，直径 1.5 ~ 2 cm；萼片 5，狭披针形，长约 5 mm；花瓣 5，黄色，倒卵形；发育雄蕊 15，每 3 枚成一束，退化雄蕊 5，与萼片对生，匙状条形，长约 1 cm；子房被短茸毛。蒴果角状圆筒形，长 1.7 ~ 3 cm，被星状柔毛。果期秋季。

| 生境分布 | 生于岗地、低山、中山。湖南各地均有分布。

| **资源情况** | 野生资源较丰富。药材来源于野生。

| **采收加工** | 夏、秋季采挖，切段，鲜用或晒干。

| **功能主治** | 苦，凉。清热利湿，解毒止血。用于痈疖肿毒，咽喉肿痛，疥疮，疳积，带下过多，外伤出血。

| **用法用量** | 内服煎汤，9 ~ 15 g；大剂量可用 30 ~ 60 g。外用适量，鲜品捣敷。

| **附　　注** | 本种的拉丁学名在 FOC 中被修订为 *Corchoropsis crenata* Siebold et Zuccarini。

椴树科 Tiliaceae 黄麻属 Corchorus

甜麻 *Corchorus aestuans* L.

| **药 材 名** | 野黄麻（药用部位：全草。别名：水丁香、假黄麻、野木槿）。

| **形态特征** | 一年生草本，高约 1 m。茎红褐色，稍被淡黄色柔毛；枝细长，披散。叶卵形或阔卵形，长 4.5 ~ 6.5 cm，宽 3 ~ 4 cm，先端短渐尖或急尖，基部圆形，两面均被稀疏长粗毛，边缘有锯齿，近基部 1 对锯齿往往延伸成尾状的小裂片，基出脉 5 ~ 7；叶柄长 0.9 ~ 1.6 cm，被淡黄色长粗毛。花单独或数朵生于叶腋或腋外，排成聚伞花序，花序梗或花梗均极短或近无；萼片 5，狭窄长圆形，长约 5 mm，上部半凹陷如舟状，先端具角，外面紫红色；花瓣 5，与萼片近等长，倒卵形，黄色；雄蕊多数，长约 3 mm，黄色；子房长圆柱形，被柔毛，花柱圆棒状，柱头如喙，5 齿裂。蒴果长筒形，长约 2.5 cm，

直径约 5 mm，具 6 纵棱，其中 3 ～ 4 纵棱呈翅状突起，先端有 3 ～ 4 向外延伸的角，角二叉，成熟时 3 ～ 4 瓣裂，果瓣有浅横隔；种子多数。花期夏季。

| **生境分布** | 生于岗地、低山、中山。湖南有广泛分布。

| **资源情况** | 野生资源较丰富。栽培资源较少。药材来源于野生和栽培。

| **采收加工** | 9 ～ 10 月选晴天采挖，洗净泥土，切段，晒干。

| **功能主治** | 淡，寒。清热解暑，消肿解毒。用于中暑发热，咽喉肿痛，痢疾，疳积，麻疹，跌打损伤，疮疥疖肿。

| **用法用量** | 内服煎汤，15 ～ 30 g。外用适量，捣敷；或煎汤洗。孕妇禁服。

椴树科 Tiliaceae 黄麻属 Corchorus

黄麻 *Corchorus capsularis* L.

| 药 材 名 | 黄麻（药用部位：叶、根、种子。别名：苦麻叶、络麻）。

| 形态特征 | 直立木质草本，高 1 ~ 2 m，无毛。叶纸质，卵状披针形至狭披针形，长 5 ~ 12 cm，宽 2 ~ 5 cm，先端渐尖，基部圆形，两面均无毛，基出脉 3，两侧脉上行不过半，中脉有侧脉 6 ~ 7 对，边缘有粗锯齿；叶柄长约 2 cm，被柔毛。花单生或数朵排成腋生聚伞花序，有短花序梗及花梗；萼片 4 ~ 5，长 3 ~ 4 mm；花瓣黄色，倒卵形，花瓣与萼片约等长；雄蕊 18 ~ 22，离生；子房无毛，柱头浅裂。蒴果球形，直径 1 cm 或稍大，先端无角，表面有直行钝棱及小瘤状突起，5 片裂开。花期夏季，果实秋后成熟。

| **生境分布** | 生于丘陵岗地。分布于湖南永州（江永）、湘西州（古丈）、衡阳（衡东）等。

| **资源情况** | 野生资源稀少。药材来源于野生。

| **采收加工** | 夏、秋季采收，晒干或鲜用。

| **功能主治** | 苦，寒。清热解暑，拔毒消肿。用于预防中暑，中暑发热，痢疾，疮疖肿毒。

| **用法用量** | 内服煎汤，15 ～ 39 g。外用适量，鲜叶捣敷。孕妇忌服。

椴树科 Tiliaceae 扁担杆属 *Grewia*

扁担杆
Grewia biloba G. Don Gen.

| 药 材 名 | 娃娃拳（药用部位：全株。别名：夹板子、狗肾子、月亮皮）。

| 形态特征 | 灌木或小乔木，高 1 ~ 4 m。多分枝，嫩枝被粗毛。叶薄革质，椭圆形或倒卵状椭圆形，长 4 ~ 9 cm，宽 2.5 ~ 4 cm，先端锐尖，基部楔形或钝，两面被稀疏星状粗毛，基出脉 3，两侧脉上行过半，中脉有侧脉 3 ~ 5 对，边缘有细锯齿；叶柄长 4 ~ 8 mm，被粗毛；托叶钻形，长 3 ~ 4 mm。聚伞花序腋生，多花，花序梗长不及 1 cm；花梗长 3 ~ 6 mm；苞片钻形，长 3 ~ 5 mm；萼片狭长圆形，长 4 ~ 7 mm，外面被毛，内面无毛；花瓣长 1 ~ 1.5 mm；雌雄蕊柄长 0.5 mm，被毛；雄蕊长 2 mm；子房被毛，花柱与萼片平齐，柱头扩大，盘状，有浅裂。核果红色，有 2 ~ 4 分核。花期 5 ~ 7 月。

| **生境分布** | 生于岗地、低山、中山。湖南各地均有分布。

| **资源情况** | 野生资源丰富。药材来源于野生。

| **采收加工** | 夏、秋季采收，洗净，晒干或鲜用。

| **功能主治** | 甘、苦，温。健脾益气，祛风除湿，固精止带。用于脾虚食少，久泻脱肛，疳积，蛔虫病，风湿痹痛，遗精，崩漏，带下，子宫脱垂。

| **用法用量** | 内服煎汤，9 ~ 15 g；或浸酒。外用适量，鲜品捣敷。

椴树科 Tiliaceae 扁担杆属 Grewia

小花扁担杆

Grewia biloba G. Don Gen. var. *parviflora* (Bunge.) Hand.-Mazz. Symb. Sin.

| 药 材 名 | 吉利子树（药用部位：枝叶。别名：扁担木、孩儿拳头、葛妃麻）。

| 形态特征 | 本种与扁担杆的区别在于本种叶下面密被黄褐色软茸毛，花朵较短小。

| 生境分布 | 生于岗地。分布于湖南株洲（荷塘）、湘潭（雨湖）、常德（桃源）等。

| 资源情况 | 野生资源稀少。药材来源于野生。

| 采收加工 | 春、夏季采收，晒干。

| 功能主治 | 甘、苦，温。健脾益气，祛风除湿。用于疳积，脘腹胀满，脱肛，

妇女崩漏，带下，风湿痹痛。

| **用法用量** | 内服煎汤，9 ~ 15 g；或浸酒。

椴树科 Tiliaceae 椴属 Tilia

华椴 *Tilia chinensis* Maxim.

| **药 材 名** | 华椴（药用部位：树皮）。

| **形态特征** | 乔木，高 15 m。嫩枝无毛，顶芽倒卵形，无毛。叶阔卵形，长 5 ~ 10 cm，宽 4.5 ~ 9 cm，先端急短尖，基部斜心形或近截形，上面无毛，下面被灰色星状茸毛，侧脉 7 ~ 8 对，边缘密具细锯齿，齿刻相隔 2 mm，齿尖长 1 ~ 1.5 mm；叶柄长 3 ~ 5 cm，稍粗壮，被灰色毛。聚伞花序长 4 ~ 7 cm，有花 3，花序梗有毛，下半部与苞片合生；花梗长 1 ~ 1.5 cm；苞片窄长圆形，长 4 ~ 8 cm，无柄，上面有疏毛，下面毛较密；萼片长卵形，长 6 mm，外面有星状柔毛；花瓣长 7 ~ 8 mm；退化雄蕊较花瓣短小；雄蕊长 5 ~ 6 mm；子房被灰黄色星状茸毛，花柱长 3 ~ 5 mm，无毛。果实椭圆形，长 1 cm，两端略尖，有 5 棱突，被黄褐色星状茸毛。花期夏初。

| **生境分布** | 生于山顶。分布于湖南张家界（永定）等。

| **资源情况** | 野生资源较少。药材来源于野生。

| **功能主治** | 用于跌打损伤，骨折。

椴树科 Tiliaceae 椴树属 Tilia

粉椴
Tilia oliveri Szyszyl.

| **药 材 名** | 粉椴（药用部位：根。别名：鄂椴）。

| **形态特征** | 乔木，高 8 m，树皮灰白色。嫩枝通常无毛，或偶有不明显微毛，顶芽秃净。叶卵形或阔卵形，长 9 ~ 12 cm，宽 6 ~ 10 cm，有时较细小，先端急锐尖，基部斜心形或截形，上面无毛，下面被白色星状茸毛，侧脉 7 ~ 8 对，边缘密生细锯齿；叶柄长 3 ~ 5 cm，近秃净。聚伞花序长 6 ~ 9 cm，有花 6 ~ 15，花序梗长 5 ~ 7 cm，被灰白色星状茸毛，下部 3 ~ 4.5 cm 与苞片合生；花梗长 4 ~ 6 mm；苞片窄倒披针形，长 6 ~ 10 cm，宽 1 ~ 2 cm，先端圆，基部钝，有短柄，上面中脉有毛，下面被灰白色星状柔毛；萼片卵状披针形，长 5 ~ 6 mm，被白色毛；花瓣长 6 ~ 7 mm；退化雄蕊比花瓣短；

雄蕊约与萼片等长；子房被星状茸毛，花柱比花瓣短。果实椭圆形，被毛，有棱或仅在下半部有棱突。花期 7 ～ 8 月。

| **生境分布** | 生于中山、丘陵岗地。分布于湖南娄底（新化）、湘西州（古丈）等。

| **资源情况** | 野生资源稀少。药材来源于野生。

| **采收加工** | 秋、冬季采挖，洗净泥土，切片，晒干。

| **功能主治** | 用于久咳，跌打损伤。

| **用法用量** | 内服煎汤，15 ～ 30 g；或浸酒。外用适量，浸酒搽。

椴树科 Tiliaceae 椴属 Tilia

少脉椴
Tilia paucicostata Maxim.

| 药 材 名 | 筒果椴（药材来源：花提取的芳香油、树皮。别名：少肋椴、杏鬼椴）。

| 形态特征 | 乔木，高 13 m。嫩枝纤细，无毛，芽体细小，无毛或先端有茸毛。叶薄革质，卵圆形，长 6 ~ 10 cm，宽 3.5 ~ 6 cm，有时稍大，先端急渐尖，基部斜心形或斜截形，上面无毛，下面秃净或有稀疏微毛，脉腋有毛丛，边缘有细锯齿；叶柄长 2 ~ 5 cm，纤细，无毛。聚伞花序长 4 ~ 8 cm，有花 6 ~ 8，花序梗纤细，无毛；花梗长 1 ~ 1.5 cm；苞片狭窄，倒披针形，长 5 ~ 8.5 cm，宽 1 ~ 1.6 cm，上下两面近无毛，下半部与花序梗合生，基部有短梗，梗长 7 ~ 12 mm；萼片长卵形，长 4 mm，外面无星状柔毛；花瓣长 5 ~ 6 mm；退化雄蕊比花瓣短小；雄蕊长 4 mm；子房被星状茸毛，花柱长

2 ~ 3 mm，无毛。果实倒卵形，长 6 ~ 7 mm。

| **生境分布** | 生于山坡、山顶。分布于湖南常德（石门）、怀化（沅陵）、张家界（桑植、永定）等。

| **资源情况** | 野生资源稀少。药材来源于野生。

| **功能主治** | 花提取的芳香油，发汗，镇痉，解热。树皮，接骨疗伤。用于跌打损伤。

椴树
Tilia tuan Szyszyl.

| 药 材 名 | 椴树根（药用部位：根。别名：叶上果根、滚筒树根、家鹤儿）。

| 形态特征 | 乔木，高 20 m，树皮灰色，直裂。小枝近秃净，顶芽有微毛或无毛。叶卵圆形，长 7 ~ 14 cm，宽 5.5 ~ 9 cm，先端短尖或渐尖，基部单侧心形或斜截形，上面无毛，下面初时有星状茸毛，以后变秃净，在脉腋有毛丛，干后灰色或褐绿色，侧脉 6 ~ 7 对，边缘上半部有疏而小的齿突；叶柄长 3 ~ 5 cm，近秃净。聚伞花序长 8 ~ 13 cm，无毛；花梗长 7 ~ 9 mm；苞片狭倒披针形，长 10 ~ 16 cm，宽 1.5 ~ 2.5 cm，无柄，先端钝，基部圆形或楔形，上面通常无毛，下面被星状柔毛，苞片下半部 5 ~ 7 cm 与花序梗合生；萼片长圆状披针形，长 5 mm，被茸毛，内面有长茸毛；花瓣长 7 ~ 8 mm；退化

雄蕊长 6 ~ 7 mm；雄蕊长 5 mm；子房被毛，花柱长 4 ~ 5 mm。果实球形，宽 8 ~ 10 mm，无棱，有小突起，被星状茸毛。花期 7 月。

| **生境分布** | 生于低山。分布于湖南郴州（宜章）等。

| **资源情况** | 野生资源稀少。药材来源于野生。

| **采收加工** | 秋季采挖，洗净泥土，切片，晒干。

| **功能主治** | 苦，温。祛风除湿，活血止痛，止咳。用于风湿痹痛，四肢麻木，跌打损伤，久咳。

| **用法用量** | 内服煎汤，15 ~ 30 g；或浸酒。外用适量，浸酒搽。

椴树科 Tiliaceae 刺蒴麻属 Triumfetta

单毛刺蒴麻 Triumfetta annua L. Mant.

| 药 材 名 | 单毛刺蒴麻（药用部位：根。别名：小刺蒴麻、粘人草、野卷单）。

| 形态特征 | 草本或亚灌木。嫩枝被黄褐色茸毛。叶纸质，卵形或卵状披针形，长 5 ~ 11 cm，宽 3 ~ 7 cm，先端尾状渐尖，基部圆形或微心形，两面被稀疏单长毛，基出脉 3 ~ 5，侧脉向上行超过叶片中部，边缘有锯齿；叶柄长 1 ~ 5 cm，被疏长毛。聚伞花序腋生，花序梗极短；花梗长 3 ~ 6 mm；苞片长 2 ~ 3 mm，均被长毛；萼片长 5 mm，先端有角；花瓣比萼片稍短，倒披针形；雄蕊 10；子房被刺毛，3 ~ 4 室，花柱短，柱头 2 ~ 3 浅裂。蒴果扁球形；刺长 5 ~ 7 mm，无毛，先端弯勾，基部有毛。花期秋季。

| **生境分布** | 生于低山、岗地、中山。湖南各地均有分布。

| **资源情况** | 野生资源一般。药材来源于野生。

| **采收加工** | 秋、冬季采挖，洗净泥土，切片，晒干。

| **功能主治** | 祛风，活血，镇痛。

| **用法用量** | 内服煎汤，15 ~ 30 g。

椴树科 Tiliaceae 刺蒴麻属 Triumfetta

刺蒴麻
Triumfetta rhomboidea Jacq. Enum. Pl. Carib.

| 药 材 名 | 黄花虱麻头（药用部位：全株。别名：密马专、痴头婆）。

| 形态特征 | 亚灌木。嫩枝被灰褐色短茸毛。叶纸质，茎下部的叶阔卵圆形，长 3 ~ 8 cm，宽 2 ~ 6 cm，先端常 3 裂，基部圆形；上部的叶长圆形；上面被疏毛，下面被星状柔毛，基出脉 3 ~ 5，两侧脉直达裂片尖端，边缘有不规则的粗锯齿；叶柄长 1 ~ 5 cm。聚伞花序数枝腋生，花序梗及花梗均极短；萼片狭长圆形，长 5 mm，先端有角，被长毛；花瓣比萼片略短，黄色，边缘有毛；雄蕊 10；子房有刺毛。果实球形，不开裂，被灰黄色柔毛，具勾针刺，长 2 mm，有种子 2 ~ 6。花期夏、秋季。

| **生境分布** | 生于岗地、低山。湖南各地均有分布。

| **资源情况** | 野生资源一般。药材来源于野生。

| **采收加工** | 全年均可采挖，晒干。

| **功能主治** | 甘、淡，凉。解表清热，利尿散结。用于风热感冒，痢疾，疮疖，毒蛇咬伤。

| **用法用量** | 内服煎汤，25 ~ 30 g。

梧桐科 Sterculiaceae 梧桐属 Firmiana

梧桐 *Firmiana platanifolia* (L. f.) Marsili

| 药 材 名 |

梧桐叶（药用部位：叶）、梧桐花（药用部位：花）、梧桐白皮（药用部位：树皮）、梧桐子（药用部位：种子。别名：红花果）。

| 形态特征 |

落叶乔木，高达 16 m。树皮青绿色，平滑。叶心形，掌状 3 ～ 5 裂，直径 15 ～ 30 cm，裂片三角形，先端渐尖，基部心形，两面略被短柔毛或均无毛，基出脉 7，叶柄与叶片等长。圆锥花序顶生，长 20 ～ 50 cm，下部分枝长达 12 cm；花淡黄绿色；花萼 5 深裂至近基部，萼片条形，向外卷曲，长 7 ～ 9 mm，外面被淡黄色短柔毛，内面仅基部被柔毛；花梗与花近等长；雄花的雌雄蕊柄与花萼等长，下半部较粗，无毛，花药 15，不规则聚生于雌雄蕊柄先端，退化子房梨形且甚小；子房圆球形，被毛。蓇葖果膜质，有柄，成熟前开裂成叶状，长 6 ～ 11 cm，宽 1.5 ～ 2.5 cm，外面被短茸毛或近无毛，每蓇葖果有种子 2 ～ 4；种子圆球形，表面有皱纹，直径约 7 mm。花期 6 月。

| 生境分布 |

生于岗地、低山中。湖南各地均有分布。

| 资源情况 | 野生资源较丰富。药材来源于野生。

| 采收加工 | **梧桐叶：**夏、秋季采收，鲜用或晒干。

梧桐花：6月采收，晒干。

梧桐白皮：全年均可采剥。

梧桐子：秋季种子成熟时采收果枝，打落种子，除去杂质，晒干。

| **药材性状** | **梧桐叶**：本品多皱缩破碎，完整者心形，掌状 3 ~ 5 裂，直径 15 ~ 30 cm，裂片三角形，先端渐尖，基部心形，表面棕色或棕绿色，两面均无毛或被短柔毛，基出脉 7；叶柄与叶片等长。气微，味淡。

梧桐花：本品淡黄绿色，基部有梗，无花瓣；花萼筒状，长约 4 ~ 5 mm，萼裂片 5，长条形，向外卷曲，外面被淡黄色短柔毛；雄蕊 10 ~ 15 合生，与花萼近等长。气微，味淡。

梧桐子：本品球形，状如豌豆，直径约 7 mm，表面黄棕色至棕色，微具光泽，有明显隆起的网状皱纹，质轻而硬。外层种皮质较脆，易破裂，内层种皮质坚韧。剥除种皮，可见数层淡红色的外胚乳，内为淡黄色肥厚的内胚乳，油质，子叶 2，薄而大，紧贴于内胚乳上，胚根在较小的一端。

| 功能主治 | **梧桐叶：** 甘，平。镇静，降血压，祛风，解毒。用于冠心病，高血压，风湿关节痛，阳痿，遗精，神经衰弱，银屑病，疮痈肿毒。

梧桐花： 甘，平。利湿消肿，清热解毒。用于水肿，小便不利，无名肿毒，创伤红肿，头癣，烫火伤。

梧桐白皮： 苦，凉。祛风除湿，活血通经。用于风湿痹痛，月经不调，痔疮脱肛，丹毒，恶疮，跌打损伤。

梧桐子： 甘，平。顺气和胃，健脾消食，止血。用于胃痛，伤食腹泻，疝气，须发早白，小儿口疮，鼻衄。

| 用法用量 | **梧桐叶：** 内服煎汤，10～30 g。外用适量，鲜品贴敷；或煎汤洗；或研末调敷。

梧桐花： 内服煎汤，6～15 g。外用适量，研末调涂。

梧桐白皮： 内服煎汤，10～30 g。外用适量，捣敷；或煎汤洗。

梧桐子： 内服煎汤，3～9 g；或研末，2～3 g。外用适量，煅存性，研末敷。

| 附 注 | 本种的拉丁学名在 FOC 中被修订为 *Firmiana simplex* (L.) W. Wight。

梧桐科 Sterculiaceae 山芝麻属 Helicteres

山芝麻 *Helicteres angustifolia* L.

药材名

山芝麻（药用部位：全株或根。别名：岗油麻、岗脂麻、田油麻）。

形态特征

小灌木，高达 1 m。小枝被灰绿色短柔毛。叶狭矩圆形或条状披针形，长 3.5 ~ 5 cm，宽 1.5 ~ 2.5 cm，先端钝或急尖，基部圆形，上面无毛或近无毛，下面被灰白色或淡黄色星状茸毛，间或混生刚毛；叶柄长 5 ~ 7 mm。聚伞花序有 2 至数花；花梗通常有锥尖状小苞片 4；花萼管状，长 6 mm，被星状短柔毛，5 裂，萼裂片三角形；花瓣 5，不等大，淡红色或紫红色，较花萼略长，基部有 2 耳状附属体；雄蕊 10，退化雄蕊 5，线形，甚短；子房 5 室，被毛，较花柱略短，每室有胚珠约 10。蒴果卵状矩圆形，长 12 ~ 20 mm，宽 7 ~ 8 mm，先端急尖，密被星状毛及混生长绒毛；种子小，褐色，有椭圆形小斑点。花期几乎全年。

生境分布

生于丘陵岗地中。分布于湖南益阳（桃江）、郴州（汝城）、永州（江永）等。

| **资源情况** | 野生资源稀少。栽培资源稀少。药材来源于野生和栽培。

| **采收加工** | 全年均可采收，洗净，切段，晒干或鲜用。

| **药材性状** | 本品根呈圆柱形，略扭曲，先端常有结节状茎枝残基，长 15 ~ 25 cm（商品多已切成长约 2 cm 的段块），直径 0.5 ~ 1.5 cm。表面灰黄色至灰褐色，间有质坚韧的侧根或侧根痕，栓皮粗糙，有纵斜裂纹，老根栓皮易呈片状剥落。质坚硬，断面皮部较厚，暗棕色或灰黄色，强纤维性，易与木部剥离并撕裂，木部黄白色，具微密的放射状纹理。气微香，味苦、微涩。

| **功能主治** | 苦，凉；有小毒。清热解毒。用于感冒发热，肺热咳嗽，咽喉肿痛，麻疹，痄腮，肠炎，痢疾，痈肿，瘰疬，痔疮，毒蛇咬伤。

| **用法用量** | 内服煎汤，9 ~ 15 g，鲜品 30 ~ 60 g。外用适量，鲜品捣敷。孕妇及体虚寒者慎服。

梧桐科 Sterculiaceae 马松子属 Melochia

马松子 *Melochia corchorifolia* L.

|药材名|

木达地黄（药用部位：茎、叶。别名：假络麻、野棉花秸）。

|形态特征|

半灌木状草本，高不及 1 m。枝黄褐色，略被星状短柔毛。叶薄纸质，卵形、矩圆状卵形或披针形，稀有不明显的 3 浅裂，长 2.5 ~ 7 cm，宽 1 ~ 1.3 cm，先端急尖或钝，基部圆形或心形，边缘有锯齿，上面近无毛，下面略被星状短柔毛，基出脉 5；叶柄长 5 ~ 25 mm；托叶条形，长 2 ~ 4 mm。花排列成顶生或腋生的密聚伞花序或团伞花序；小苞片条形，混生于花序内；花萼钟状，5 浅裂，长约 2.5 mm，外面被长柔毛和刚毛，内面无毛，萼裂片三角形；花瓣 5，白色，后变淡红色，矩圆形，长约 6 mm，基部收缩；雄蕊 5，下部连合成筒，与花瓣对生；子房无柄，5 室，密被柔毛，花柱 5，线状。蒴果圆球形，有 5 棱，直径 5 ~ 6 mm，被长柔毛，每室有种子 1 ~ 2；种子卵圆形，略呈三角状，褐黑色，长 2 ~ 3 mm。花期夏、秋季。

| **生境分布** | 生于岗地、低山中。湖南各地均有分布。

| **资源情况** | 野生资源丰富。药材来源于野生。

| **采收加工** | 夏、秋季采收，扎成把，晒干。

| **药材性状** | 本品叶卵形或三角状披针形，基部圆形、截形或浅心形，边缘有小齿，下面沿叶脉疏被短毛，叶长1～7 cm，宽0.7～1.3 cm；叶柄长5～20 mm。气微，味苦。

| **功能主治** | 淡，平。清热利湿，止痒。用于急性黄疸性肝炎，皮肤痒疹。

| **用法用量** | 内服煎汤，10～30 g。外用适量，煎汤洗。

瑞香科 Thymelaeaceae 瑞香属 Daphne

尖瓣瑞香

Daphne acutiloba Rehd.

| 药 材 名 | 滇瑞香（药用部位：全株。别名：黄皮杜仲、黄根构皮、千年不落叶）。

| 形态特征 | 常绿灌木，高 0.5 ~ 2 m。叶互生，革质，长圆状披针形至椭圆状倒披针形或披针形，长 4 ~ 10 cm，宽 1.2 ~ 3.6 cm，先端渐尖或钝形，基部常下延成楔形。花白色，芳香，5 ~ 7 组成顶生头状花序；苞片卵形或长圆状披针形，先端钝尖，稀尾尖，外面密被淡黄色细柔毛，早落，叶状苞片数枚，长圆状披针形，无毛，通常宿存；花梗短，被淡黄色丝状毛；花萼筒圆筒状，无毛，裂片 4，长卵形，先端渐尖，稀急尖；雄蕊 8，2 轮，下轮着生于花萼筒的中部以上，上轮着生于花萼筒的喉部，部分花药伸出喉部之外，花药长圆形；花盘环状，边缘整齐；子房绿色，椭圆形，花柱白色，柱头头状，膨大，表面具乳突。果实肉质，椭圆形，具 1 种子；种皮暗红色，微具光泽。

| 生境分布 | 生于海拔 1 400 ～ 1 800 m 的丛林、山坡疏林下及灌丛中。分布于湖南常德（石门）、邵阳（隆回）、郴州（安仁）等。 |

| 资源情况 | 野生资源稀少。药材来源于野生。 |

| 采收加工 | 秋季采收，洗净，晒干。 |

| 药材性状 | 本品枝圆柱形，表面黄灰色，幼枝无毛或几无毛，外皮纤维长而韧。叶互生，长椭圆形至倒披针形，先端渐尖，基部狭楔形，全缘，两面无毛。气特异。 |

| 功能主治 | 辛、苦，温；有小毒。归肝、膀胱经。祛风除湿，活络行气止痛。用于风湿痹痛，跌打损伤，胃痛。 |

| 用法用量 | 内服煎汤，3 ～ 9 g；或浸酒。外用适量，鲜品捣敷。 |

瑞香科 Thymelaeaceae 瑞香属 Daphne

长柱瑞香 *Daphne championii* Benth.

| 药 材 名 | 小叶瑞香（药用部位：根、茎皮）。

| 形态特征 | 常绿直立灌木，高 0.5 ～ 1 m，多分枝。枝纤细，伸长，圆柱形；冬芽小，球形，密被淡黄色或灰黄色丝状绒毛。叶互生，近纸质或近膜质，椭圆形或近卵状椭圆形，先端钝或钝尖，基部宽楔形，全缘，上面亮绿色，干燥后黑褐色，下面干燥后褐色，两面被白色丝状粗毛，下面毛较上面密，中脉在上面扁平，在下面隆起，侧脉 5 ～ 6 对，下面较上面显著；叶柄短，长 1 ～ 2 mm，密被白色丝状长粗毛。花白色，通常 3 ～ 7 花组成头状花序，腋生或侧生；无苞片，稀具叶状苞片；花序梗无或极短；无花梗；萼筒筒状，外面贴生淡黄色或淡白色丝状绒毛，萼裂片 4，广卵形，长约 1 mm，宽约 0.5 mm，先

端钝尖，外面密被淡白色丝状绒毛；雄蕊 8，2 轮，着生于萼筒中部以上，花丝短，花药黄色，长圆形；花盘一侧发达，鳞片状，长圆形，先端渐尖，基部圆形，长约为子房的 1/4；子房椭圆形，无柄或近无柄，灰色，上部或几全部密被白色丝状粗毛，花柱细长，长约 4 mm，柱头头状。果实未见。花期 2 ～ 4 月。

| 生境分布 | 生于低山中。分布于湖南郴州（宜章）等。

| 资源情况 | 野生资源稀少。药材来源于野生。

| 采收加工 | 秋、冬季采挖根部，剥取茎皮，洗净，晒干。

| 功能主治 | 用于腰痛，疮痈肿毒，跌打损伤。

| 用法用量 | 内服煎汤，3 ～ 6 g；或研末。外用适量，捣敷。

瑞香科 Thymelaeaceae 瑞香属 Daphne

芫花

Daphne genkwa Sieb. et Zucc.

| 药 材 名 |

芫花（药用部位：花蕾。别名：芫、九龙花、赤芫）。

| 形态特征 |

落叶灌木。树皮褐色，无毛；小枝圆柱形，细瘦，干燥后多具皱纹。叶对生，稀互生，纸质，卵形或卵状披针形至椭圆状长圆形，先端急尖或短渐尖，基部宽楔形或钝圆形，全缘，上面绿色，干燥后黑褐色，下面淡绿色，干燥后黄褐色，幼时密被黄色绢状柔毛，老时仅叶脉基部散生黄色绢状柔毛，侧脉 5 ~ 7 对，下面较上面显著；叶柄短或近无，具灰色柔毛。花先于叶开放，紫色或淡紫蓝色，无香味，常 3 ~ 6 花簇生于叶腋或侧生；花梗短，具灰黄色柔毛；萼筒细瘦，筒状，外面具丝状柔毛，萼裂片 4，卵形或长圆形，长 5 ~ 6 mm，宽 4 mm，先端圆形，外面疏生短柔毛；雄蕊 8，2 轮，分别着生于萼筒上部和中部，花丝短，长约 0.5 mm，花药黄色，卵状椭圆形，长约 1 mm，伸出喉部，先端钝尖；花盘环状，不发达；子房长倒卵形，长 2 mm，密被淡黄色柔毛，花柱短或无，柱头头状，橘红色。果实肉质，白色，椭圆形，长约 4 mm，包藏于宿存的萼筒下部，具 1 种子。花期 3 ~ 5 月，果期 6 ~ 7 月。

| **生境分布** | 生于岗地、低山、中山中。湖南各地均有分布。

| **资源情况** | 野生资源一般。栽培资源较少。药材来源于野生和栽培。

| **采收加工** | 春季花未开放前采摘，除去杂质，晒干或烘干。

| **药材性状** | 本品呈棒槌状，稍压扁，多数弯曲，长 1 ~ 1.7 cm，直径约 1.5 mm，常 3 ~ 6 簇生于 1 短柄上，基部有 1 ~ 2 密被黄色绒毛的苞片；萼筒表面淡紫色或灰绿色，密被白色短柔毛，先端 4 裂，萼裂片卵形。质软。气微，味微辛。

| **功能主治** | 辛、苦，温；有毒。泻水逐饮，祛痰止咳，解毒杀虫。用于水肿，臌胀，痰饮胸水，咳喘，痈疽疮癣。

| **用法用量** | 内服煎汤，1.5 ~ 3 g；或研末，每次 0.6 ~ 1 g，每日 1 次。外用适量，研末调敷；或煎汤洗。

瑞香科 Thymelaeaceae 瑞香属 Daphne

毛瑞香
Daphne kiusiana Miq. var. *atrocaulis* (Rehd.) F. Maekawa

| 药 材 名 | 铁牛皮（药用部位：根、茎皮。别名：大金腰带、金腰带、蒙花皮）。

| 形态特征 | 常绿直立灌木。枝深紫色或紫红色，通常无毛；腋芽近圆形或椭圆形。叶互生，有时簇生于枝顶；叶片革质，椭圆形或披针形，两端渐尖，基部下延至叶柄，上面通常凹陷，下面微隆起，侧脉 6 ~ 7 对，纤细，在上面微凸起，稀微凹下，在下面不甚明显；叶柄两侧翅状，长 6 ~ 8 mm，褐色。花白色，有时淡黄白色，9 ~ 12 花簇生于枝顶，呈头状花序，花序下具苞片；苞片褐绿色，易早落，长圆状披针形，内面小苞片两面无毛，先端尾尖或渐尖，边缘具短的白色流苏状缘毛；花序梗近无；花梗长 1 ~ 2 mm，密被淡黄绿色粗绒毛；萼筒圆筒状，外面下部密被淡黄绿色丝状绒毛，上部毛较稀疏，萼裂片 4，

卵状三角形或卵状长圆形，先端钝尖，无毛；雄蕊 8，2 轮，分别着生于萼筒上部及中部，花丝长约 2 mm，花药长圆形，长约 2.1 mm；花盘短杯状；子房无毛，倒圆锥状圆柱形，先端渐尖，窄成短的花柱，柱头头状，直径 0.7 mm。果实红色。花期 11 月至翌年 2 月，果期翌年 4 ~ 5 月。

| **生境分布** | 生于丘陵岗地、低山、中山中。湖南各地均有分布。

| **资源情况** | 野生资源较少。药材来源于野生。

| **采收加工** | 夏、秋季采收，洗净，鲜用或切片晒干。

| **药材性状** | 本品主根呈类圆柱形或圆锥形，有分枝，直径 10 ~ 20 mm；表面灰黄色至棕黄色，有细纵纹和横长凸起的黄色皮孔；质坚韧，不易折断，断面不整齐，白色，木部与皮部常分离，皮部纤维性强，似绵毛状。茎皮呈长带状，长短、宽窄不一，常扎成小把，皮厚约 1 mm；表面棕黑色至棕红色，摩擦后显光泽，有纵皱纹、叶柄残痕和横长皮孔；内表面黄白色，有细纵纹，显纤维性；质坚韧，难折断。气微，味辛、辣。

| **功能主治** | 辛、苦，温；有毒。祛风除湿，活血止痛，解毒。用于风湿痹痛，劳伤腰痛，跌打损伤，咽喉肿痛，牙痛，疮毒。

| **用法用量** | 内服煎汤，3 ~ 10 g；或研末，0.6 ~ 0.9 g；或浸酒。外用适量，鲜品捣敷。

瑞香科 Thymelaeaceae 瑞香属 Daphne

瑞香

Daphne odora Thunb.

|药材名|

瑞香（药用部位：根、叶、花。别名：雪冻花、雪花皮、对雪开）。

|形态特征|

常绿直立灌木。枝粗壮，通常二叉分枝；小枝近圆柱形，紫红色或紫褐色，无毛。叶互生，纸质，长圆形或倒卵状椭圆形，长 7 ~ 13 cm，宽 2.5 ~ 5 cm，先端钝尖，基部楔形，全缘，上面绿色，下面淡绿色，两面无毛，侧脉 7 ~ 13 对，与中脉在两面均明显隆起；叶柄粗壮，长 4 ~ 10 mm，散生极少的微柔毛或无毛。花外面淡紫红色，内面肉红色，无毛，数花至 12 花组成顶生的头状花序；苞片披针形或卵状披针形，长 5 ~ 8 mm，宽 2 ~ 3 mm，无毛，脉纹显著隆起；萼筒管状，长 6 ~ 10 mm，无毛，萼裂片 4，心状卵形或卵状披针形，基部心形，与萼筒等长或较萼筒长；雄蕊 8，2 轮，下轮雄蕊着生于萼筒中部以上，上轮雄蕊的花药 1/2 伸出萼筒喉部，花丝长 0.7 mm，花药长圆形，长 2 mm；子房长圆形，无毛，先端钝，花柱短，柱头头状。果实红色。花期 3 ~ 5 月，果期 7 ~ 8 月。

| **生境分布** | 生于丘陵岗地、中山、低山中。湖南各地均有分布。

| **资源情况** | 野生资源较少。栽培资源较少。药材来源于野生和栽培。

| **采收加工** | 根，夏季采挖，洗净，切片，晒干。叶，夏季采收，鲜用或晒干。花，冬末春初采收，鲜用或晒干。

| **功能主治** | 根，辛、甘，平。解毒，活血止痛。用于咽喉肿痛，胃痛，跌打损伤，毒蛇咬伤。叶，辛，平。解毒，消肿止痛。用于疮疡，乳痈，痛风。花，甘、辛，平。活血止痛，解毒散结。用于头痛，牙痛，咽喉肿痛，风湿痛，乳痈。

| **用法用量** | 根，内服煎汤，3～6g；或研末。叶，内服煎汤，3～6g。外用适量，捣敷；或研末调敷；或煎汤洗。花，内服煎汤，3～6g。外用适量，捣敷；或煎汤含漱。

瑞香科 Thymelaeaceae 瑞香属 Daphne

白瑞香 *Daphne papyracea* Wall. ex Steud.

| 药 材 名 | 软皮树（药用部位：全株或根皮、茎皮。别名：雪花皮、雪花构、小构皮）。

| 形态特征 | 常绿灌木，高 1 ~ 1.5 m。枝灰色至灰褐色，无毛。叶互生，纸质，长圆形至披针形，偶有长圆状倒披针形，长 6 ~ 16 cm，宽 1.2 ~ 4 cm，先端渐尖，基部楔形，两面均无毛。花白色，无芳香，数朵集生于枝顶，近头状；苞片外侧有绢状毛；总花梗短，密被短柔毛；萼筒筒状，长约 16 mm，被淡黄色短柔毛，萼裂片 4，卵形或长圆形，长约 5 mm；雄蕊 8，2 轮排列，分别着生于萼筒上部及中部；花盘环状，边缘波状；子房长圆状，长 3 ~ 4 mm，无毛。核果卵状球形。

| **生境分布** | 生于丘陵岗地、低山、中山中。湖南各地均有分布。

| **资源情况** | 野生资源一般。栽培资源较少。药材来源于野生和栽培。

| **采收加工** | 夏、秋季挖取全株，剥取根皮和茎皮，洗净，晒干。

| **药材性状** | 本品花外面墨绿色，内面浅黄色，多枯萎破碎，通常数花组成顶生的头状花序，具总苞；苞片边缘有睫毛，长卵形或卵状披针形；萼筒筒状，萼裂片 4，卵形或卵状披针形，先端钝；环状花盘边缘有不规则浅裂。核果卵状，表皮红棕色，表面皱缩；直径约 1.5 cm，长 1 ~ 2 mm，果柄有毛；果实先端有棕色或棕黄色未脱落的花萼，或有脱落痕；果皮不易破碎。

| **功能主治** | 甘、辛，微温；有小毒。祛风止痛，活血调经。用于风湿痹痛，跌打损伤，月经不调，痛经，疔疮疖肿。

| **用法用量** | 内服煎汤，3 ~ 6 g；或浸酒。外用适量，捣敷。

瑞香科 Thymelaeaceae 结香属 Edgeworthia

结香
Edgeworthia chrysantha Lindl.

| 药 材 名 | 结香（药用部位：根、花。别名：野蒙花、新蒙花）。

| 形态特征 | 灌木，高 0.7 ~ 1.5 m。小枝粗壮，褐色，常 3 叉分枝；幼枝常被短柔毛，韧皮极坚韧，叶痕大，直径约 5 mm。叶于花前凋落，长圆形、披针形至倒披针形，先端短尖，基部楔形或渐狭，长 8 ~ 20 cm，宽 2.5 ~ 5.5 cm，两面均被银灰色绢状毛，下面毛较多，侧脉纤细，弧形，每边 10 ~ 13，被柔毛。头状花序顶生或侧生，30 ~ 50 花组成绒球状，外围以 10 枚左右被长毛而早落的总苞；花序梗长 1 ~ 2 cm，被灰白色长硬毛；花芳香，无梗；花萼长 1.3 ~ 2 cm，宽 4 ~ 5 mm，外面密被白色丝状毛，内面无毛，黄色，先端 4 裂，萼裂片卵形，长约 3.5 mm，宽约 3 mm；雄蕊 8，2 列，上列 4 与萼

裂片对生，下列 4 与萼裂片互生，花丝短，花药近卵形，长约 2 mm；子房卵形，长约 4 mm，直径约 2 mm，先端被丝状毛，花柱线形，长约 2 mm，无毛，柱头棒状，长约 3 mm，具乳突；花盘浅杯状，膜质，边缘不整齐。果实椭圆形，绿色，长约 8 mm，直径约 3.5 mm，先端被毛。花期冬末春初，果期春、夏季。

| 生境分布 | 生于海拔 1 500 m 以上的岗地、低山。湖南各地均有分布。

| 资源情况 | 野生资源较丰富。药材来源于野生。

| 采收加工 | 夏、秋季采收根，春季采收花，晒干或鲜用。

| 功能主治 | 甘，温。根，舒筋活络，消肿止痛。用于风湿关节痛，腰痛，跌打损伤，骨折。花，祛风明目。用于目赤疼痛，夜盲。

| 用法用量 | 根，内服煎汤，9 ~ 15 g。外用适量，捣敷。花，内服煎汤，6 ~ 9 g。

瑞香科 Thymelaeaceae 荛花属 Wikstroemia

了哥王

Wikstroemia indica (L.) C. A. Mey

药 材 名

了哥王（药用部位：茎叶。别名：九信菜、九信药、鸡仔麻）。

形态特征

灌木，高 0.5 ~ 2 m 或更高。小枝红褐色，无毛。叶对生，纸质至近革质，倒卵形、椭圆状长圆形或披针形，长 2 ~ 5 cm，宽 0.5 ~ 1.5 cm，先端钝或急尖，基部阔楔形或窄楔形，干时棕红色，无毛，侧脉细密，极倾斜；叶柄长约 1 mm。花黄绿色，数花组成顶生的头状总状花序；花序梗长 5 ~ 10 mm，无毛；花梗长 1 ~ 2 mm；花萼长 7 ~ 12 mm，近无毛，萼裂片 4，宽卵形至长圆形，长约 3 mm，先端尖或钝；雄蕊 8，2 列，着生于萼管中部以上；子房倒卵形或椭圆形，无毛或先端疏被柔毛，花柱极短或近无，柱头头状；花盘鳞片通常 2 或 4。果实椭圆形，长 7 ~ 8 mm，成熟时红色至暗紫色。花果期夏、秋季。

生境分布

生于岗地、低山中。湖南各地均有分布。

| 资源情况 | 野生资源一般。栽培资源较少。药材来源于野生和栽培。

| 采收加工 | 全年均可采收，洗净，切段，晒干或鲜用。

| 药材性状 | 本品茎圆柱形，有分枝，长短不等，直径 8 ～ 25 mm；粗茎表面淡棕色至棕黑色，有不规则粗纵皱纹，皮孔凸起，通常 2 皮孔横向相连，有的数个连接成环；细茎表面暗棕红色，有细纵皱纹，并有对生的叶柄痕，有时可见凸起的小枝残基；质硬，折断面皮部有众多绵毛状纤维。叶不规则卷曲，展平后长椭圆形，全缘，淡黄绿色至淡绿色，叶脉下面稍突出；叶柄短，长约 1 mm；质脆，易碎。气微，味微苦。

| 功能主治 | 苦、辛，寒；有毒。清热解毒，化痰散结，消肿止痛。用于痈肿疮毒，瘰疬，风湿痛，跌打损伤，蛇虫咬伤。

| 用法用量 | 内服煎汤，6 ～ 9 g，宜久煎 4 小时以上。外用适量，捣敷；或研末调敷；或煎汤洗。

瑞香科 Thymelaeaceae 荛花属 Wikstroemia

小黄构
Wikstroemia micrantha Hemsl.

| 药 材 名 |

香构（药用部位：茎皮、根。别名：藤构、娃娃皮、野棉皮）。

| 形态特征 |

灌木，高 0.5 ~ 3 m。小枝纤弱，圆柱形，幼时绿色，后渐变为褐色。叶坚纸质，通常对生或近对生，长圆形、椭圆状长圆形或窄长圆形，稀倒披针状长圆形或匙形，长 0.5 ~ 4 cm，宽 0.3 ~ 1.7 cm，先端钝或具细尖头，基部通常圆形，边缘向下反卷，叶上面绿色，下面灰绿色，侧脉 6 ~ 11 对，在下面明显且在边缘网结；叶柄长 1 ~ 2 mm。总状花序单生、簇生或组成顶生的小圆锥花序，长 0.5 ~ 4 cm，无毛或被疏散的短柔毛；花黄色，疏被柔毛；花萼近肉质，长 4 ~ 6 mm，先端 4 裂，萼裂片广卵形；雄蕊 8，2 列，花药线形；花盘鳞片小，近长方形，先端不整齐或为分离的 2 ~ 3 线形鳞片；子房倒卵形，先端被柔毛，花柱短，柱头头状。果实卵圆形，黑紫色。花果期秋、冬季。

| 生境分布 |

生于岗地、低山中。湖南各地均有分布。

资源情况	野生资源较少。药材来源于野生。
采收加工	全年均可采收，洗净，切片，晒干。
功能主治	甘，平。止咳化痰，清热解毒。用于咳喘，百日咳，痈肿疮毒，风火牙痛。
用法用量	内服煎汤，9 ～ 15 g。

瑞香科 Thymelaeaceae 荛花属 Wikstroemia

圆锥荛花 *Wikstroemia micrantha* Hemsl. var. *paniculata* (Li) S. C. Huang

| 药 材 名 | 圆锥荛花（药用部位：全株）。

| 形态特征 | 本种与小黄构 *Wikstroemia micrantha* Hemsl. 的区别在于本种叶一般稍大，脉较明显。小圆锥花序较大而多毛。

| 生境分布 | 生于低山中。分布于湘西北等。

| 资源情况 | 野生资源稀少。药材来源于野生。

| 采收加工 | 全年均可采收，洗净，切片，晒干。

| **功能主治** | 用于疝气。

| **用法用量** | 内服煎汤，9 ~ 15 g。

瑞香科 Thymelaeaceae 荛花属 Wikstroemia

北江荛花 *Wikstroemia monnula* Hance

| 药 材 名 | 北江荛花（药用部位：根）。

| 形态特征 | 灌木，高 0.5 ~ 0.8 m。枝暗绿色，无毛；小枝被短柔毛。叶对生或近对生，纸质或坚纸质，卵状椭圆形至椭圆形或椭圆状披针形，长 1 ~ 3.5 cm，宽 0.5 ~ 1.5 cm，先端尖，基部宽楔形或近圆形，上面干时暗褐色，无毛，下面色稍淡，在脉上疏被柔毛，侧脉纤细，每边 4 ~ 5；叶柄短，长 1 ~ 1.5 mm。总状花序顶生，有（8 ~）12 花；花细瘦，黄色带紫色或淡红色；花萼外面被白色柔毛，长 0.9 ~ 1.1 cm，先端 4 裂，萼裂片先端微钝；雄蕊 8，2 列，上列 4 在萼筒喉部着生，下列 4 在萼筒中部着生；子房具柄，先端密被柔毛，花柱短，柱头球形，顶基压扁；花盘鳞片 1 ~ 2，线状长圆

形或长方形，先端啮蚀状。果实干燥，卵圆形，基部为宿存花萼所包被。4~8月开花，随即结果。

| 生境分布 | 生于海拔 1 500 m 以上的中山、丘陵岗地、低山中。湖南各地均有分布。

| 资源情况 | 野生资源较少。药材来源于野生。

| 采收加工 | 秋、冬季采挖，洗净，切片，晒干。

| 功能主治 | 甘、辛，微温；有小毒。散结化瘀，清热消肿，通经逐水。

| 用法用量 | 内服煎汤，3~9 g。

瑞香科　Thymelaeaceae　荛花属　Wikstroemia

细轴荛花 *Wikstroemia nutans* Champ. ex Benth.

| 药 材 名 | 垂穗荛花（药用部位：花、根、茎皮。别名：金腰带、鸡断肠、雀儿麻）。

| 形态特征 | 灌木，高 1 ～ 2 m 或更高。树皮暗褐色；小枝圆柱形，红褐色，无毛。叶对生，膜质至纸质，卵形、卵状椭圆形至卵状披针形，长 3 ～ 6（～ 8.5）cm，宽 1.5 ～ 2.5（～ 4）cm，先端渐尖，基部楔形或近圆形，上面绿色，下面淡绿白色，两面均无毛，侧脉每边 6 ～ 12，极纤细；叶柄长约 2 mm，无毛。花黄绿色，4 ～ 8 花组成顶生的近头状总状花序；花序梗纤细，俯垂，无毛，长 1 ～ 2 cm；萼筒长 1.3 ～ 1.6 cm，无毛，4 裂，萼裂片椭圆形，长约 3 mm；雄蕊 8，2 列，上列着生于萼筒喉部，下列着生于萼筒中部以上，花药线形，长约 1.5 mm，花丝短，长约 0.5 mm；子房具柄，倒卵形，长约 1.5 mm，

先端被毛，花柱极短，柱头头状；花盘鳞片 2，每鳞片中间有 1 隔膜，故很像
有 4 鳞片。果实椭圆形，长约 7 mm，成熟时深红色。花期春季至初夏，果期夏、
秋季。

| 生境分布 | 生于丘陵岗地、低山中。湖南各地均有分布。

| 资源情况 | 野生资源较少。药材来源于野生。

| 采收加工 | 花，花开时采收，阴干。根、茎皮，夏、秋季采收，洗净，切片，晒干。

| 功能主治 | 辛、咸，温；有毒。软坚散结，活血止痛。用于瘰疬初起，跌打损伤。

| 用法用量 | 内服煎汤，6 ~ 10 g。外用适量，捣敷。

瑞香科 Thymelaeaceae 荛花属 Wikstroemia

多毛荛花 *Wikstroemia pilosa* Cheng

药材名

浙雁皮（药用部位：茎皮。别名：白山芝一、地棉皮）。

形态特征

灌木，高达 1 m。当年生枝纤细，圆柱形，被长柔毛，越年生枝黄色，无毛。叶膜质，对生、近对生或互生，卵形、椭圆状卵形或椭圆形，长 1.5 ~ 3.8 cm，宽 0.7 ~ 1.8 cm，先端尖，基部宽楔形、圆形或截形，边缘稍反卷，上面暗绿色，下面粉绿色，两面被长柔毛，侧脉每边 3 ~ 5，凸出。总状花序顶生或腋生，被疏柔毛，等长于叶或稍露出叶外，具短花序梗；花黄色，具短梗；萼筒纺锤形，具 10 脉，外面密被长柔毛，内面无毛，长约 10 mm，萼裂片 5，长圆形，先端圆形，长 1 ~ 1.2 mm；雄蕊 10，2 列，上列着生于萼筒近喉部，下列着生于萼筒中部以上，花药长圆形，长约 1 mm；子房纺锤形，被长柔毛，长约 6 mm，柱头头状；花盘鳞片 1，线形，长约 1 mm。果实红色。花期秋季，果期冬季。

生境分布

生于丘陵岗地、低山中。分布于湖南郴州（桂阳、临武）、永州（双牌）、怀化（辰溪、麻阳）、湘西州（吉首、泸溪、花垣、永顺）等。

| **资源情况** | 野生资源较少。药材来源于野生。

| **采收加工** | 夏、秋季采剥，鲜用或切段晒干。

| **功能主治** | 苦、微辛，寒；有小毒。逐水消肿，解毒散结。用于水肿，疮疡肿毒。

| **用法用量** | 内服煎汤，1.5 ~ 4.5 g。外用适量，捣敷。

瑞香科 Thymelaeaceae 荛花属 Wikstroemia

白花荛花 *Wikstroemia trichotoma* (Thunb.) Makino

| 药 材 名 | 白花荛花（药用部位：花蕾）。

| 形态特征 | 常绿灌木，全株无毛，高 0.5 ~ 2.5 m。茎粗壮，多分枝。树皮褐色，具皱纹；小枝纤弱，光亮，直立，开展，当年生枝微黄色，稍老变为紫红色。叶对生，卵形至卵状披针形，长 1.2 ~ 3.5 cm，宽 1 ~ 2.2 cm，先端尖，基部宽楔形、圆形或截形，薄纸质，干时浅褐色，暗淡，下面较苍白，全缘，叶脉纤细，每边 6 ~ 8，在下面更明显。穗状花序具 10 余花，组成复合而疏松、直立的圆锥花序；花序梗长 2.5 cm 或无；小花梗近无或长 0.5 mm；萼筒肉质，白色，萼裂片 5，宽椭圆形，先端钝，边缘波状；雄蕊 10，线形，长约 1 mm，白色，2 列，下列 5 在萼筒 1/3 以上着生，上列 5 在萼筒近喉部着生；花盘鳞片 1，

线形，膜质；子房倒卵形，长约 3 mm，先端被微柔毛，具子房柄，花柱短，长约 0.5 mm，柱头大，圆形，长 0.5 mm。果实卵形，具极短的柄。花期夏季。

| **生境分布** | 生于岗地、低山中。分布于湖南长沙（长沙、浏阳）、衡阳（耒阳）、岳阳（岳阳）、郴州（桂阳、永兴）、永州（祁阳、东安）等。

| **资源情况** | 野生资源较少。药材来源于野生。

| **采收加工** | 花未开放时采摘，阴干。

| **功能主治** | 泻水逐饮，消坚破积。用于留饮，咳逆上气，水肿，癥瘕，疣癣。

| **用法用量** | 内服煎汤，2.5 ~ 4.5 g；或入丸剂。

胡颓子科 Elaeagnaceae 胡颓子属 Elaeagnus

佘山羊奶子

Elaeagnus argyi Lévl.

| 药 材 名 | 佘山羊奶子（药用部位：根。别名：牛奶子）。

| 形态特征 | 落叶或常绿直立灌木，高 2 ~ 3 m，通常具刺。小枝近 90° 开展；幼枝被淡黄白色鳞片。叶大小不等，薄纸质或膜质，春叶长 1 ~ 4 cm，宽 0.8 ~ 2 cm，先端圆形或钝，基部钝，下面有时具星状绒毛，秋叶长 6 ~ 10 cm，宽 3 ~ 5 cm，两端钝圆，幼时上面具灰白色鳞毛，下面具白色星状柔毛或鳞毛，成熟后毛常脱落，被白色鳞片，侧脉 8 ~ 10 对，上面凹下，近边缘处分叉而互相连接；叶柄黄褐色，长 5 ~ 7 mm。花淡黄色或泥黄色，质厚；花梗长 3 mm；萼筒漏斗状圆筒形，长 5.5 ~ 6 mm，在萼裂片下面扩大，在子房上面收缩，萼裂片卵形或卵状三角形，长 2 mm，内面疏生柔毛；花丝极短；花柱

直立，无毛。果实倒卵状矩圆形，长 13 ～ 15 mm，直径 6 mm，幼时被银白色鳞片，成熟时红色；果柄长 8 ～ 10 mm。花期 1 ～ 3 月，果期 4 ～ 5 月。

| **生境分布** | 生于低山、岗地。分布于湖南株洲（醴陵、茶陵）、衡阳（衡南）、邵阳（洞口、武冈）、郴州（汝城）、永州（新田）、怀化（新晃、靖州）等。

| **资源情况** | 野生资源稀少。药材来源于野生和栽培。

| **采收加工** | 夏、秋季采挖，切片，晒干。

| **功能主治** | 淡、微苦，平。祛痰止咳，利湿退黄，解毒。用于咳嗽，黄疸，风湿痹痛，痛疖。

| **用法用量** | 内服煎汤，9 ～ 15 g。

胡颓子科 Elaeagnaceae　胡颓子属 Elaeagnus

长叶胡颓子 *Elaeagnus bockii* Diels

| 药 材 名 | 长叶胡颓子（药用部位：叶、根、果实。别名：马鹊树、牛奶子、牛奶果）。

| 形态特征 | 常绿直立灌木，高 1 ~ 3 m；通常具粗壮的刺。叶纸质或近革质，窄椭圆形或窄矩圆形，稀椭圆形，长 4 ~ 9 cm，宽 1 ~ 3.5 cm，两端渐尖或微钝，边缘略反卷，上面幼时被褐色鳞片，成熟后鳞片脱落，深绿色，干燥后淡绿色或褐色，下面银白色，密被银白色鳞片和散生少数褐色鳞片。花白色，密被鳞片，常 5 ~ 7 花簇生于叶腋短小枝上成伞形总状花序，每花基部具一易脱落的褐色小苞片；花梗淡褐白色；萼筒在花蕾时四棱形，开放后呈圆筒形或漏斗状圆筒形，裂片卵状三角形，先端钝渐尖，内面疏生白色星状短柔毛；雄蕊 4，花丝极短，花药矩圆形；花柱直立，先端弯曲，达裂片的

2/3，密被淡白色星状柔毛。果实短矩圆形，幼时密被银白色鳞片和少数褐色鳞片，成熟时红色，果肉较薄。

| **生境分布** | 生于海拔 600 ~ 2 000 m 的向阳山坡、路旁灌丛中。分布于湖南益阳（安化、桃江）、长沙（浏阳）、张家界（桑植）、湘西州（永顺、保靖、古丈）等。

| **资源情况** | 野生资源稀少。药材来源于野生。

| **功能主治** | 叶，平喘止咳。用于哮喘，慢性支气管炎，感冒咳嗽。根，利尿通淋，散瘀消肿，接骨。用于跌打骨折，疔疮，风湿病，肝炎，胃病，尿路结石，骨鲠喉。果实，收敛止泻。用于肠炎腹泻。

胡颓子科 Elaeagnaceae 胡颓子属 Elaeagnus

巴东胡颓子

Elaeagnus difficilis Serv.

| 药 材 名 | 盐匏藤（药用部位：根、叶。别名：补阴丹、沉匏、咸匏藤）。

| 形态特征 | 常绿直立或蔓状灌木，高 2 ~ 3 m，无刺或具短刺。幼枝锈褐色，密被鳞片；老枝鳞片脱落，灰黑色或深灰褐色。叶纸质，椭圆形或椭圆状披针形，上面幼时散生锈色鳞片，成熟后脱落，绿色，干燥后褐绿色或褐色，下面灰褐色或淡绿褐色，密被锈色和淡黄色鳞片，侧脉 6 ~ 9 对，两面明显；叶柄粗壮，红褐色，长 8 ~ 12 mm。花深褐色，密被鳞片，数花生于叶腋短小枝上成伞形总状花序；花枝锈色，长 2 ~ 4 mm；花梗长 2 ~ 3 mm；萼筒钟形或圆筒状钟形，长 5 mm，在子房上面骤缩，萼裂片宽三角形，长 2 ~ 3.5 mm，先端急尖或钝，内面略具星状柔毛；花丝极短，花药长椭圆形，长

1.2 mm，达裂片的 2/3；花柱弯曲，无毛。果实长椭圆形，被锈色鳞片，成熟时橘红色；果柄长 2 ～ 3 mm。花期 11 月至翌年 3 月，果期翌年 4 ～ 5 月。

| **生境分布** | 生于岗地、低山。分布于湘北、湘东、湘中、湘西北等。

| **资源情况** | 野生资源较少。药材来源于野生。

| **采收加工** | 全年均可采收，洗净，根切片，晒干，叶晒干或鲜用。

| **功能主治** | 酸、微甘，温。温下焦，祛寒湿，收敛止泻。用于小便失禁，外感风寒。

| **用法用量** | 内服煎汤，10 ～ 15 g。

胡颓子科 Elaeagnaceae 胡颓子属 Elaeagnus

蔓胡颓子
Elaeagnus glabra Thunb.

| 药 材 名 |

蔓胡颓子（药用部位：果实。别名：甜棒槌、蒲颓子）、蔓胡颓子叶（药用部位：叶）、蔓胡颓子根（药用部位：根或根皮。别名：牛奶子根）。

| 形态特征 |

常绿蔓生或攀缘灌木，高达5 m，稀具刺。幼枝密被锈色鳞片；老枝鳞片脱落，灰棕色。叶革质，长4～12 cm，宽2.5～5 cm，先端渐尖，基部圆形，稀阔楔形，全缘，微反卷，上面幼时具褐色鳞片，成熟后脱落，干燥后褐绿色，下面灰绿色，被褐色鳞片；叶柄棕褐色，长5～8 mm。花淡白色，密被银白色鳞片并散生褐色鳞片；花梗锈色，长2～4 mm；萼筒漏斗形，质较厚，长4.5～5.5 mm，在萼裂片下面扩展，向基部渐窄狭，在子房上面不明显收缩，萼裂片宽卵形，长2.5～3 mm，先端急尖，内面具白色星状柔毛，包围子房的萼筒椭圆形，长2 mm；花丝长不及1 mm，花药长椭圆形，长1.8 mm；花柱细长，无毛，先端弯曲。果实矩圆形，稍有汁，长14～19 mm，被锈色鳞片，成熟时红色；果柄长3～6 mm。花期9～11月，果期翌年4～5月。

| 生境分布 | 生于岗地、低山。湖南各地均有分布。

| 资源情况 | 野生资源较丰富。药材来源于野生和栽培。

| 采收加工 | 蔓胡颓子：春季果实成熟时采摘，晒干。

蔓胡颓子叶：全年均可采收，鲜用或晒干。

蔓胡颓子根：全年均可采收，洗净，切片，晒干。

| 功能主治 | 蔓胡颓子：酸，平。收敛止泻，止痢。用于腹泻，痢疾。

蔓胡颓子叶：辛、微涩，平。止咳平喘。用于咳嗽气喘，鱼骨鲠喉。

蔓胡颓子根：辛、微涩，凉。清热利湿，通淋止血，散瘀止痛。用于痢疾，腹泻，
黄疸，热淋，石淋，胃痛，吐血，痔血，崩中，风湿痹痛，跌打肿痛。

| 用法用量 | 蔓胡颓子：内服煎汤，9 ～ 18 g。

蔓胡颓子叶：内服煎汤，10 ～ 15 g；或研末，1.5 ～ 5 g；或鲜品捣汁。

蔓胡颓子根：内服煎汤，15 ～ 30 g。

胡颓子科 Elaeagnaceae 胡颓子属 Elaeagnus

角花胡颓子

Elaeagnus gonyanthes Benth.

| 药 材 名 |　蔓胡颓子（药用部位：果实。别名：甜棒槌、蒲颓子）、蔓胡颓子根（药用部位：根或根皮。别名：牛奶子根）。

| 形态特征 |　常绿攀缘灌木，长超过4m，通常无刺。幼枝密被棕红色或灰褐色鳞片；老枝灰褐色或黑色，具光泽。叶革质，椭圆形或矩圆状椭圆形，上面幼时被锈色鳞片，成熟后脱落，具光泽，干燥后多少带绿色，下面棕红色，稀灰绿色，具锈色或灰色鳞片；叶柄锈色或褐色，长4～8mm。花白色，被银白色鳞片并散生褐色鳞片；萼筒四角形或短钟形，长4～6mm，萼裂片卵状三角形，长3.5～4.5mm，先端钝尖，内面具白色星状鳞毛，包围子房的萼筒矩圆形或倒卵状矩圆形，长2～3mm；花丝较花药短，花药矩圆形，长1.1mm；花柱直立，

无毛,上端弯曲,柱头粗短。果实阔椭圆形或倒卵状阔椭圆形,幼时被黄褐色鳞片,成熟时黄红色,先端常有干枯的萼筒宿存;果柄长 12 ~ 25 mm,直立或稍弯曲。花期 10 ~ 11 月,果期翌年 2 ~ 3 月。

| **生境分布** | 生于岗地、低山。分布于湖南常德(临澧)、长沙(宁乡、浏阳)、邵阳(邵阳、绥宁)、郴州(宜章、嘉禾)、怀化(新晃)、湘西州(龙山)等。

| **资源情况** | 野生资源一般。药材来源于野生和栽培。

| **采收加工** | **蔓胡颓子**:春季果实成熟时采摘,鲜用或晒干。
蔓胡颓子根:全年均可采挖,洗净,切片,晒干。

| **功能主治** | **蔓胡颓子**:微苦、涩,温。收敛止泻。用于泄泻。
蔓胡颓子根:微苦、涩,温。祛风通络,行气止痛,消肿解毒。用于风湿关节痛,腰腿痛,河豚中毒,狂犬咬伤,跌打肿痛。

| **用法用量** | **蔓胡颓子**:内服煎汤,9 ~ 18 g。
蔓胡颓子根:内服煎汤,15 ~ 30 g。

胡颓子科 Elaeagnaceae 胡颓子属 *Elaeagnus*

宜昌胡颓子

Elaeagnus henryi Warb. apud Piels

| 药 材 名 | 红鸡踢香（药用部位：茎、叶。别名：金背藤、金耳环、红面将军）、红鸡踢香根（药用部位：根）。

| 形态特征 | 常绿直立灌木，高 3 ～ 5 m，具刺。幼枝淡褐色，被鳞片；老枝鳞片脱落，黑色或灰黑色。叶革质，阔椭圆形或倒卵状阔椭圆形，长 6 ～ 15 cm，宽 3 ～ 6 cm，上面幼时被褐色鳞片，成熟后脱落，干燥后黄绿色或黄褐色，下面银白色，密被白色鳞片并散生少数褐色鳞片；叶柄粗壮，长 8 ～ 15 mm，黄褐色。花淡白色，质厚，密被鳞片；花枝锈色，长 3 ～ 6 mm；花梗长 2 ～ 5 mm；萼筒圆筒状漏斗形，长 6 ～ 8 mm，萼裂片三角形，长 1.2 ～ 3 mm，先端急尖，内面密被白色星状柔毛和少数褐色鳞片；花丝极短，花药矩圆形，

长约 1.5 mm；花柱直立或稍弯曲，无毛，连柱头长 7 ～ 8 mm。果实矩圆形，多汁，长 18 mm，幼时被银白色鳞片并散生少数褐色鳞片，淡黄白色或黄褐色，成熟时红色；果核内面具丝状绵毛；果柄长 5 ～ 8 mm，下弯。花期 10 ～ 11 月，果期翌年 4 月。

| 生境分布 | 生于岗地、中山、低山。湖南各地均有分布。

| 资源情况 | 野生资源较少。药材来源于野生和栽培。

| 采收加工 | 红鸡踢香：全年均可采收，鲜用或晒干。
红鸡踢香根：全年均可采收，洗净，切片，晒干。

| 功能主治 | 红鸡踢香：苦，温。散瘀消肿，接骨止痛，平喘止咳。用于跌打肿痛，骨折，风湿骨痛，哮喘。
红鸡踢香根：苦、酸，平。清热利湿，止咳，止血。用于风湿腰痛，咳喘，痢疾，吐血，崩中，痔血，恶疮。

| 用法用量 | 红鸡踢香：内服煎汤，9 ～ 15 g；或浸酒。外用适量，捣碎，酒炒敷。
红鸡踢香根：内服煎汤，15 ～ 30 g。外用适量，煎汤洗。

胡颓子科 Elaeagnaceae 胡颓子属 Elaeagnus

披针叶胡颓子

Elaeagnus lanceolata Warb.

药材名

盐匏藤（药用部位：根、叶。别名：咸匏藤、沉匏、补阴丹）、盐匏藤果（药用部位：果实。别名：羊奶子果）。

形态特征

常绿直立或蔓状灌木，高 4 m，无刺或老枝上具粗而短的刺。幼枝淡黄白色或淡褐色，老枝灰色或灰黑色；芽锈色。叶革质，披针形或椭圆状披针形至长椭圆形，先端渐尖，基部圆形，稀阔楔形，上面幼时被褐色鳞片，成熟后脱落，下面银白色，密被银白色鳞片和鳞毛，散生少数褐色鳞片；叶柄长 5 ~ 7 mm，黄褐色。花淡黄白色，密被银白色鳞片和鳞毛并散生少数褐色鳞片和鳞毛；花梗纤细，锈色，长 3 ~ 5 mm；萼筒圆筒形，长 5 ~ 6 mm，萼裂片宽三角形，长 2.5 ~ 3 mm，先端渐尖，包围子房的萼筒椭圆形，长 2 mm，被褐色鳞片；花丝极短，花药椭圆形，长 1.5 mm，淡黄色；花柱直立，疏生极少数星状柔毛，柱头长 2 ~ 3 mm。果实椭圆形，长 12 ~ 15 mm，直径 5 ~ 6 mm，密被褐色或银白色鳞片，成熟时红黄色；果柄长 3 ~ 6 mm。花期 8 ~ 10 月，果期翌年 4 ~ 5 月。

| **生境分布** | 生于丘陵岗地、低山。分布于湖南湘西州（永顺、凤凰）等。

| **资源情况** | 野生资源稀少。药材来源于野生和栽培。

| **采收加工** | **盐匏藤：** 全年均可采收，根洗净，切片，晒干，叶晒干或鲜用。
盐匏藤果： 4～5月果实成熟时采收，晒干。

| **功能主治** | **盐匏藤：** 酸、微甘，温。活血通络，疏风止咳，温肾缩尿。用于跌打骨折，劳伤，风寒咳嗽，小便失禁。
盐匏藤果： 酸，平。涩肠止泻。用于痢疾。

| **用法用量** | **盐匏藤：** 内服煎汤，9～15 g；或浸酒。外用适量，捣敷。
盐匏藤果： 内服煎汤，9～15 g。

胡颓子科 Elaeagnaceae 胡颓子属 Elaeagnus

银果牛奶子

Elaeagnus magna Rehd.

| **药 材 名** | 银果牛奶子（药用部位：根、叶。别名：银果胡颓子）。

| **形态特征** | 落叶直立散生灌木，高 1 ～ 3 m，通常具刺，稀无刺。幼枝淡黄白色，被银白色鳞片，老枝鳞片脱落，灰黑色；芽黄色或黄褐色。叶纸质或膜质，倒卵状矩圆形或倒卵状披针形，长 4 ～ 10 cm，宽 1.5 ～ 3.7 cm，上面幼时具不重叠的白色鳞片，成熟后部分脱落，下面灰白色，密被银白色鳞片并散生少数淡黄色鳞片；叶柄密被淡白色鳞片，长 4 ～ 8 mm。花银白色，密被鳞片；花梗长 1 ～ 2 mm；萼筒圆筒形，长 8 ～ 10 mm，萼裂片卵形或卵状三角形，长 3 ～ 4 mm，先端渐尖，内面近无毛，包围子房的萼筒窄椭圆形，长 3 ～ 4 mm；花丝极短，花药矩圆形；花柱直立，无毛或

具白色星状柔毛，柱头偏向一侧膨大，长 2 ~ 3 mm。果实矩圆形或长椭圆形，长 12 ~ 16 mm，密被银白色鳞片并散生少数褐色鳞片，成熟时粉红色；果柄直立，粗壮，银白色。花期 4 ~ 5 月，果期 6 月。

| **生境分布** | 生于岗地、低山。湖南有广泛分布。

| **资源情况** | 野生资源一般。药材来源于野生和栽培。

| **功能主治** | 辛、甘，凉。清热解毒，解表透疹。根用于麻疹不透；叶用于无名肿毒。

| **附　　注** | 本种与牛奶子 *Elaeagnus umbellata* Thunb. 的区别在于本种萼筒长 8 ~ 10 mm，果实矩圆形或长椭圆形，长 12 ~ 16 mm，果柄直立，粗壮，长 4 ~ 6 mm。

▌胡颓子科▌ Elaeagnaceae ▌胡颓子属▌ *Elaeagnus*

木半夏

Elaeagnus multiflora Thunb.

| 药 材 名 | 木半夏果实（药用部位：果实。别名：四月子、野樱桃、羊奶子）、木半夏根（药用部位：根或根皮）、木半夏叶（药用部位：叶）。

| 形态特征 | 落叶直立灌木，高 2 ~ 3 m，通常无刺，稀老枝上具刺。幼枝密被锈色或深褐色鳞片，稀具淡黄褐色鳞片；老枝圆柱形，鳞片脱落，黑褐色或黑色，有光泽。叶膜质或纸质，椭圆形或卵形至倒卵状阔椭圆形，长 3 ~ 7 cm，宽 1.2 ~ 4 cm，上面幼时具白色鳞片或鳞毛，成熟后脱落，干燥后黑褐色或淡绿色，下面灰白色，密被银白色鳞片并散生少数褐色鳞片；叶柄锈色，长 4 ~ 6 mm。花白色，被银白色鳞片并散生少数褐色鳞片；花梗长 4 ~ 8 mm；萼筒圆筒形，长 5 ~ 6.5 mm，萼裂片宽卵形，长 4 ~ 5 mm，内面具极少数白色星

状短柔毛；雄蕊着生于萼筒喉部稍下面，花丝极短，花药细小，矩圆形，长约 1 mm；花柱无毛，长不及雄蕊。果实椭圆形，长 12 ~ 14 mm，密被锈色鳞片，成熟时红色；果柄在花后伸长。花期 5 月，果期 6 ~ 7 月。

| 生境分布 | 生于向阳山坡或灌丛中。湖南各地均有分布。

| 资源情况 | 野生资源丰富。药材来源于栽培。

| 采收加工 | 木半夏果实：6 ~ 7 月采收，晒干。
木半夏根：夏、秋季采挖，洗净，切片，晒干。
木半夏叶：夏、秋季采收，晒干。

| 功能主治 | 木半夏果实：淡、涩，温。平喘，止痢，活血消肿，止血。用于哮喘，痢疾，跌打损伤，痹证，痔疮下血，肿毒。
木半夏根：涩、微甘，平。行气活血，止泻，敛疮。用于跌打损伤，虚劳，泻痢，肝炎，恶疮，疥癣。
木半夏叶：涩、微甘，温。平喘，活血。用于哮喘，跌打损伤。

| 用法用量 | 木半夏果实：内服煎汤，15 ~ 30 g。
木半夏根：内服煎汤，9 ~ 24 g；或浸酒。外用适量，煎汤洗。
木半夏叶：内服煎汤，9 ~ 15 g。外用适量，煎汤洗。

胡颓子

Elaeagnus pungens Thunb.

| 药 材 名 | 胡颓子（药用部位：果实。别名：卢都子、雀儿酥、半春子）、胡颓子叶（药用部位：叶。别名：蒲颓叶）、胡颓子根（药用部位：根。别名：牛奶根、贯榨根、叶刺头）。

| 形态特征 | 常绿直立灌木，高 3 ～ 4 m，具刺，深褐色。幼枝微扁棱形，密被锈色鳞片；老枝鳞片脱落。叶革质，椭圆形或阔椭圆形，稀矩圆形，长 5 ～ 10 cm，宽 1.8 ～ 5 cm，两端钝或基部圆形，侧脉 7 ～ 9 对；叶柄深褐色，长 5 ～ 8 mm。花白色或淡白色，下垂，密被鳞片，1 ～ 3 花生于叶腋的锈色短枝上；花梗长 3 ～ 5 mm；萼筒圆筒形或漏斗状圆筒形，长 5 ～ 7 mm，在子房上面骤缩，萼裂片三角形或矩圆状三角形，长 3 mm，先端渐尖，内面疏生白色星状短柔毛；花丝极短，

花药矩圆形，长 1.5 mm；花柱直立，无毛，上端微弯曲，超过雄蕊。果实椭圆形，长 12 ～ 14 mm，幼时被褐色鳞片，成熟时红色；果核内面具白色丝状绵毛；果柄长 4 ～ 6 mm。花期 9 ～ 12 月，果期翌年 4 ～ 6 月。

| 生境分布 | 生于海拔 1 500 m 以上的中山、岗地、低山中。湖南各地均有分布。

| 资源情况 | 野生资源丰富。药材来源于野生和栽培。

| 采收加工 | 胡颓子：4 ～ 6 月果实成熟时采收，晒干。
胡颓子叶：全年均可采摘，鲜用或晒干。
胡颓子根：夏、秋季采挖，洗净，切片，晒干。

| 功能主治 | 胡颓子：酸、涩，平。收敛止泻，健脾消食，止咳平喘，止血。用于泄泻，痢疾，食欲不振，消化不良，咳嗽气喘，崩漏，痔疮下血。
胡颓子叶：酸，微温。止咳平喘，止血，解毒。用于肺虚咳嗽，气喘，咯血，吐血，外伤出血，痈疽，痔疮肿痛。
胡颓子根：苦、酸，平。活血止血，祛风除湿，止咳平喘，解毒敛疮。用于吐血，咯血，便血，月经过多，痹证，黄疸，水肿，泻痢，疳积，咳喘，咽喉肿痛，疥疮，跌仆损伤。

| 用法用量 | 胡颓子：内服煎汤，9 ～ 15 g。外用适量，煎汤洗。
胡颓子叶：内服煎汤，9 ～ 15 g；或捣汁；或研末，2 ～ 3 g。外用适量，捣敷；或研末调敷；或煎汤熏洗。
胡颓子根：内服煎汤，15 ～ 30 g；或浸酒。外用适量，煎汤洗；或捣敷。

胡颓子科 Elaeagnaceae 胡颓子属 Elaeagnus

星毛羊奶子 *Elaeagnus stellipila* Rehd.

| 药 材 名 |

星毛羊奶子（药用部位：根、叶、果实。别名：马奶子）。

| 形态特征 |

落叶或部分冬季残存的散生灌木，高达 2 m，无刺或老枝具刺。幼枝密被褐色星状绒毛，老枝灰黑色；芽深黄色，具星状绒毛。单叶互生；叶柄具星状柔毛，长 2 ~ 4 mm；叶纸质，宽卵形或卵状椭圆形，长 3 ~ 5.5 cm，宽 1.5 ~ 3 cm，先端钝或短急尖，基部圆形或近心形，上面幼时被白色星状柔毛，后无毛，下面密被淡白色星状绒毛，有时具鳞毛或鳞片。花淡白色，外被银色星状绒毛或散生褐色星状绒毛；花梗短；萼筒圆筒形，长 5 ~ 7 mm，萼裂片 4，披针形或卵状三角形；雄蕊 4；花柱直立，无毛或微被星状柔毛。果实长椭圆形或圆柱形，长 10 ~ 16 mm，被褐色鳞片，成熟时红色；果柄极短，长约 0.5 ~ 2 mm。花期 3 ~ 4 月，果期 7 ~ 8 月。

| 生境分布 |

生于丘陵岗地、低山。分布于湖南怀化（鹤城、沅陵）、湘西州（泸溪、永顺）等。

| 资源情况 | 野生资源稀少。药材来源于野生。

| 采收加工 | 夏、秋季采收，根洗净，切片，晒干，叶、果实晒干。

| 功能主治 | 辛、苦，凉。散瘀止痛，清热利湿。用于跌打肿痛，痢疾。

| 用法用量 | 内服煎汤，15 ~ 30 g。外用适量，捣敷。

| 胡颓子科 | Elaeagnaceae | 胡颓子属 | Elaeagnus

牛奶子

Elaeagnus umbellata Thunb.

| 药 材 名 | 牛奶子（药用部位：根、叶、果实。别名：剪子果、甜枣、秋胡颓子）。

| 形态特征 | 落叶直立灌木，高 1 ~ 4 m，具刺。小枝多分枝，幼枝密被银白色鳞片，并被少数黄褐色鳞片，有时全被深褐色或锈色鳞片，老枝鳞片脱落，灰黑色；芽银白色或褐色至锈色。叶纸质或膜质，椭圆形至卵状椭圆形或倒卵状披针形，长 3 ~ 8 cm，宽 1 ~ 3.2 cm，先端钝或渐尖，基部圆形至楔形，全缘或皱卷至波状；叶柄白色，长 5 ~ 7 mm。花先于叶开放，黄白色，芳香；花梗长 3 ~ 6 mm；萼筒圆筒状漏斗形，稀圆筒形，长 5 ~ 7 mm，萼裂片卵状三角形，长 2 ~ 4 mm，先端钝尖，内面近无毛或疏生白色星状短柔毛；花丝长约为花药的一半，花药矩圆形，长约 1.6 mm；花柱直立，疏生少数白色星状柔毛和

鳞片，柱头侧生。果实卵圆形，长 5 ~ 7 mm，幼时绿色，被银白色或褐色鳞片，有时全被褐色鳞片，成熟时红色；果柄直立，粗壮，长 4 ~ 10 mm。花期 4 ~ 5 月，果期 7 ~ 8 月。

| **生境分布** | 生于岗地、低山。分布于湖南衡阳（石鼓）、邵阳（新宁）、岳阳（华容）、怀化（辰溪、溆浦）等。

| **资源情况** | 野生资源稀少。药材来源于野生。

| **采收加工** | 夏、秋季采收，根洗净，切片，晒干，叶、果实晒干。

| **功能主治** | 苦、酸，凉。清热止咳，利湿解毒。用于肺热咳嗽，泄泻，痢疾，淋证，带下，崩漏，乳痈。

| **用法用量** | 内服煎汤，根、叶 15 ~ 30 g，果实 3 ~ 9 g。

大风子科 Flacourtiaceae 山羊角树属 *Carrierea*

山羊角树 *Carrierea calycina* Franch.

| 药 材 名 | 红木子（药用部位：种子。别名：山羊角树、山丁木）。

| 形态特征 | 落叶乔木，高 12 ~ 16 m。叶薄革质，长圆形，长 9 ~ 14 cm，宽 4 ~ 6 cm，先端突尖，基部圆形、心状或宽楔形，边缘有稀疏锯齿，齿尖有腺体，叶脉在两面明显，中脉在下面凹入，基出脉 3，侧脉 4 ~ 5 对；叶柄上面有浅槽，下面圆形，幼时有毛，老时则无毛。花杂性，白色，圆锥花序顶生，稀腋生，有密的绒毛；叶状苞片 2，长圆形，对生；萼片 4 ~ 6，卵形；雌花比雄花小，有退化雄蕊，子房上位，椭圆形，有棕色绒毛，侧膜胎座 3 ~ 4，胚珠多数，花柱 3 ~ 4；雄花比雌花大，苞片较小，雄蕊多数，花丝丝状，无毛，花药 2 室，有退化雌蕊。蒴果木质，羊角状，有喙，直径 1 ~ 1.5 cm，有棕色绒毛；果柄粗壮，有关节；种子多数，扁平，四周有膜质翅。

| 生境分布 | 生于海拔 1 300 ~ 1 600 m 的山坡林中、石灰岩山地阔叶林中或林缘。分布于湖南邵阳（新宁）、怀化（沅陵）、常德（石门）、张家界（慈利）、湘西州（龙山）等。

| 资源情况 | 野生资源稀少。药材来源于野生。

| 采收加工 | 10 月采收成熟果实，取出种子，晒干。

| 功能主治 | 苦，凉。归心、肝经。息风，定眩。用于头晕目眩。

| 用法用量 | 内服煎汤，9 ~ 15 g。

大风子科 Flacourtiaceae 天料木属 Homalium

天料木

Homalium cochinchinense (Lour.) Druce

药材名

天料木（药用部位：根）。

形态特征

小乔木或灌木，高 2 ～ 10 m。树皮灰褐色或紫褐色；小枝圆柱形，幼时密被带黄色短柔毛，老枝无毛，有明显纵棱。叶纸质，宽椭圆状长圆形至倒卵状长圆形，长 6 ～ 15 cm，宽 3 ～ 7 cm；叶柄短，长 2 ～ 3 mm，被黄色短柔毛。花多数，单生或簇生排列成总状，有时略有分枝，被黄色短柔毛；花梗长 2 ～ 3 mm；花直径 8 ～ 9 mm；萼筒陀螺状，长 2 ～ 3 mm，具纵槽，萼裂片线形或倒披针状线形，长约 3 mm，宽约 0.3 mm，外面近无毛，内面近基部有疏长柔毛，边缘有睫毛；花瓣匙形，长 3 ～ 4 mm，宽约 1 mm，外面近无毛或微被疏毛，内面中部以下有疏柔毛；花丝长于花瓣；花盘腺体近方形，有毛；子房有毛，花柱通常 3，丝状，长约 3 mm，近基部有毛；侧膜胎座 3，每胎座有胚珠 2 ～ 4。蒴果倒圆锥状，长 5 ～ 6 mm，近无毛。花期全年，果期 9 ～ 12 月。

生境分布

生于丘陵岗地。分布于湖南株洲（醴陵）、

永州（蓝山）等。

| **资源情况** | 野生资源稀少。药材来源于野生。

| **功能主治** | 收敛。用于淋病，胁痛。

| **用法用量** | 内服煎汤，15 ~ 30 g。

大风子科 Flacourtiaceae 山桐子属 Idesia

山桐子
Idesia polycarpa Maxim.

| 药 材 名 | 山桐子（药用部位：叶。别名：水冬桐、乒乓子、椅桐）。

| 形态特征 | 落叶乔木，高 8 ～ 21 m。树皮淡灰色；小枝圆柱形，黄棕色，有明显的皮孔；树冠长圆形；当年生枝条紫绿色，有淡黄色长毛。叶薄革质或厚纸质，卵形或心状卵形，长 13 ～ 16 cm，稀达 20 cm，宽 12 ～ 15 cm，先端渐尖或尾状，基部通常心形，上面深绿色，光滑无毛，下面有白粉，沿脉有疏柔毛，脉腋有丛毛；叶柄长 6 ～ 12 cm，圆柱状，无毛，下部有 2 ～ 4 紫色扁平腺体。花单性，雌雄异株或杂性，黄绿色，芳香；雄花较雌花稍大，直径约 1.2 cm，萼片 3 ～ 6，长卵形，有密毛，花丝丝状，花药椭圆形；雌花较雄花稍小，萼片 3 ～ 6，卵形，子房上位，圆球形，无毛，花柱 5 ～ 6，柱头倒卵圆形，

退化雄蕊多数，花丝短或缺。浆果成熟期紫红色，扁圆形，长 3 ～ 5 mm，直径 5 ～ 7 mm，果柄细小；种子红棕色，圆形。花期 4 ～ 5 月，果熟期 10 ～ 11 月。

| **生境分布** | 生于岗地、中山、低山。湖南各地均有分布。

| **资源情况** | 野生资源较少。药材来源于野生。

| **功能主治** | 清热凉血，散瘀消肿。用于骨折，烫火伤，外伤出血，吐血。

| **用法用量** | 内服煎汤，15 ～ 30 g。

大风子科 Flacourtiaceae 山桐子属 Idesia

毛叶山桐子

Idesia polycarpa Maxim. var. *vestita* Diels

| 药 材 名 | 毛叶山桐子（药用部位：果实。别名：水冬瓜、山梧桐、野桐子）。

| 形态特征 | 落叶乔木，高 8 ～ 21 m。树皮淡灰色；小枝圆柱形，黄棕色，有明显的皮孔；树冠长圆形；当年生枝条紫绿色，有淡黄色长毛。叶薄革质或厚纸质，卵形或心状卵形，长 13 ～ 16 cm，稀达 20 cm，宽 12 ～ 15 cm，先端渐尖或尾状，基部通常心形，上面深绿色，下面有密柔毛，无白粉而呈棕灰色，脉腋无丛毛；叶柄有短毛。花序梗及花梗有密毛。成熟果实长圆球形至圆球状，血红色，高超过宽。花期 4 ～ 5 月，果期 10 ～ 11 月。

| 生境分布 | 生于低山、中山。分布于湖南常德（石门）、湘西州（龙山）等。

| **资源情况** | 野生资源稀少。药材来源于野生。

| **功能主治** | 解毒，杀虫。

| **用法用量** | 内服煎汤，15 ~ 30 g。

大风子科 Flacourtiaceae 山拐枣属 Poliothyrsis

山拐枣 *Poliothyrsis sinensis* Oliv.

药材名

山拐枣（药用部位：果实。别名：拐枣子）。

形态特征

落叶乔木，高 7 ~ 15 m。树皮灰褐色；小枝灰白色，幼时有短柔毛。叶厚纸质，卵形至卵状披针形，先端渐尖或急尖，尖头有的长尾状，基部圆形或心形，有 2 ~ 4 圆形的紫色腺体，边缘有浅钝齿；叶柄长 2 ~ 6 cm，初时有疏长毛，果实成熟后近无毛。花单性，雌雄同序，顶生，稀腋生于上面 1 ~ 2 叶腋内，有淡灰色毛；萼片 5，卵形，长 5 ~ 8 mm，外面有浅灰色毛，内面有紫灰色毛；雌花位于花序先端，较雄花稍大，退化雄蕊长约 4 mm，子房卵形，直径 2 mm，长 6 ~ 9 mm，有灰色毛，花柱 3，长约 2 mm，向外反曲，柱头 2 裂；雄花位于花序下部，具雄蕊多数，长短不一，花药小，卵圆形，退化子房极小。蒴果长圆形，长约 2 cm，直径约 1.5 cm，外果皮革质，有灰色毡毛，内果皮木质；种子多数，周围有翅，扁平。花期夏初，果期 5 ~ 9 月。

生境分布

生于低山。分布于湖南湘西州（古丈）、怀

化（沅陵）等。

| **资源情况** | 野生资源稀少。药材来源于野生。

| **功能主治** | 甘、酸，温。清热生津。用于热病烦渴，呕吐，发热。

| **用法用量** | 内服煎汤，9 ~ 30 g。

柞木
Xylosma racemosum (Sieb. et Zucc.) Miq.

| 药 材 名 | 柞木皮（药用部位：树皮。别名：孤奴、纳葛宎）、柞木叶（药用部位：枝叶）、柞木枝（药用部位：树枝）、柞木根（药用部位：根）。

| 形态特征 | 常绿灌木或小乔木，高 2 ～ 10 m。枝干常疏生长刺，尤以小枝为多。叶革质，互生，具柄，长 3 ～ 10 mm；叶片广卵形、卵形或卵状椭圆形，长 3 ～ 8 cm，宽 2 ～ 5 cm，先端渐尖，基部圆形或阔楔形，两面无毛，边缘有锯齿，侧脉 4 ～ 6 对。雌雄异株；总状花序腋生，长 1 ～ 2 cm，有柔毛；萼片 4 ～ 6，卵圆形；无花瓣；雄花有多数雄蕊，花盘由多数腺体组成，位于雄蕊外围；雌花花盘圆盘状，边缘略呈浅波状，子房 1 室，有 2 侧膜胎座，花柱短，柱头 2 浅裂。浆果球形，直径 3 ～ 4 mm，成熟时黑色，先端有宿存花柱；种子 2 ～ 3。

花期夏季。

| 生境分布 | 生于岗地。湖南各地均有分布。

| 资源情况 | 野生资源较丰富。药材来源于栽培。

| 采收加工 | **柞木皮**：夏、秋季采收，剥取，晒干。
柞木叶：全年均可采收，晒干。
柞木枝：全年均可采收，切段，晒干。
柞木根：秋季采挖，洗净，切片晒干或鲜用。

| 功能主治 | **柞木皮**：苦、酸，微寒。清热利湿，催产。用于湿热黄疸，痢疾，瘰疬，梅疮溃烂，鼠疫，难产，胎死不下。
柞木叶：苦、涩，寒。清热燥湿，解毒，散瘀消肿。用于婴幼儿泄泻，痢疾，痈疖肿毒，跌打骨折，扭伤脱臼，胎死不下。
柞木枝：苦，平。催产。用于难产，胎死腹中。
柞木根：苦，平。解毒，利湿，散瘀，催产。用于黄疸，痢疾，水肿，肺痨咯血，瘰疬，跌打肿痛，难产，胎死不下。

| 用法用量 | **柞木皮**：内服煎汤，6 ~ 9 g；或研末。
柞木叶：外用适量，捣敷；或研末，以酒、醋调敷。
柞木枝：内服煎汤，15 ~ 30 g。
柞木根：内服煎汤，12 ~ 18 g，鲜品 60 ~ 120 g；或烧存性，研末调酒。

| 附　　注 | 本种的拉丁学名在 FOC 中被修订为 *Xylosma congesta* (Loureiro) Merrill。

大风子科 Flacourtiaceae 柞木属 Xylosma

南岭柞木 *Xylosma controversum Clos*

| 药 材 名 |

红穿破石（药用部位：根、叶。别名：猛公刺）。

| 形态特征 |

常绿灌木或小乔木，高达 10 m。小枝被黄色长柔毛或无毛。叶互生；叶柄长 7 ～ 10 cm；叶片革质，椭圆形至长圆形，长 5 ～ 15 cm，宽 3 ～ 6 cm，先端渐尖或急尖，基部楔形或阔楔形，上面绿色，有光泽，干后褐色，无毛，下面色较浅，被黄色长柔毛或无毛，边缘具粗锯齿，侧脉 5 ～ 6 对。总状花序腋生，雌雄异株，长 1.5 ～ 3 cm，被黄色短柔毛；苞片披针形，长约 1.5 mm；萼片 4，卵圆形，长约 2.5 mm；无花瓣；雄花具雄蕊 10 ～ 25，花盘由多数腺体组成，位于雄蕊外围；雌花子房卵形，1 室，具 2 侧膜胎座，每胎座上有胚珠 2 ～ 3，花柱细长，柱头呈不明显的 2 裂。浆果圆球形，直径 3 ～ 8 mm，先端留有宿存的花柱。花期夏季。

| 生境分布 |

生于岗地、低山。分布于湖南长沙（岳麓）、怀化（麻阳、溆浦）、湘西州（花垣）、娄底（涟源）等。

| **资源情况** | 野生资源稀少。药材来源于野生。

| **采收加工** | 全年均可采收，根洗净，切片，鲜用或晒干，叶鲜用。

| **功能主治** | 辛、甘，寒。散瘀消肿，凉血止血。用于跌打损伤，骨折，脱臼，外伤出血，吐血，烫火伤。

| **用法用量** | 内服煎汤，9 ~ 15 g。外用适量，捣敷；或煅存性，研末撒敷。

董菜科 Violaceae 董菜属 Viola

鸡腿堇菜
Viola acuminata Ledeb.

| 药 材 名 | 红铧头草（药用部位：全草。别名：走边疆、鸡脚堇菜、鸡腿菜）。

| 形态特征 | 多年生草本。根茎较粗，垂直或倾斜，密生多条淡褐色根。茎直立，通常 2 ~ 4 丛生，高 10 ~ 40 cm，无毛或上部被白色柔毛。通常无基生叶，叶片心形、卵状心形或卵形；叶柄下部者长达 6 cm，上部者较短，长 1.5 ~ 2.5 cm，无毛或疏被柔毛；托叶草质，叶状，通常羽状深裂成流苏状或浅裂成牙齿状。花淡紫色或近白色，具长梗；花梗细，被细柔毛，通常超出叶；萼片线状披针形，长 7 ~ 12 mm，宽 1.5 ~ 2.5 mm，基部附属物长 2 ~ 3 mm；花瓣有褐色腺点，上方花瓣与侧方花瓣近等长；下方 2 雄蕊之距短而钝，长约 1.5 mm；子房圆锥状，无毛，花柱基部微向前膝曲，顶部具数列明显的乳头

状突起，先端具短喙，具较大的柱头孔。蒴果椭圆形，长约 1 cm，无毛，通常有黄褐色腺点，先端渐尖。花果期 5 ～ 9 月。

| **生境分布** | 生于低山、岗地、中山。湖南各地均有分布。

| **资源情况** | 野生资源较少。药材来源于野生。

| **采收加工** | 夏、秋季采收，鲜用或晒干。

| **药材性状** | 本品多皱缩成团。根数条，棕褐色。茎丛生。托叶羽状深裂，多卷缩成条状；叶片心形。有时可见椭圆形蒴果。气微，味微苦。

| **功能主治** | 淡，寒。清热解毒，消肿止痛。用于肺热咳嗽，疮疖肿毒，跌打损伤。

| **用法用量** | 内服煎汤，9 ～ 15 g，鲜品 30 ～ 60 g；或捣汁。外用适量，捣敷。

戟叶堇菜
Viola betonicifolia J. E. Smith

| 药 材 名 | 铧头草（药用部位：全草。别名：野半夏、青地黄瓜、堇堇菜）。

| 形态特征 | 多年生草本。无地上茎。根茎通常较粗短，长 5 ~ 10 mm。叶多数，基生，莲座状；叶片狭披针形、长三角状戟形或三角状卵形，长 2 ~ 7.5 cm，宽 0.5 ~ 3 cm，花期后增大；叶柄较长，长 1.5 ~ 13 cm，上半部有狭而明显的翅；托叶褐色，全缘或疏生细齿。花白色或淡紫色，有深色条纹；花梗细长，与叶等长或较叶长，通常无毛；萼片卵状披针形或狭卵形，长 5 ~ 6 mm；上方花瓣倒卵形，长 1 ~ 1.2 cm，侧方花瓣长圆状倒卵形，长 1 ~ 1.2 cm，下方花瓣通常稍短，连距长 1.3 ~ 1.5 cm；距管状，稍短而粗，末端圆，直或稍向上弯；花药及药隔顶部附属物均长约 2 mm，下方 2 雄蕊具长

1 ~ 3 mm 的距；子房卵球形，长约 2 mm，无毛，花柱棍棒状，柱头两侧及后方略增厚成狭缘边，前方具明显的短喙，喙端具柱头孔。蒴果椭圆形至长圆形，长 6 ~ 9 mm，无毛。花果期 4 ~ 9 月。

| **生境分布** | 生于岗地、低山。湖南各地均有分布。

| **资源情况** | 野生资源较少。药材来源于野生。

| **采收加工** | 夏、秋季采收，洗净，除去杂质，鲜用或晒干。

| **药材性状** | 本品多皱缩成团。主根较粗短。叶丛生，灰绿色或枯绿色，具长柄，叶湿润展平后呈箭头状披针形或线状披针形，基部稍下延至叶柄，边缘有浅波状齿。花梗长于叶；花黄白色，可见紫色条纹。蒴果椭圆形。气微，味微苦，嚼之有黏性。

| **功能主治** | 微苦、辛，寒。清热解毒，散瘀消肿。用于疮疡肿毒，喉痛，乳痈，肠痈，黄疸，目赤肿痛，跌打损伤，刀伤出血。

| **用法用量** | 内服煎汤，9 ~ 15 g，鲜品 30 ~ 60 g。外用适量，捣敷。

董菜科 Violaceae 董菜属 Viola

鳞茎董菜
Viola bulbosa Maxim.

| 药 材 名 | 鳞茎董菜（药用部位：全草）。

| 形态特征 | 多年生低矮草本，高 2.5 ～ 4.5 cm。地上茎短。根茎细长，垂直，具多数细根，下部具 1 小鳞茎；鳞茎直径 5 ～ 6 mm，由 4 ～ 6 白色肉质的船形鳞片组成，下部生多数须根。叶簇集于茎端；叶片长圆状卵形或近圆形，长 1 ～ 2.5 cm，宽 5 ～ 14 mm，先端圆形，有时急尖，基部楔形或浅心形，边缘具明显的波状圆齿，无毛或下面特别是幼叶有白色柔毛；叶柄具狭翅，通常较叶片短或与叶片近等长，被柔毛；托叶狭，大部分与叶柄合生，分离部分极短，先端尖，无毛或疏生腺状缘毛。花小，白色；花梗自地上茎叶腋中抽出，通常稍高于叶或与叶近等长，中部以上有 2 线形小苞片；萼片

卵形或长圆形，长 3 ~ 4 mm，宽 1.2 ~ 1.5 mm，先端尖，基部附属物短而圆，无毛或有缘毛；花瓣倒卵形，侧方花瓣长 8 ~ 10 mm，无须毛，下方花瓣长 7 ~ 8 mm，有紫堇色条纹，先端有微缺；距短而粗，呈囊状，长 1.2 ~ 1.7 mm，直径约 2 mm，末端钝；花药连药隔顶部附属物长约 2.5 mm，下方 2 雄蕊背部的距较短粗，末端钝而稍弯；子房无毛，花柱基部稍膝曲，向上略增粗，柱头三角形，两侧及后方略增厚成狭缘边，先端具明显的喙，喙短，近直立，柱头孔与喙近等粗。蒴果未见。花期 5 ~ 6 月。

| **生境分布** | 生于丘陵岗地。分布于湖南湘西州（吉首）等。

| **资源情况** | 野生资源稀少。药材来源于野生。

| **采收加工** | 夏、秋季采收，鲜用或晒干。

| **功能主治** | 清热解毒，祛瘀止痛，利湿。用于肠痈，疔疮肿毒，瘰疬，淋浊，黄疸，痢疾，目赤，喉痹，刀伤出血，烫火伤，毒蛇咬伤。

| **用法用量** | 内服煎汤，9 ~ 15 g，鲜品 30 ~ 60 g。外用适量，捣敷。

堇菜科 Violaceae 堇菜属 Viola

南山堇菜 *Viola chaerophylloides* (Regel) W. Beck.

| 药 材 名 | 胡堇菜（药用部位：全草。别名：泥鳅草、冲天伞）。

| 形态特征 | 多年生草本，高 4 ~ 30 cm。基生叶 2 ~ 6，具长柄；叶片 3 全裂，裂片的形状和大小变异较大，卵状披针形、披针形、长圆形或线状披针形，边缘具不整齐的缺刻状齿或浅裂；托叶膜质，宽披针形，先端渐尖。花较大，白色、乳白色或淡紫色，有香味；花梗通常呈淡紫色，中部以下有 2 小苞片；小苞片线形或线状披针形；萼片长圆状卵形或狭卵形，基部附属物发达，末端具不整齐的缺刻或浅裂，具 3 脉和膜质缘；花瓣宽倒卵形，侧方花瓣里基部有细须毛，下方花瓣有紫色条纹，连距长而粗，直或稍下弯；花药下方雄蕊之距较细；花柱基部稍膝曲，柱头前方具明显的短喙，喙端具圆形柱头孔。蒴果大，长椭圆状，无毛，先端尖；种子多数，卵状。

| **生境分布** | 生于海拔 1 600 m 以下的山地阔叶林下或林缘、溪谷阴湿处、阳坡灌丛及草坡。分布于湖南长沙（浏阳）、衡阳（祁东）等。

| **资源情况** | 野生资源稀少。药材来源于野生。

| **功能主治** | 用于风热咳嗽，气喘无痰，毒蛇咬伤，跌打肿痛，外伤出血。

董菜科 Violaceae 董菜属 Viola

球果堇菜
Viola collina Bess.

| 药 材 名 | 地核桃（药用部位：全草。别名：毛果堇菜、圆叶毛堇菜）。

| 形态特征 | 多年生草本，花期高 4 ~ 9 cm，果期高可达 20 cm。根茎粗而肥厚，具结节，长 2 ~ 6 cm，黄褐色，垂直或斜生，先端常具分枝；根多条，淡褐色。叶均基生；叶片宽卵形或近圆形，长 1 ~ 3.5 cm，宽 1 ~ 3 cm；叶柄具狭翅，被倒生短柔毛，花期长 2 ~ 5 cm，果期长达 19 cm；托叶膜质，披针形，长 1 ~ 1.5 cm。花淡紫色，长约 1.4 cm，具长梗；花梗中部或中部以上有 2 小苞片；萼片长圆状披针形或披针形，长 5 ~ 6 mm，具缘毛和腺体；花瓣基部微带白色，上方花瓣及侧方花瓣先端钝圆，下方花瓣的距白色，较短，平伸而稍向上方弯曲，末端钝；子房被毛，花柱基部膝曲，向上渐增粗，

常疏生乳头状突起，顶部向下方弯曲成钩状喙，喙端具较细的柱头孔。蒴果球形，密被白色柔毛，成熟时果柄通常向下方弯曲，致使果实接近地面。花果期 5 ～ 8 月。

| **生境分布** | 生于中山。分布于湖南湘西州（保靖）等。

| **资源情况** | 野生资源稀少。药材来源于野生。

| **采收加工** | 夏、秋季采收，洗净，鲜用或晒干。

| **药材性状** | 本品多皱缩成团，深绿色或枯绿色，有毛茸。根茎稍长；主根圆锥形。叶基生，湿润展平后呈心形或近圆形，先端钝或圆形，基部稍呈心形，边缘有浅锯齿。花基生，具梗，淡棕紫色，两侧对称。蒴果球形，具毛茸；果柄下弯。气微，味微苦。

| **功能主治** | 苦、辛，寒。归肺、肝经。清热解毒，散瘀消肿。用于疮疡肿毒，肺痈，跌打伤痛，刀伤出血，外感咳嗽。

| **用法用量** | 内服煎汤，9 ～ 15 g，鲜品 15 ～ 30 g；或浸酒。外用适量，捣敷。

心叶堇菜

Viola concordifolia C. J. Wang

| 药 材 名 | 犁头草（药用部位：全草。别名：紫金锁、小甜水茄、瘩背草）。

| 形态特征 | 多年生草本。无地上茎和匍匐枝。根茎粗短，节密生，直径 4 ~ 5 mm；支根多条，褐色。叶多数，基生；叶片卵形、宽卵形或三角状卵形，稀肾状，长 3 ~ 8 cm，宽 3 ~ 8 cm，两面无毛或疏生短毛；叶柄在花期通常与叶片近等长，在果期远较叶片长，最上部具极狭的翅，通常无毛；托叶短，下部与叶柄合生，离生部分开展。花淡紫色；花梗不高出叶片，被短毛或无毛，近中部有 2 线状披针形小苞片；萼片宽披针形，长 5 ~ 7 mm，宽约 2 mm；上方花瓣与侧方花瓣倒卵形，长 1.2 ~ 1.4 cm，宽 5 ~ 6 mm，侧方花瓣内面无毛，下方花瓣长倒心形，距圆筒状，长 4 ~ 5 mm，直径约 2 mm；下方

雄蕊的距细长，长约 3 mm；子房圆锥状，无毛，花柱棍棒状，基部稍膝曲，上部变粗，柱头顶部平坦，前端具短喙，柱头孔较粗。蒴果椭圆形，长约 1 cm。

| 生境分布 | 生于丘陵岗地、中山、低山。分布于湖南邵阳（新邵）、郴州（汝城）、怀化（中方、麻阳）、湘西州（永顺）等。

| 资源情况 | 野生资源稀少。药材来源于野生。

| 采收加工 | 4 ~ 5 月果实成熟时采收，除去泥土，鲜用或晒干。

| 功能主治 | 苦、微辛，寒。清热解毒，化瘀排脓，凉血清肝。用于痈疽肿毒，乳痈，肠痈下血，黄疸，目赤肿痛，瘰疬，外伤出血，蛇咬伤。

| 用法用量 | 内服煎汤，9 ~ 15 g，鲜品 30 ~ 60 g；或捣汁。外用适量，捣敷。

| 附　　注 | 本种的拉丁学名在 FOC 中被修订为 *Viola yunnanfuensis* W. Becker。

董菜科 | Violaceae 董菜属 | *Viola*

深圆齿董菜
Viola davidii Franch.

| 药 材 名 | 紫花地丁（药用部位：全草）。

| 形态特征 | 多年生细弱无毛草本，高 4 ~ 9 cm。地上茎近无，有时具匍匐枝。根茎细，近垂直，节密生。叶基生；叶片圆形，有时肾形，长、宽均 1 ~ 3 cm，边缘具较深的圆齿，两面无毛，上面深绿色，下面灰绿色；叶柄长短不等，长 2 ~ 5 cm，无毛；托叶褐色，披针形，长约 0.5 mm。花白色，有时淡紫色；花梗细，长 4 ~ 9 cm，上部有 2 线形小苞片；萼片披针形，长 3 ~ 5 mm，宽 1.5 ~ 2 mm；花瓣倒卵状长圆形，上方花瓣长 1 ~ 1.2 cm，宽约 4 mm，侧方花瓣与上方花瓣近等大，内面无须毛，下方花瓣较短，连距长约 9 mm，有紫色脉纹；距较短，长约 2 mm，囊状；花药长约 1.5 mm，药隔先端附

属物长约 1 mm，下方雄蕊之距钝角状，长约 1.5 mm；子房球形，有褐色腺点，花柱棍棒状，前方具短喙。蒴果椭圆形，长约 7 mm，无毛，常具褐色腺点。花期 3 ~ 6 月，果期 5 ~ 8 月。

| 生境分布 | 生于丘陵岗地、低山、中山。分布于湖南长沙（宁乡）、张家界（武陵源）、郴州（北湖、汝城）、怀化（会同）等。

| 资源情况 | 野生资源稀少。药材来源于野生。

| 功能主治 | 苦，寒。清热解毒，散瘀消肿。用于风火眼肿，跌打损伤，无名肿毒，刀伤，毒蛇咬伤。

| 用法用量 | 内服煎汤，15 ~ 30 g。外用适量，捣碎涂抹。

菫菜科 Violaceae 菫菜属 *Viola*

七星莲 *Viola diffusa* Ging.

| 药 材 名 | 地白草（药用部位：全草。别名：黄瓜菜、抽脓拔、野白菜）。

| 形态特征 | 一年生草本，全体被糙毛或白色柔毛，或近无毛，花期生出地上匍匐枝。根茎短，具多条白色细根及纤维状根。基生叶多数，丛生，呈莲座状，或于匍匐枝上互生；叶片卵形或卵状长圆形，长1.5 ~ 3.5 cm，宽 1 ~ 2 cm，幼叶两面密被白色柔毛，后毛渐稀疏；叶柄长 2 ~ 4.5 cm，具明显的翅，通常有毛；托叶基部与叶柄合生，线状披针形，长 4 ~ 12 mm。花较小，淡紫色或浅黄色；花梗纤细，长 1.5 ~ 8.5 cm，无毛或疏被柔毛；萼片披针形，长 4 ~ 5.5 mm；侧方花瓣倒卵形或长圆状倒卵形，长 6 ~ 8 mm，无须毛，下方花瓣连距长约 6 mm；距极短，长仅 1.5 mm，稍露出萼片附属物外；下

方 2 雄蕊背部的距短而宽，呈三角形；子房无毛，花柱棍棒状，前方具短喙。蒴果长圆形，直径约 3 mm，长约 1 cm，无毛，先端常具宿存的花柱。花期 3 ～ 5 月，果期 5 ～ 8 月。

| 生境分布 | 生于岗地、低山、中山。湖南各地均有分布。

| 资源情况 | 野生资源丰富。药材来源于栽培。

| 采收加工 | 夏、秋季采收，洗净，除去杂质，晒干或鲜用。

| 药材性状 | 本品多皱缩成团，有数条短的匍匐枝。根圆锥形。叶基生，卵形，先端稍尖，边缘有细锯齿，基部下延至叶柄，表面有毛茸。花茎较叶柄长，具毛茸；花淡棕色或黄白色。气微，味微苦。

| 功能主治 | 苦、辛，寒。归肺、肝经。清热解毒，散瘀消肿，止咳。用于疮痈肿毒，肺热咳嗽，百日咳，烫火伤，跌打损伤，骨折，毒蛇咬伤。

| 用法用量 | 内服煎汤，9 ～ 15 g，鲜品 30 ～ 60 g；或捣汁。外用适量，捣敷。

董菜科 Violaceae 董菜属 Viola

光蔓茎董菜

Viola diffusoides C. J. Wang

| 药 材 名 | 九州董菜（药用部位：全草。别名：茶匙黄、光匍伏董）。

| 形态特征 | 多年生草本。无地上茎。根茎长达 8 cm，垂直，绿色。匍匐枝纤细，延伸，先端有莲座状叶丛。叶基生，常呈莲座状或互生于匍匐枝上；叶柄无毛，具翅，长 1 ~ 3.5 cm；托叶大部分离生，仅基部与叶柄合生，先端长渐尖，边缘疏生流苏状齿，无毛；叶片卵形或椭圆形，长 1.5 ~ 2.5 cm，宽 0.8 ~ 1.5 cm，先端钝或稍尖，基部宽楔形或近圆形。花较小，淡紫色，具细长的花梗；花梗自叶腋中抽出，长 3 ~ 8 cm，中部稍上处有 2 对生的线形小苞片；萼片披针形，具白色膜质边缘，基部附属物呈截形，具疏齿；花瓣基部有明显的爪，下方花瓣的距短，呈浅囊状；下方雄蕊的距较短，稍短于花药；子

房无毛，花柱基部稍膝曲，柱头 2 浅裂，喙端具细的柱头孔。蒴果长圆形，长 6 ~ 7 mm，较宿存的萼片稍长，先端尖，无毛。花果期 3 ~ 5 月。

| **生境分布** | 生于岗地、低山、中山。湖南各地均有分布。

| **资源情况** | 野生资源较少。药材来源于野生。

| **采收加工** | 夏、秋季采收，鲜用或晒干。

| **功能主治** | 清热解毒，止咳。用于疮疡肿毒，咳嗽。

| **用法用量** | 内服煎汤，9 ~ 15 g，鲜品 30 ~ 60 g。外用适量，鲜品捣敷。

堇菜科 Violaceae 堇菜属 Viola

阔萼堇菜

Viola grandisepala W. Beck.

药材名

阔萼堇菜（药用部位：全草。别名：大萼堇菜、峨眉堇菜）。

形态特征

多年生矮小草本，高 7 ~ 10 cm。地上茎近无。根茎连缩短的地上茎长约 2 cm，直径约 2 mm，其上密生节和叶，有时生匍匐茎。叶近基生，宽卵形或近圆形，长 1 ~ 3 cm，宽 1.5 ~ 3 cm，两面无毛但密生棕色斑点，或上面近叶缘部分散生白色毛；叶柄长 2 ~ 5 cm，柔软，无毛；托叶仅基部与叶柄合生，大部分离生，深褐色，外部托叶卵形，内部托叶宽披针形，长约 1.2 cm。花白色，中等大；花梗长于叶，无毛，中部以上近花处有 2 褐色线形小苞片；萼片宽卵形至卵形，长约 5 mm，宽约 3 mm，具 3 脉，边缘密生纤毛，下面有棕色斑点；花瓣长圆状倒卵形，侧方花瓣无须毛，下方花瓣连距长约 1 cm；距短，稍超出萼片的附属物，长 1.5 ~ 2 mm；下方雄蕊的花药长约 2 mm，药隔先端附属物长约 1 mm，背部的距短而宽，长仅 1.5 mm；子房宽卵形，喙端具较粗的柱头孔。

| **生境分布** | 生于丘陵岗地。分布于湖南邵阳（绥宁）等。

| **资源情况** | 野生资源稀少。药材来源于野生。

| **功能主治** | 解毒，消炎，止血。外用于毒疮。

| **用法用量** | 内服煎汤，9 ~ 15 g，鲜品 30 ~ 60 g。外用适量，鲜品捣敷。

紫花董菜 *Viola grypoceras* A. Gray

| 药 材 名 | 地黄瓜（药用部位：全草。别名：紫花高茎董菜）。

| 形态特征 | 多年生草本，具发达的主根。根茎短粗，垂直，节密生，褐色。地上茎数条，花期高 5 ~ 20 cm，果期高可达 30 cm，通常无毛。基生叶叶片心形或宽心形，长 1 ~ 4 cm，宽 1 ~ 3.5 cm，密布褐色腺点；茎生叶三角状心形或狭卵状心形；基生叶叶柄长达 8 cm，茎生叶叶柄较短；托叶褐色，狭披针形，长 1 ~ 1.5 cm，宽 1 ~ 2 mm。花淡紫色，无芳香；花梗自茎基部或茎生叶的叶腋中抽出，长 6 ~ 11 cm；萼片披针形，长约 7 mm，有褐色腺点；花瓣倒卵状长圆形，有褐色腺点，边缘呈波状，侧花瓣内面无须毛；距长 6 ~ 7 mm，直径约 2 mm，通常向下弯；下方 2 雄蕊具长距，距近直立；子房无毛，花

柱基部稍膝曲，向顶部逐渐增粗成棒状，柱头无乳头状突起，向前弯曲成短喙，喙端具较宽的柱头孔。蒴果椭圆形，长约 1 cm，密生褐色腺点，先端短尖。花期 4 ~ 5 月，果期 6 ~ 8 月。

| **生境分布** | 生于低山、岗地、中山。湖南各地均有分布。

| **资源情况** | 野生资源较丰富。药材来源于野生。

| **采收加工** | 夏、秋季采收，洗净，鲜用或晒干。

| **药材性状** | 本品多皱缩成团，湿润展开后具细长的根，植株较高。基生叶较小；茎生叶较大，三角状心形；叶柄基部有披针形托叶。花自茎生叶的叶腋中或茎基部抽出，淡棕紫色。气微，味微苦。

| **功能主治** | 微苦，凉。清热解毒，散瘀消肿，凉血止血。用于疮痈肿毒，咽喉肿痛，乳痈，急性结膜炎，跌打伤痛，便血，刀伤出血，蛇咬伤。

| **用法用量** | 内服煎汤，9 ~ 15 g。外用适量，捣敷。

堇菜科 Violaceae 堇菜属 Viola

如意草

Viola hamiltoniana D. Don.

| 药 材 名 | 如意草（药用部位：全草）。

| 形态特征 | 多年生草本。根茎横走，直径约 2 mm，褐色，密生多数纤维状根，向上发出多条地上茎或匍匐枝。地上茎通常数条丛生，高达 35 cm，淡绿色，节间较长。匍匐枝蔓生，节间长，节上生不定根。基生叶叶片深绿色，三角状心形或卵状心形，长 1.5 ~ 3 cm，宽 2 ~ 5.5 cm，茎生叶及匍匐枝上的叶片与基生叶的叶片相似；基生叶具长柄，叶柄长 5 ~ 20 cm，茎生叶及匍匐枝上叶的叶柄较短；托叶披针形，长 5 ~ 10 mm，通常全缘或具极稀疏的细齿和缘毛。花淡紫色或白色，具长梗；萼片卵状披针形，长约 4 mm；花瓣狭倒卵形，长约 7.5 mm，下方花瓣较短，有明显的暗紫色条纹；下方雄

蕊之距粗而短，与花药近等长，末端圆；子房无毛，花柱呈棍棒状。蒴果长圆形，无毛，先端尖；种子卵状，淡黄色，长约 1.5 mm，直径约 1 mm。

| **生境分布** | 生于海拔 1 500 m 以上的岗地、低山、中山。湖南各地均有分布。

| **资源情况** | 野生资源较丰富。栽培资源较丰富。药材来源于栽培。

| **采收加工** | 秋季采收，洗净，鲜用或晒干。

| **药材性状** | 本品多皱缩成团。根茎上有细根。基生叶多，具长柄；茎生叶有托叶；托叶披针形；叶片湿润展平后呈宽心形或近新月形，边缘有波状圆齿，深绿色。花基生或自茎生叶叶腋中抽出，浅棕紫色。蒴果较小，椭圆形，长约 8 mm。气微，味微苦。

| **功能主治** | 辛、微酸，寒。清热解毒，散瘀止血。用于疮疡肿毒，乳痈，跌打损伤，开放性骨折，外伤出血，蛇咬伤。

| **用法用量** | 内服煎汤，9 ~ 15 g，鲜品 15 ~ 30 g。外用适量，捣敷；或焙干，研末撒敷。

| **附　　注** | 本种的拉丁学名在 FOC 中被修订为 *Viola arcuata* Blume。

菫菜科 Violaceae 菫菜属 Viola

长萼菫菜
Viola inconspicua Blume

| 药 材 名 | 铧尖草（药用部位：全草。别名：试剑草、铧口草、鸡口舌）。

| 形态特征 | 多年生草本。无地上茎。根茎垂直或斜生，较粗壮，长 1 ~ 2 cm，直径 2 ~ 8 mm，节密生，通常被残留的褐色托叶包被。叶片三角形、三角状卵形或戟形，长 1.5 ~ 7 cm，宽 1 ~ 3.5 cm，两面通常无毛，稀下面的叶脉及近基部的叶缘上有短毛；叶柄无毛，长 2 ~ 7 cm；托叶 3/4 与叶柄合生，分离部分披针形。花淡紫色，有暗色条纹；花梗细弱，通常与叶片等长或稍长于叶，无毛或上部被柔毛，中部稍上处有 2 线形小苞片；萼片卵状披针形或披针形，长 4 ~ 7 mm；花瓣长圆状倒卵形，长 7 ~ 9 mm，侧方花瓣内面基部有须毛；距管状，长 2.5 ~ 3 mm，直伸，末端钝；下方雄蕊背部的距角状，长约

2.5 mm；子房球形，无毛，花柱棍棒状，长约 2 mm。蒴果长圆形，长 8 ～ 10 mm，无毛；种子卵球形，长 1 ～ 1.5 mm，直径 0.8 mm，深绿色。花果期 3 ～ 11 月。

| 生境分布 | 生于岗地、低山、中山。湖南各地均有分布。

| 资源情况 | 野生资源丰富。栽培资源丰富。药材来源于栽培。

| 采收加工 | 夏、秋季采收，洗净，除去杂质，鲜用或晒干。

| 药材性状 | 本品叶片三角状卵形或舌状三角形，基部宽心形，稍下延至叶柄，有 2 垂片，有的两面皆可见少数短毛。花距短囊形，长约 2.5 mm。

| 功能主治 | 苦、辛，寒。清热解毒，凉血消肿，利湿化瘀。用于疔疮痈肿，咽喉肿痛，乳痈，湿热黄疸，目赤，目翳，肠痈下血，跌打损伤，外伤出血，产后瘀血腹痛，蛇虫咬伤。

| 用法用量 | 内服煎汤，9 ～ 15 g，鲜品 30 ～ 60 g；或捣汁。外用适量，捣敷。

董菜科 Violaceae 董菜属 *Viola*

江西董菜
Viola kiangsiensis W. Beck.

| 药 材 名 | 高脚犁头草（药用部位：全草）。

| 形态特征 | 多年生草本。无地上茎。根茎垂直，长约 3 cm，直径约 3 mm；节间缩短，节密生，有多数细根。匍匐枝纤细，长 20 ~ 30 cm，生不定根及小型叶片。叶基生或互生于匍匐枝上；叶片长圆状卵形或卵形，长 2 ~ 8 cm，宽 1.5 ~ 4 cm，先端急尖，基部心形或狭心形，边缘具浅圆齿，两面无毛或幼叶边缘疏生短硬毛，上面暗绿色，下面粉绿色或淡绿色，常有榄绿色或锈色腺点；叶柄无毛，长短不等，夏、秋季长超过叶片的 2 倍；托叶离生，深褐色，披针形或线状披针形，长约 1.5 cm，边缘具长而密的流苏状齿。花淡紫色；花梗纤细，中部以上有 2 对生的小苞片；小苞片线形或狭披针形，长约 5 mm，

全缘或基部有短流苏状齿；萼片披针形，长约 4 mm，先端渐尖，基部附属物 2 深裂，长约 2 mm，边缘膜质，具 3 脉，无毛，通常有褐色腺点；花瓣通常沿脉纹有腺点，上方 2 花瓣长圆形，侧方 2 花瓣长圆状倒卵形，内面基部有须毛，下方 1 花瓣较短而窄，呈长圆状倒卵形，距管状，长 2 ~ 2.5 mm，稍下弯；下方 2 雄蕊的距呈短角状，长约 2 mm；子房卵球形，有锈色腺点，花柱棍棒状，基部稍膝曲，柱头顶部有乳头状突起，前方具极短的喙。蒴果近球形或长圆形，无毛，被锈色腺点；种子小，球形，乳黄色。花期春、夏季，果期秋季。

| **生境分布** | 生于丘陵岗地、低山、中山。分布于湖南株洲（攸县、醴陵）、常德（澧县）、永州（双牌、道县）、郴州（桂东）等。

| **资源情况** | 野生资源稀少。药材来源于野生。

| **功能主治** | 消肿排脓。用于脓肿。

| **用法用量** | 内服煎汤，9 ~ 15 g。

董菜科 Violaceae 董菜属 *Viola*

白花董菜 *Viola lactiflora* Nakai

| 药 材 名 | 白花董菜（药用部位：全草。别名：宽叶白花董菜）。

| 形态特征 | 多年生草本，高10～18 cm。无地上茎。根茎稍粗，上部具短而密的节，散生数条淡褐色长根。叶多数，均基生；叶片长三角形或长圆形，下部者长2～3 cm，宽1.5～2.5 cm，上部者长4～5 cm，宽1.5～2.5 cm；托叶明显，淡绿色或略呈褐色，近膜质，中部以上与叶柄合生，离生部分线状披针形。花白色，中等大，长1.5～1.9 cm；花梗不超出或稍超出叶，在中部或中部以上有2线形小苞片；萼片披针形或宽披针形，长5～7 mm；花瓣倒卵形，侧方花瓣内面有明显的须毛，下方花瓣较宽，先端无微缺，末端具明显的筒状距；距长4～5 mm，直径约3 mm，末端圆；花药长约2 mm，下方2雄

蕊背部的距呈短角状；子房无毛，花柱棍棒状，前方具短喙，喙端有较细的柱头孔。蒴果椭圆形，长 6 ~ 9 mm，无毛，先端常有宿存的花柱；种子卵球形，长约 1.5 mm，呈淡褐色。

| **生境分布** | 生于岗地。分布于湖南长沙（宁乡）等。

| **资源情况** | 野生资源稀少。药材来源于野生。

| **功能主治** | 用于五劳七伤，全身疼痛。

| **用法用量** | 内服煎汤，9 ~ 15 g。外用适量，捣敷。

| **附　　注** | 本种与紫花地丁 *Viola philippica* Cav. 的区别在于本种花呈乳白色，下方花瓣具较短而粗的筒状距，叶片三角形或长三角形，通常无毛，基部浅心形或截形，叶柄无翅。

董菜科 Violaceae 董菜属 *Viola*

犁头叶堇菜
Viola magnifica C. J. Wang et X. D. Wang

| 药 材 名 | 毛堇菜（药用部位：全草）。

| 形态特征 | 多年生草本，高约 28 cm。无地上茎。根茎粗壮，长 1 ~ 2.5 cm，直径可达 0.5 cm，向下发出多条圆柱状支根及纤维状细根。叶均基生，通常 5 ~ 7；叶片果期较大，呈三角形、三角状卵形或长卵形，长 7 ~ 15 cm，宽 4 ~ 8 cm，在基部处最宽，先端渐尖，基部宽心形或深心形，两侧垂片大而开展，边缘具粗锯齿，齿端钝而稍内曲，上面深绿色，两面无毛或下面沿脉疏生短毛；叶柄长可达 20 cm，上部有极窄的翅，无毛；托叶大型，1/2 ~ 2/3 与叶柄合生，分离部分线形或狭披针形，近全缘或疏生细齿。花未见。蒴果椭圆形，长 1.2 ~ 2 cm，直径约 5 mm，无毛；果柄长 4 ~ 15 cm，近中部和中

部以下有 2 小苞片；小苞片线形或线状披针形，长 7 ~ 10 mm；宿存萼片狭卵形，长 4 ~ 7 mm，基部附属物长 3 ~ 5 mm，末端齿裂。果期 7 ~ 9 月。

| **生境分布** | 生于岗地、低山、中山。分布于湘西北、湘西南、湘东、湘中等。

| **资源情况** | 野生资源较少。药材来源于野生。

| **功能主治** | 清热解毒，活血止痛。用于疮痈肿毒。

| **用法用量** | 内服煎汤，9 ~ 15 g；或浸酒。外用适量，捣敷。

董菜科 Violaceae 董菜属 Viola

董

Viola moupinensis Franch.

| 药 材 名 | 乌蔍连（药用部位：全草或根茎。别名：山羊臭、鸡心七、乌泡连）。

| 形态特征 | 多年生草本。无地上茎，有时具匍匐枝。根茎节间短而密，通常残存褐色托叶，密生细根。叶基生；叶片心形或肾状心形，花后增大成肾形，两面无毛，有时下面仅沿叶脉稍被毛；叶柄有翅，长4～10 cm，花后长达25 cm；托叶离生，卵形，长1～1.8 cm。花较大，淡紫色或白色，具紫色条纹；花梗长不超出叶，中部有2线形小苞片；萼片披针形或狭卵形；花瓣长圆状倒卵形，下方花瓣连距长约1.5 cm；距囊状，较粗，明显长于萼片附属物；下方2雄蕊之距长约1 mm，直径约1.1 mm，末端钝；子房无毛，花柱基部稍向前膝曲，上部增粗，柱头平截，两侧及后方具肥厚的缘边，前方

具平伸的短喙。蒴果椭圆形，长约 1.5 cm，无毛，有褐色腺点；种子大，倒卵状，长 2.5 mm，直径约 2 mm，先端圆，基部尖。花期 4 ～ 6 月，果期 5 ～ 7 月。

| 生境分布 | 生于海拔 1 500 m 以上的中山、低山、丘陵岗地。分布于湘北、湘东、湘中、湘西北、湘西南等。

| 资源情况 | 野生资源较少。药材来源于野生。

| 采收加工 | 夏、秋季采收，洗净，鲜用或晒干。

| 药材性状 | 本品多皱缩成团。湿润展开后，根茎较粗大，主根明显，直径可达 1 cm，长可达 14 cm，并可见匍匐茎。基生叶心形，先端渐尖，边缘有钝锯齿。花淡棕紫色，具条纹。果实较大，有的已开裂。气微，味微苦。

| 功能主治 | 微甘、涩，寒。清热解毒，活血止痛，止血。用于疮痈肿毒，乳房硬肿，麻疹热毒，头痛，牙痛，跌仆损伤，开放性骨折，咯血，刀伤出血。

| 用法用量 | 内服煎汤，9 ～ 15 g；或浸酒。外用适量，捣敷。

柔毛董菜
Viola principis H.de Boiss.

| 药 材 名 | 柔毛董菜（药用部位：全草。别名：白阿飞）。

| 形态特征 | 多年生草本，全体被开展的白色柔毛。根茎较粗壮，长 2 ~ 4 cm，直径 3 ~ 7 mm。匍匐枝较长，延伸，有柔毛，有时似茎状。叶近基生或互生于匍匐枝上；叶片卵形或宽卵形，有时近圆形，长 2 ~ 6 cm，宽 2 ~ 4.5 cm；叶柄长 5 ~ 13 cm，密被长柔毛，无翅；托叶大部分离生，褐色或带绿色，有暗色条纹，宽披针形，长 1.2 ~ 1.8 cm，宽 3 ~ 4 mm。花白色；花梗通常高于叶丛，密被开展的白色柔毛，中部以上有 2 对生的线形小苞片；萼片狭卵状披针形或披针形，长 7 ~ 9 mm，具 3 脉；花瓣长圆状倒卵形，长 1 ~ 1.5 cm；距短而粗，呈囊状，长 2 ~ 2.5 mm，直径约 2 mm；下方 2 雄蕊具角状距，稍

长于花药，末端尖；子房圆锥状，无毛，花柱棍棒状，前方具短喙，喙端具向上开口的柱头孔。蒴果长圆形，长约 8 mm。花期 3 ~ 6 月，果期 6 ~ 9 月。

| **生境分布** | 生于海拔 1 500 m 以上的低山、丘陵岗地、中山。湖南各地均有分布。

| **资源情况** | 野生资源一般。药材来源于野生。

| **功能主治** | 辛、苦，寒。清热解毒，祛瘀生新。用于骨折，跌打伤痛，无名肿毒。

| **用法用量** | 内服煎汤，9 ~ 15 g；或浸酒。外用适量，捣敷。

| **附　　注** | 本种的拉丁学名在 FOC 中被修订为 *Viola fargesii* H. Boissieu。

早开董菜
Viola prionantha Bunge

| 药 材 名 | 紫花地丁（药用部位：全草）。

| 形 态 特 征 | 多年生草本。无地上茎。根茎垂直，上端常有去年的残叶围绕；根数条，带灰白色，粗而长。叶多数，均基生；叶片在花期呈长圆状卵形、卵状披针形或狭卵形，长 1 ~ 4.5 cm，宽 6 ~ 20 mm，果期叶片明显增大，长可达 10 cm，宽可达 4 cm，呈三角状卵形；叶柄较粗壮，上部有狭翅，无毛或被细柔毛；托叶苍白色或淡绿色，2/3 与叶柄合生，离生部分线状披针形。花大，紫董色或淡紫色；花梗较粗壮，具棱；萼片披针形或卵状披针形，长 6 ~ 8 mm；上方花瓣倒卵形，侧方花瓣长圆状倒卵形；距长 5 ~ 9 mm，直径 1.5 ~ 2.5 mm，末端钝圆且微向上弯；花药长 1.5 ~ 2 mm，下方 2 雄蕊背部的距长

约 4.5 mm，末端尖；子房长椭圆形，无毛，花柱棍棒状。蒴果长椭圆形，无毛，先端钝，常具宿存的花柱；种子多数，卵球形。花果期 4 月上中旬至 9 月。

| **生境分布** | 生于岗地、中山、低山。分布于湘北、湘东、湘中、湘南等。

| **资源情况** | 野生资源较少。药材来源于野生。

| **采收加工** | 5 ～ 6 月果实成熟时采收，洗净，鲜用或晒干。

| **功能主治** | 清热解毒，排脓消炎。

| **用法用量** | 内服煎汤，15 ～ 30 g。外用适量，鲜品捣敷。

菫菜科 Violaceae 菫菜属 Viola

庐山菫菜 *Viola stewardiana* W. Beck.

| **药 材 名** | 庐山菫菜（药用部位：全草。别名：拟蔓地草）。

| **形态特征** | 多年生草本。主根长；根茎粗壮，密生结节。地下茎横卧，强烈木质化，常发出新植株；地上茎斜升，通常数条丛生，具纵棱，无毛。叶片三角状卵形，长 1.5 ~ 3 cm，宽 1.5 ~ 2.5 cm，具长达 5.5 cm 的叶柄；茎生叶叶片长卵形、菱形或三角状卵形，长达 4.5 cm，宽 2 ~ 3 cm；托叶褐色，披针形或线状披针形，基部者长 1 ~ 1.2 cm，上部者长 0.5 cm。花淡紫色，生于茎上部叶腋，具长梗；萼片狭卵形或长圆状披针形，长 3 ~ 3.5 mm；花瓣先端具明显微缺，上方花瓣匙形，长约 8 mm，侧方花瓣长圆形，下方花瓣倒长卵形，连距长约 1.4 cm；下方 2 雄蕊无距；子房卵球形，无毛，花柱基部稍向前膝曲，向上

方逐渐增粗，顶部无附属物，具钩状短喙，喙稍向上翘，先端具较大的柱头孔。蒴果近球形，散生褐色腺体，长约 6 mm。花期 4 ~ 7 月，果期 5 ~ 9 月。

| **生境分布** | 生于丘陵岗地、低山。分布于湖南张家界（武陵源）、郴州（宜章）、永州（东安）、湘西州（龙山）、常德（石门）等。

| **资源情况** | 野生资源稀少。药材来源于野生。

| **功能主治** | 清热解毒，凉血消肿。

| **用法用量** | 内服煎汤，15 ~ 30 g。外用适量，鲜品捣敷。

四川董菜

Viola szetschwanensis W. Beck. et H. de Boiss.

| **药 材 名** | 四川董菜（药用部位：全草）。

| **形态特征** | 多年生草本。茎直立，较健壮，高约 25 cm，具 3 ~ 4 节，中部以下通常无叶。基生叶具长柄，叶片卵状心形、宽卵形，长 2 ~ 2.5 cm，先端短尖，基部深心形或心形；茎生叶叶片宽卵形、肾形或近圆形，宽 1.5 ~ 3 cm，先端短尖或渐尖，基部浅心形，边缘具浅圆齿，齿端具腺体；托叶狭卵形至长圆状卵形，先端渐尖。花黄色，单生于上部叶的叶腋；花梗远较叶长，近上部具 2 线形小苞片；萼片线形，具 3 脉，先端钝，基部附属物极短，截形；上方花瓣长圆形，具细爪，侧方花瓣及下方花瓣稍短；距末端钝；花药的药隔顶部有附属物，下方雄蕊之距短；子房密布褐色斑点，花柱下部膝曲，上部增粗，柱头 2 裂，裂片耳状。蒴果长圆形，表面密布褐色小点并疏生短柔

毛；种子卵状。

| **生境分布** | 生于海拔 1 800 m 以上的山地林下、林缘、草坡或灌丛间。分布于湖南湘西州（古丈）等。

| **资源情况** | 野生资源稀少。药材来源于野生。

| **功能主治** | 清热解毒，祛瘀止痛，利湿。用于肠痈，疔疮肿毒，瘰疬，淋浊，黄疸，痢疾，目赤，喉痹，刀伤出血，烫火伤，毒蛇咬伤。

菫菜科 Violaceae 菫菜属 Viola

三角叶菫菜

Viola triangulifolia W. Beck.

| 药 材 名 | 三角叶菫菜（药用部位：全草。别名：扣子兰）。

| 形态特征 | 多年生草本。根茎深褐色，粗短，通常斜生，节密生。地上茎直立，较细弱。基生叶 2 ~ 5，叶片宽卵形或卵形；茎生叶叶片卵状三角形至狭三角形，长 2 ~ 5 cm，基部宽 2 ~ 3.5 cm；托叶草质，离生，披针形或线状披针形，长 0.5 ~ 1 cm，全缘或疏生细齿，常有缘毛。花小，白色，有紫色条纹，单生于茎生叶的叶腋中；花梗细弱，通常与叶近等长，有时超出叶，上部有 2 对生的线形小苞片；萼片卵状披针形或披针形，长约 3 mm，宽 0.8 ~ 1.2 mm；上方花瓣长倒卵形，侧方花瓣长圆形，下方花瓣较短，呈匙形；距浅囊状，长 1 ~ 1.5 mm，直径约 2 mm；花药长约 2 mm，药隔先端附属物长约 1.5 mm，下方

2雄蕊的距较短，呈方形；子房卵球形，长1.5 mm，无毛，花柱棍棒状，长约1.3 mm。蒴果较小，椭圆形，长5～6 mm，无毛。花果期4～6月。

| 生境分布 | 生于低山、中山、岗地。分布于湖南永州（东安）、郴州（桂东、安仁）、怀化（沅陵）等。

| 资源情况 | 野生资源稀少。药材来源于野生。

| 功能主治 | 清热利湿，解毒。用于目赤。

| 用法用量 | 内服煎汤，15～30 g。外用适量，鲜品捣敷。

堇菜科 Violaceae 堇菜属 Viola

三色堇
Viola tricolor L.

| 药 材 名 | 三色堇（药用部位：全草。别名：蝴蝶花）。

| 形态特征 | 一年生、二年生或多年生草本，高 10 ～ 40 cm。地上茎较粗，直立或稍倾斜，有棱，单一或多分枝。基生叶叶片长卵形或披针形，具长柄；茎生叶叶片卵形、长圆状卵形或长圆状披针形，上部叶柄较长，下部叶柄较短；托叶大型，叶状，羽状深裂，长 1 ～ 4 cm。花大，直径 3.5 ～ 6 cm，每茎上有 3 ～ 10 花，通常每花有紫色、白色、黄色；花梗稍粗，单生于叶腋，上部具 2 对生的小苞片；萼片绿色，长圆状披针形，长 1.2 ～ 2.2 cm，宽 3 ～ 5 mm；上方花瓣深紫堇色，侧方及下方花瓣为紫色、白色、黄色，有紫色条纹，侧方花瓣内面基部密被须毛，下方花瓣距较细，长 5 ～ 8 mm；子房无毛，花柱

短，基部明显膝曲，柱头膨大，呈球状，前方具较大的柱头孔。蒴果椭圆形，长 8 ~ 12 mm，无毛。花期 4 ~ 7 月，果期 5 ~ 8 月。

| **生境分布** | 栽培种。湖南各地均有分布。

| **资源情况** | 栽培资源丰富。药材来源于栽培。

| **采收加工** | 5 ~ 7 月果实成熟时采收，去净泥土，晒干。

| **药材性状** | 本品叶多皱缩，着生于茎上；托叶较大，羽状分裂；叶片宽披针形，基生叶有长柄。花较大，多色。气微香，味微苦。

| **功能主治** | 苦，寒。清热解毒，止咳。用于疮疡肿毒，小儿湿疹，小儿瘰疬，咳嗽。

| **用法用量** | 内服煎汤，9 ~ 15 g。外用适量，捣敷。

董菜科 Violaceae 董菜属 Viola

紫花地丁
Viola philippica Cav.

| 药 材 名 | 紫花地丁（药用部位：全草。别名：辽董菜、野董菜、光瓣董菜）。

| 形态特征 | 多年生草本。无地上茎。根茎短，垂直，淡褐色，节密生。叶片下部者通常较小，呈三角状卵形或狭卵形，上部者较长，呈长圆形、狭卵状披针形或长圆状卵形，长 1.5 ~ 4 cm，宽 0.5 ~ 1 cm；叶柄在花期通常长于叶片的 1 ~ 2 倍；托叶膜质，苍白色或淡绿色。花中等大，紫董色或淡紫色，稀呈白色；花梗通常多数，细弱，与叶片等长或高于叶片，无毛或有短毛；萼片卵状披针形或披针形，长 5 ~ 7 mm；花瓣倒卵形或长圆状倒卵形，侧方花瓣长 1 ~ 1.2 cm，下方花瓣连距长 1.3 ~ 2 cm，内面有紫色脉纹；花药长约 2 mm，药隔顶部的附属物长约 1.5 mm，下方 2 雄蕊背部的距细管状，长

4 ～ 6 mm，末端稍细；子房卵形，无毛，花柱棍棒状，较子房稍长。蒴果长圆形，长 5 ～ 12 mm，无毛；种子卵球形，长 1.8 mm，淡黄色。花果期 4 月中下旬至 9 月。

| **生境分布** | 生于海拔 1 500 m 以上的岗地、低山、中山。常在庭园较湿润处形成小群落。湖南各地均有分布。

| **资源情况** | 野生资源丰富。栽培资源丰富。药材来源于栽培。

| **采收加工** | 5 ～ 6 月果实成熟时采收，洗净，鲜用或晒干。

| **药材性状** | 本品多皱缩成团。主根淡黄棕色，直径 1 ～ 3 mm，有细纵纹。叶灰绿色，展平后呈披针形或卵状披针形，长 1.5 ～ 4 cm，宽 0.8 ～ 1 cm，先端钝，基部截形或微心形，边缘具钝锯齿，两面被毛；叶柄有狭翼。花葶纤细；花淡紫色，距细管状。蒴果椭圆形或裂为 3 果爿；种子多数。气微，味微苦，嚼之稍黏。

| **功能主治** | 苦、辛，寒。清热解毒，凉血消肿。用于疔疮痈疽，丹毒，痄腮，乳痈，肠痈，瘰疬，湿热泻痢，黄疸，目赤肿痛，毒蛇咬伤。

| **用法用量** | 内服煎汤，10 ～ 30 g，鲜品 30 ～ 60 g。外用适量，捣敷。

旌节花科 Stachyuraceae 旌节花属 Stachyurus

中国旌节花 *Stachyurus chinensis* Franch.

| 药 材 名 | 小通草（药用部位：茎髓。别名：山通草、水凉子、小通藤）。

| 形态特征 | 落叶灌木，高 2 ~ 4 m。树皮光滑，紫褐色或深褐色；小枝粗壮，圆柱形，具淡色椭圆形皮孔。叶互生，纸质至膜质，卵形、长圆状卵形至长圆状椭圆形，长 5 ~ 12 cm，宽 3 ~ 7 cm，边缘为圆齿状锯齿，侧脉 5 ~ 6 对，在两面均凸起，细脉网状，上面亮绿色，无毛，下面灰绿色，无毛或仅沿主脉和侧脉疏被短柔毛，很快毛脱落；叶柄长 1 ~ 2 cm，通常暗紫色。穗状花序腋生，先于叶开放，无梗；花黄色；苞片 1，三角状卵形，小苞片 2，卵形，长约 2 cm；萼片 4，卵形，先端钝；花瓣 4，卵形，长约 6.5 mm，先端圆形；雄蕊 8，与花瓣等长，花药长圆形，纵裂，2 室，花粉粒近球形，具 3 孔沟；

子房瓶状，连花柱长约 6 mm。果实圆球形，直径 6 ~ 7 cm，无毛，基部具花被的残留物。花期 3 ~ 4 月，果期 5 ~ 7 月。

| 生境分布 | 生于海拔 1 500 m 以上的低山、岗地、中山。湖南各地均有分布。

| 资源情况 | 野生资源丰富。栽培资源丰富。药材来源于栽培。

| 采收加工 | 秋季采收嫩枝，剪去过细或过粗的枝，用细木棍将茎髓捅出，用手拉平，晒干。

| 药材性状 | 本品呈细圆柱形，长短不一，直径 0.4 ~ 1 cm，银白色或微黄色，表面平坦，无纹理。体轻，质松软，可弯曲，以指捏之能使其变形。断面银白色，有光泽，无空心。水浸后，外表及断面均有黏滑感。无气味。

| 功能主治 | 甘、淡，凉。清热，利水，通乳。用于热病烦渴，小便黄赤，尿少，尿闭，急性膀胱炎，肾炎，水肿，小便不利，乳汁不通。

| 用法用量 | 内服煎汤，3 ~ 6 g。

旌节花科 Stachyuraceae 旌节花属 Stachyurus

喜马山旌节花
Stachyurus himalaicus Hook. f. et Thoms.

| 药 材 名 | 小通草（药用部位：茎髓）、小通草叶（药用部位：嫩茎叶）、小通草根（药用部位：根。别名：钻地风根）。

| 形态特征 | 落叶灌木，高 2 ~ 4 m。树皮光滑，紫褐色或深褐色；小枝粗壮，圆柱形，具淡色椭圆形皮孔。叶互生，纸质至膜质，长圆状卵形至长圆状椭圆形，长 5 ~ 12 cm，宽 3 ~ 7 cm，边缘为圆齿状锯齿，侧脉 5 ~ 6 对，在两面均凸起，细脉网状，上面亮绿色，无毛，下面灰绿色，无毛或仅沿主脉和侧脉疏被短柔毛，很快毛脱落；叶柄长 1 ~ 2 cm，通常暗紫色。穗状花序腋生，长 5 ~ 10 cm，无梗；花黄色，长约 7 mm；苞片 1，三角状卵形，长约 3 mm，小苞片 2，卵形，长约 2 cm；萼片 4，黄绿色，卵形；花瓣 4，卵形；雄蕊 8，

花药长圆形，纵裂，2 室，花粉粒球形或近球形，具 3 孔沟；子房瓶状，连花柱长约 6 mm，被微柔毛，柱头头状，不裂。果实圆球形，直径 6 ～ 7 cm，无毛，基部具花被的残留物。花期 3 ～ 4 月，果期 5 ～ 7 月。

| **生境分布** | 生于丘陵岗地、低山、中山。湖南有广泛分布。

| **资源情况** | 野生资源一般。栽培资源一般。药材来源于野生。

| **采收加工** | **小通草：**秋季采收嫩枝，剪去过细或过粗的枝，用细木棍将茎髓捅出，用手拉平，晒干。

小通草叶：夏季采收，鲜用。

小通草根：夏、秋季采挖，洗净，切片，晒干。

| **功能主治** | **小通草：**甘、淡，凉。归肺、胃、膀胱经。清热，利水，通乳。用于热病烦渴，小便黄赤，尿少，尿闭，急性膀胱炎，肾炎，水肿，小便不利，乳汁不通。

小通草叶：解毒，接骨。用于毒蛇咬伤，骨折。

小通草根：辛、温。祛风通络，利湿退黄，活血通乳。用于风湿痹痛，跌打损伤，缺乳。

| **用法用量** | **小通草：**内服煎汤，3 ～ 6 g。

小通草叶：外用适量，捣敷。

小通草根：内服煎汤，15 ～ 30 g；或浸酒。

旌节花科 Stachyuraceae 旌节花属 Stachyurus

云南旌节花

Stachyurus yunnanensis Franch.

| 药 材 名 | 小通草（药用部位：茎髓。别名：小通花、通草树、通条树）。

| 形态特征 | 常绿灌木，高 1 ~ 3 m；树皮暗灰色，光滑。枝条圆形，当年生枝为绿黄色，二年生枝棕色或棕褐色，具皮孔。叶革质或薄革质，椭圆状长圆形至长圆状披针形，长 7 ~ 15 cm，宽 2 ~ 4 cm，先端渐尖或尾状渐尖，基部楔形或钝圆，边缘具细尖锯齿，齿尖骨质，上面绿色，具光泽，下面淡绿色、紫色，中脉在下面明显凸起，侧脉 5 ~ 7 对，在两面均不明显，细脉网状；叶柄粗壮。总状花序腋生，花序轴"之"字形，具短梗；花近无梗；苞片 1，三角形，急尖；小苞片三角状卵形，急尖；萼片 4，卵圆形；花瓣 4，黄色至白色，倒卵圆形，先端钝圆；雄蕊 8，无毛；子房和花柱无毛，柱头头状。果实球形，无柄，具宿存花柱、苞片及花丝的残存物。

| 生境分布 | 生于海拔 800 ～ 1 800 m 的山坡常绿阔叶林下或林缘灌丛中。分布于湖南张家界（桑植）、常德（石门）、湘西州（龙山、古丈）等。

| 资源情况 | 野生资源稀少。药材来源于野生。

| 采收加工 | 秋季将嫩枝砍下，剪去过细或过粗的枝，然后用细木棍将茎髓捅出，再用手拉平，晒干。

| 药材性状 | 本品呈细圆柱形，长短不一，直径 0.4 ～ 1 cm，银白色或微黄色；表面平坦，无纹理。体轻，质松软，可弯曲，以指捏能使之变形，断面银白色，有光泽，无空心。水浸后，外表及断面均有黏滑感。无气味。

| 功能主治 | 甘、淡，凉。归肺、胃、膀胱经。清热，利水，通乳。用于热病烦渴，小便黄赤，尿少或尿闭，急性膀胱炎，肾炎，水肿，小便不利，乳汁不通。

| 用法用量 | 内服煎汤，3 ～ 6 g。

西番莲科 Passifloraceae 西番莲属 Passiflora

鸡蛋果

Passiflora edulis Sims

| 药 材 名 | 鸡蛋果（药用部位：果实。别名：洋石榴、紫果西番莲）。

| 形态特征 | 草质藤本，长约 6 m。茎具细条纹，无毛。叶纸质，长 6 ~ 13 cm，宽 8 ~ 13 cm，基部楔形或心形，掌状 3 深裂，裂片边缘有细锯齿，近裂片缺弯的基部有 1 ~ 2 杯状小腺体，无毛。聚伞花序退化至仅存 1 花；花芳香，直径约 4 cm；花梗长 4 ~ 4.5 cm；苞片绿色，宽卵形或菱形；萼片 5，长 2.5 ~ 3 cm，外面先端具 1 角状附属器；花瓣 5，与萼片等长；外副花冠裂片 4 ~ 5 轮，外 2 轮裂片丝状，与花瓣近等长，基部淡绿色，中部紫色，顶部白色，内副花冠褶状，高 1 ~ 1.2 mm；花盘膜质，高约 4 mm；雌雄蕊柄长 1 ~ 1.2 cm；雄蕊 5，花丝分离，基部合生，花药长圆形，长 5 ~ 6 mm，淡黄绿

色；子房倒卵球形，长约 8 mm，花柱 3，扁棒状，柱头肾形。浆果卵球形，直径 3 ~ 4 cm；种子多数，卵形，长 5 ~ 6 mm。花期 6 月，果期 11 月。

| **生境分布** | 生于岗地、低山。分布于湖南衡阳（石鼓、衡阳、衡山）、郴州（苏仙、桂阳、汝城）、永州（冷水滩）等。

| **资源情况** | 野生资源稀少。药材来源于野生。

| **采收加工** | 8 ~ 11 月果皮呈紫色时分批采收，鲜用或晒干。

| **功能主治** | 甘、酸，平。清肺润燥，安神止痛，和血止痢。用于咳嗽，咽干，声嘶，大便秘结，失眠，痛经，关节痛，痢疾。

| **用法用量** | 内服煎汤，10 ~ 15 g。

西番莲科 Passifloraceae 西番莲属 Passiflora

广东西番莲 *Passiflora kwangtungensis* Merr.

| 药 材 名 |

广东西番莲(药用部位：全草。别名：散痛草)。

| 形态特征 |

草质藤本，长 5 ~ 6 m。茎纤细，无毛，具细条纹。叶膜质，互生，披针形至长圆状披针形，下面下部被不明显的短柔毛，无腺体，基生三出脉，侧脉内弯，网脉疏散而不显著；叶柄长 1 ~ 2 cm，上部或近中部具 2 盘状小腺体。花序无梗，对生于纤细卷须两侧，有 1 ~ 2 花；花小型，白色，直径 1.5 ~ 2 cm；萼片 5，膜质，窄长圆形；花瓣 5，与萼片近等长；外副花冠裂片 1 轮，丝状，长 2 ~ 3 mm，先端近尖，内副花冠褶状，高 1.5 mm；花盘高 0.3 mm；雌雄蕊柄长 4.5 mm，无毛；雄蕊 5，花丝扁平，长 3.5 mm，花药长圆形，长 2.5 mm；子房无柄，椭圆状球形，长 2.5 mm，花柱 3，长 3 ~ 4 mm，外弯，柱头头状。浆果球形，直径 1 ~ 1.5 cm，无毛；种子多数，椭圆形，淡棕黄色，长约 3 mm，扁平，先端具小尖头。花期 3 ~ 5 月，果期 6 ~ 7 月。

| 生境分布 |

生于低山。分布于湖南永州(蓝山)等。

| **资源情况** | 野生资源稀少。药材来源于野生。

| **功能主治** | 清热解毒，消肿除湿。用于疮痈肿毒，湿疹。

| **用法用量** | 外用适量，鲜品捣敷。

柽柳科 Tamaricaceae 柽柳属 Tamarix

柽柳
Tamarix chinensis Lour.

| 药 材 名 |

柽柳（药用部位：嫩枝叶。别名：西河柳、山川柳、三春柳）。

| 形态特征 |

乔木或灌木。老枝直立；幼枝稠密细弱，常开展而下垂；嫩枝繁密纤细，悬垂。叶鲜绿色，长圆状披针形或长卵形，长 1.5 ~ 1.8 mm。每年开花 2 ~ 3 次；春生花：总状花序长 3 ~ 6 cm，宽 5 ~ 7 mm，花大而少，较稀疏而纤弱点垂，小枝亦下倾，花梗纤细，较萼短，花 5，萼片 5，狭长卵形，花瓣 5，粉红色，雄蕊 5，花丝着生于花盘裂片间，自下方近边缘处生出，子房圆锥状瓶形，花柱 3，棍棒状，蒴果圆锥形；夏、秋生花：总状花序长 3 ~ 5 cm，较春生者细，疏松而通常下弯，花 5，较春生者略小，密生，苞片绿色，草质，花萼三角状卵形，花瓣粉红色，远较花萼长，雄蕊 5，花药钝，花丝着生于花盘主裂片间，自边缘和略下方生出，花柱棍棒状，长为子房的 2/5 ~ 3/4。花期 4 ~ 9 月。

| 生境分布 |

生于岗地。分布于湖南邵阳（隆回）、常德

（澧县、临澧）、娄底（冷水江）、怀化（沅陵）、长沙（浏阳）等。

| 资源情况 | 野生资源稀少。药材来源于野生。

| 采收加工 | 花未开时采收，阴干。

| 药材性状 | 本品枝细圆柱形，直径 0.5 ~ 1.5 mm，表面黄绿色，节较密。叶鳞片状，钻形或卵状披针形，长 1 ~ 1.8 mm，背面有龙骨状脊。质脆，易折断，断面黄白色，中心有髓。气微，味淡。以枝叶细嫩、色绿者为佳。

| 功能主治 | 甘、辛，平。归肺、胃、心经。疏风解表，透疹解毒。用于风热感冒，麻疹初期，疹出不透，风湿痹痛，皮肤瘙痒。

| 用法用量 | 内服煎汤，10 ~ 15 g；或入散剂。外用适量，煎汤擦洗。

番木瓜科 Caricaceae 番木瓜属 Carica

番木瓜
Carica papaya L.

| 药 材 名 | 番木瓜（药用部位：果实。别名：木瓜、满山抛、树冬瓜）、番木瓜叶（药用部位：叶）。

| 形态特征 | 软木质常绿小乔木，高 2 ~ 8 m。茎一般不分枝，具粗大的叶痕。叶大，近圆形，直径 45 ~ 65 cm 或更大，掌状 5 ~ 9 深裂，裂片再羽状分裂；叶柄中空，长 50 ~ 90 cm。花乳黄色，单性异株或杂性异株；雄花序为下垂的圆锥花序，雌花序及杂性花序为聚伞花序；雄花萼绿色，基部连合，花冠管细管状，长约 2.5 cm，花冠裂片 5，披针形，长约 1.8 cm，雄蕊 10，长短不一，排列成 2 轮，着生于花冠上；雌花具短梗或近无梗，萼片绿色，长约 9 mm，中部以下合生，花瓣乳黄色或黄白色，长圆形至披针形，长约 5 cm，宽约 2 cm，子房卵圆形，

花柱 5，柱头数裂，近流苏状；两性花有雄蕊 5，着生于近子房基部极短的花冠管上，或有雄蕊 10，在较长的花冠管上排列成 2 轮。浆果长圆形，成熟时橙黄色，长达 30 cm，果肉厚，味香甜；种子多数，黑色。花期全年。

| **生境分布** | 生于岗地。分布于湘北、湘东、湘中等。

| **资源情况** | 野生资源一般。药材来源于栽培。

| **采收加工** | **番木瓜**：夏、秋季果实成熟时采收，鲜用或切片晒干。
番木瓜叶：全年均可采收，鲜用。

| **药材性状** | **番木瓜**：本品较大，呈长圆形或矩圆形，长 15 ～ 30 cm，直径 7 ～ 12 cm，成熟时棕黄色或橙黄色，有 10 浅纵槽，果肉厚，黄色，有白色浆汁，内壁着生多数黑色种子；种子椭圆形，外包有多浆、淡黄色的假种皮，长 6 ～ 7 mm，直径 4 ～ 5 mm，种皮棕黄色，具网状突起。气特异，味微甘。

| **功能主治** | **番木瓜**：甘，平。消食下乳，除湿通络，解毒驱虫。用于脘痞，胃痛，缺乳，风湿痹痛，肢体麻木，湿疹，烂疮，肠道寄生虫病。
番木瓜叶：甘，平。解毒，接骨。用于疮疡肿毒，骨折。

| **用法用量** | **番木瓜**：内服煎汤，9 ～ 15 g；或鲜品生食。外用适量，捣汁涂；或研末撒。
番木瓜叶：外用适量，鲜品捣敷。

秋海棠科 Begoniaceae 秋海棠属 Begonia

周裂秋海棠 *Begonia circumlobata* Hance

药材名

野海棠（药用部位：全草。别名：石酸苔、酸汤杆、大麻酸汤杆）。

形态特征

草本，形态变化较大。根茎匍匐，扭曲，表面凹凸不平。叶基生，具长柄；叶片宽卵形至扁圆形，长 10 ~ 17 cm，基部近截形或微心形，5 ~ 6 深裂，裂片长圆形至椭圆形，长 5 ~ 13 cm，先端渐尖，基部楔形，通常不再分裂；叶柄细弱；托叶卵形。花少数，通常无毛；苞片长圆形，长约 9 mm，宽约 3 mm，全缘，无毛；雄花花梗长约 15 mm，无毛，花被片 4，玫瑰色，外面 2 花被片宽卵形，内面 2 花被片长圆形，无毛，雄蕊多数，花丝长 1 ~ 2.6 mm，花药倒卵形；雌花花梗长 8 ~ 10 mm，花被片 5，外轮花被片近圆形，长约 10 mm，宽约 8 mm，内轮花被片逐渐变小，子房倒卵状长圆形，长 6 ~ 8 mm，直径 3 ~ 4 mm，疏被毛，2 室。蒴果下垂，倒卵状长圆形，被极疏毛，具不等的 3 翅，果柄长 2.2 ~ 3.5 cm；种子极多，小，长圆形，淡褐色，光滑。花期 6 月开始，果期 7 月开始。

| **生境分布** | 生于丘陵岗地、低山。分布于湖南益阳（赫山）、怀化（新晃）等。

| **资源情况** | 野生资源稀少。药材来源于野生。

| **采收加工** | 夏、秋季采收，洗净，鲜用或切片晒干。

| **功能主治** | 酸，微寒。散瘀消肿，消炎止咳。用于跌打损伤，骨折，咳嗽。

| **用法用量** | 内服煎汤，9 ~ 15 g。外用适量，鲜品捣敷。

秋海棠科 Begoniaceae 秋海棠属 Begonia

食用秋海棠

Begonia edulis Lévl.

| 药 材 名 | 葡萄叶秋海棠（药用部位：全草。别名：大叶半边莲）。

| 形态特征 | 多年生草本，高 40 ~ 60 cm。根茎长圆块状，有少数残存的褐色鳞片和粗壮细长的纤维状根。茎粗壮，有沟纹和疣点。基生叶未见；茎生叶互生，有长柄；叶片两侧略不相等，近圆形或扁圆形，长 16 ~ 20 cm，宽 15 ~ 21 cm，先端渐尖，浅裂至叶片 1/2 处或不及叶片的 1/3，裂片宽三角形，上面深绿色，下面浅绿色，近无毛或沿脉有疏短毛；叶柄长 15 ~ 25 cm。雄花粉红色，常 4 ~ 6 花，呈 2 ~ 3 回二歧聚伞状，花梗长 1 ~ 2 cm，花被片 4，外面 2 花被片卵状三角形，内面 2 花被片长圆形，雄蕊多数，花丝长约 1.5 mm，花药长圆形，长约 1.2 mm；雌花未见。蒴果近球形，有 3 翅，其中 1 翅较大，长

约 1 cm，长为宽的 2 倍，有明显的纵脉，先端钝圆；种子极多，小，长圆形，淡褐色，光滑。花期 6 ~ 9 月，果期 8 月开始。

| **生境分布** | 生于低山、丘陵岗地。分布于湖南株洲（茶陵）、永州（道县）等。

| **资源情况** | 野生资源稀少。药材来源于野生。

| **采收加工** | 夏、秋季采收，洗净，晒干或鲜用。

| **功能主治** | 酸、涩，寒。清热解毒，凉血止血，散瘀消肿。用于疮疖肿毒，痢疾，肺热咯血，吐血，便血，外伤出血，跌打伤肿，蛇咬伤。

| **用法用量** | 内服煎汤，9 ~ 15 g。外用适量，鲜品捣敷。

秋海棠科 Begoniaceae 秋海棠属 Begonia

紫背天葵

Begonia fimbristipula Hance.

| 药 材 名 |

红天葵（药用部位：全草或球茎。别名：红叶、散血子、一点血）。

| 形态特征 |

多年生无茎草本。根茎球状。叶基生，具长柄；叶片两侧略不相等，宽卵形，长 6 ～ 13 cm，宽 4.8 ～ 8.5 cm，边缘有大小不等的三角形重锯齿，有时呈缺刻状；托叶小，卵状披针形，边缘撕裂状。花粉红色，数朵，呈 2 ～ 3 回二歧聚伞花序，通常无毛或近无毛；下部苞片早落，小苞片膜质，长圆形；雄花花梗长 1.5 ～ 2 cm，无毛，花被片 4，红色，外面 2 花被片宽卵形，内面 2 花被片倒卵状长圆形，雄蕊多数；雌花花梗长 1 ～ 1.5 cm，无毛，花被片 3，外面 2 花被片宽卵形至近圆形，内面的花被片倒卵形，花柱 3，长 2.8 ～ 3 mm，近离生或一半合生，无毛，柱头增厚，外向扭曲成环状。蒴果下垂，倒卵状长圆形，长约 1.1 mm，直径 7 ～ 8 mm，无毛，具不等大的 3 翅，大的翅近舌状，其余 2 翅窄；种子极多数，小，淡褐色，光滑。花期 5 月，果期 6 月开始。

| 生境分布 | 生于岗地、中山、低山。分布于湘北、湘东、湘中、湘南等。

| 资源情况 | 野生资源较少。药材来源于野生。

| 采收加工 | 全草，夏、秋季采收，洗净，晒干。球茎，春、夏季采挖，洗净，晒干或鲜用。

| 药材性状 | 本品卷缩成不规则的团块。完整叶呈卵形或阔卵形，长 2.5 ~ 7 cm，宽 2 ~ 6 cm，先端渐尖，基部心形，近对称，边缘有不规则的重锯齿和短柔毛，紫红色至暗紫色，两面均被疏或密的粗伏毛，脉上被毛较密，掌状脉 7 ~ 9，小脉纤细，明显；叶柄长 2 ~ 6 cm，被粗毛，薄纸质。气特异，味酸，搓之刺鼻。水浸液呈玫瑰红色。

| 功能主治 | 甘，凉。清热凉血，止咳化痰，解毒消肿。用于外感高热，中暑，肺热咳嗽，咽喉肿痛，疔疮，瘰疬，疥癣，烫火伤，跌打瘀痛。

| 用法用量 | 内服煎汤，6 ~ 9 g。外用适量，鲜品捣敷。

秋海棠科 Begoniaceae 秋海棠属 Begonia

秋海棠 *Begonia grandis Dry.*

| 药 材 名 | 秋海棠茎叶（药用部位：茎、叶。别名：八月春、断肠花、相思草）、秋海棠根（药用部位：根。别名：一口血、金线吊葫芦、红白二丸）、秋海棠花（药用部位：花）、秋海棠果（药用部位：果实）。

| 形态特征 | 多年生草本，高 60 ~ 100 cm，通常高 80 cm。地下具球形块茎。茎直立，粗壮，多分枝，光滑，节部膨大。叶腋间生珠芽；叶互生；叶柄长 5 ~ 12 cm；托叶披针形；叶片斜宽卵形，长 8 ~ 20 cm，宽 6 ~ 18 cm，先端尖，基部偏斜，两面生细刺毛，叶下面和叶柄带紫红色，边缘有细尖牙齿。花单性，粉红色，直径 2.5 ~ 3.5 cm，雌雄同株，呈腋生的叉状聚伞花序；雄花花被片 4，外面 2 花被片圆形，较大，雄蕊多数，聚成头状，花丝成 1 总柄，花药黄色；雌花花被

片 5，内面的花被片较小，雌蕊 1，由 3 心皮分生，子房下位，花柱 3 歧，柱头扭曲状。蒴果长 1.5 ~ 3 cm，有 3 翅，其中 1 翅通常较大。花期 7 ~ 8 月，果期 10 ~ 11 月。

| 生境分布 | 生于岗地、低山、中山。湖南有广泛分布。

| 资源情况 | 野生资源丰富。药材来源于野生。

| 采收加工 | 秋海棠茎叶：春、夏季采收，洗净，分别切碎，晒干或鲜用。
秋海棠根：全年均可采收，洗净，鲜用或切片晒干。
秋海棠花：夏、秋季采收，鲜用或晒干。
秋海棠果：9 ~ 10 月采收，鲜用。

| 功能主治 | 秋海棠茎叶：酸、辛，微寒。解毒消肿，散瘀止痛，杀虫。用于咽喉肿痛，疮痈溃疡，毒蛇咬伤，跌打瘀痛，皮癣。
秋海棠根：酸、涩，凉。化瘀，止血，清热利湿。用于跌打损伤，吐血，咯血，衄血，刀伤出血，崩漏，血瘀经闭，月经不调，带下，淋浊，泻痢，胃痛，咽喉肿痛。
秋海棠花：苦、酸，寒。杀虫解毒。用于皮癣。
秋海棠果：酸、涩、微辛，凉。解毒，消肿。用于毒蛇咬伤。

| 用法用量 | 秋海棠茎叶：外用适量，鲜品捣敷；或绞汁含漱。
秋海棠根：内服煎汤，9 ~ 15 g；或研末，每次 3 ~ 6 g。外用适量，捣敷；或研末敷；或捣汁含漱。
秋海棠花：外用适量，捣汁调蜜搽。
秋海棠果：外用适量，鲜品捣敷；或捣汁搽。

秋海棠科 Begoniaceae 秋海棠属 Begonia

中华秋海棠

Begonia grandis Dry. subsp. *sinensis* (A. DC.) Irmscher.

| 药 材 名 | 红白二丸（药用部位：全草或根茎。别名：一点血、岩丸子、红白二元）、红白二丸果（药用部位：果实）。

| 形态特征 | 中型草本。茎高 20 ~ 40（~ 70）cm，几无分枝，外形似金字塔形。叶较小，椭圆状卵形至三角状卵形，长 5 ~ 12（~ 20）cm，宽 3.5 ~ 9（~ 13）cm，先端渐尖，下面色淡，偶带红色，基部心形，宽侧下延成圆形，长 0.5 ~ 4 cm，宽 1.8 ~ 7 cm。花序较短，呈伞房状至圆锥状二歧聚伞花序；花小；雄蕊多数，长不及 2 mm，球状；花柱基部合生或微合生，有分枝，柱头呈螺旋状扭曲，稀呈 "U" 形。蒴果具 3 不等大的翅。

| 生境分布 | 生于丘陵岗地、低山、中山。分布于湘东、湘中、湘南、湘西北、

湘西南等。

| **资源情况** | 野生资源较少。栽培资源较少。药材来源于野生。

| **采收加工** | **红白二丸**：夏季开花前采收，除去须根，洗净，晒干或鲜用。
红白二丸果：夏季采收，鲜用。

| **药材性状** | **红白二丸**：本品根茎较粗，多为双球形，直径 1 ~ 2 cm。表皮干燥皱缩，深褐色或棕褐色，下部须根丛生，呈纤维状，黑褐色。质较软，易折断，断面呈黄白色，纤维性。气微，味甘、苦。

| **功能主治** | **红白二丸**：苦、酸，微寒。活血调经，止血止痢，镇痛。用于崩漏，月经不调，赤白带下，外伤出血，痢疾，胃痛，腹痛，腰痛，疝气痛，痛经，跌打瘀痛。
红白二丸果：苦，微寒。解毒。用于蛇咬伤。

| **用法用量** | **红白二丸**：内服煎汤，6 ~ 15 g；或研末；或浸酒。外用适量，捣敷。
红白二丸果：外用适量，捣汁搽。

秋海棠科 Begoniaceae 秋海棠属 Begonia

独牛

Begonia henryi Hemsl.

| **药 材 名** | 独牛（药用部位：全草或根茎）。

| **形态特征** | 多年生无茎草本。根茎球形，直径 8 ~ 10 mm，有残存的褐色鳞片，周围长出多数长短不等的纤维状根。叶均基生，通常 1（~ 2），具长柄；叶片两侧不相等或微不相等，三角状卵形或宽卵形，稀近圆形，长 3.5 ~ 6 cm，宽 4 ~ 7.5 cm，先端急尖或短渐尖，基部偏斜或稍偏斜，呈深心形，向外开展，窄侧呈圆形，宽侧略伸长，呈宽圆耳状，边缘有大小不等的三角形单或重圆齿，上面深绿色或褐绿色，散生淡褐色柔毛，下面色淡，散生褐色柔毛，沿脉毛较密或常有卷曲的毛，掌状 5 ~ 7 脉，下面脉较明显；叶柄长短变化较大，长 6 ~ 13 cm，被褐色卷曲长毛；托叶膜质，卵状披针形，边缘有

睫毛，早落。花葶高 7.5 ～ 12 cm，细弱，疏被细毛或近无毛；花粉红色，通常 2 或 4 花，呈 2 ～ 3 回二歧聚伞状，分枝长 5 ～ 9 mm；花梗长约 10 mm，疏被柔毛；苞片膜质，长圆形或椭圆形，长约 5 mm，宽约 4 mm，先端急尖，边缘有齿；雄花花被片 2，扁圆形或宽卵形，长 8 ～ 12 mm，宽 10 ～ 13 mm，先端圆形，基部微心形，雄蕊多数，花丝离生，长 1.2 ～ 1.5 cm，花药倒卵形，长约 1.2 mm，先端微凹；雌花花被片 2，扁圆形，长 6 ～ 8 mm，宽 7 ～ 8 mm，先端圆形，基部微心形，子房倒卵状长圆形，长可达 1.5 cm，直径约 4 mm，无毛，3 室，有中轴胎座，每室胎座具 1 裂片，具不等大的 3 翅，花柱 3，柱头 2 裂，裂片膨大成头状，带刺状乳头。蒴果下垂，长约 11 mm，直径约 5 mm，无毛，果柄柔弱，长 1.3 ～ 1.7 cm，无毛，长圆形，3 翅不等大，大的 1 翅呈斜三角形，长 5 ～ 7 mm，上面的边缘平，下面的边缘斜，其余 2 翅较小，窄三角形，上方的边缘平，下方的边缘斜；种子极多数，小，长圆形，淡褐色，平滑。花期 9 ～ 10 月，果期 10 月开始。

| **生境分布** | 生于低山、丘陵岗地。分布于湘南，以及永州（冷水滩、道县）等。

| **资源情况** | 野生资源稀少。药材来源于野生。

| **采收加工** | 秋、冬季采收，晒干或鲜用。

| **功能主治** | 甘、苦、酸，微寒。理气消痞，化瘀止血。用于腹中痞块，癥瘕，咯血，胃出血，尿血，小儿疝气，膀胱炎，腰痛，胃痛，腹泻，闭经，睾丸或关节肿痛，预防流行性感冒；外用于骨折。

| **用法用量** | 内服煎汤，5 ～ 10 g。外用适量，鲜品捣敷。

秋海棠科 Begoniaceae 秋海棠属 Begonia

粗喙秋海棠
Begonia crassirostris Irmsch.

| 药 材 名 | 红半边莲（药用部位：全草或根茎。别名：半边风、鬼边榜、肉半边莲）。

| 形态特征 | 多年生草本。球茎膨大，呈不规则块状，直径可达 2.5 cm，有残存的褐色鳞片和多数粗壮的纤维状根。茎高 0.9 ~ 1.5 m，直立，细弱，多节，有棱，褐色。叶互生，具柄；叶片两侧极不相等，披针形至卵状披针形，长 8.5 ~ 17 cm，宽 3.4 ~ 7 cm，先端渐尖至尾状渐尖，基部极偏斜，呈微心形，窄侧宽楔形至微心形，宽侧向下延长 1.5 ~ 5 cm，宽 2.5 ~ 5.8 cm，呈宽圆耳锤状，边缘有大小不等的极疏的带突头的浅齿，齿尖有短芒，幼时明显，上面褐绿色，无毛或近无毛，下面淡绿色，无毛或近无毛，掌状 7（~ 8）脉，窄侧 2（~ 3）脉，

宽侧 4 脉，均达叶缘，中部以上呈羽状脉；叶柄长 2.5 ~ 4.7 cm，近无毛；托叶膜质，卵状披针形，长 6 ~ 8 mm，先端渐尖，无毛，早落。花白色，2 ~ 4 花，腋生，二歧聚伞状，一次分枝长 1.2 ~ 1.5 cm，二次分枝长约 3 mm；花梗长 8 ~ 12 mm，近无毛；苞片膜质，披针形，长 5 ~ 10 mm，先端渐尖，无毛，早落；雄花花被片 4，外轮 2 花被片呈长方形，长约 8.5 mm，宽约 5 ~ 6 mm，先端平，内轮 2 花被片长圆形，长约 6 mm，宽约 4.5 mm，先端平，雄蕊多数，花丝离生，长 1 ~ 1.5 mm，花药长圆形，长约 1.8 mm，先端微凹；雌花花被片 4，与雄花花被片相似，子房近球形，先端具长约 3 mm 的粗喙，3 室，中轴胎座，每室胎座具 2 裂片，花柱 3，近基部合生，柱头呈螺旋状扭曲，带刺状乳突。蒴果下垂，近球形，直径 17 ~ 18 mm，无毛，先端具粗厚的长喙，无翅，无棱，果柄长约 12 mm；种子极多数，小，淡褐色，光滑。花期 4 ~ 5 月，果期 7 月。

| 生境分布 | 生于丘陵岗地。分布于湘东、湘中，以及永州（江永）等。

| 资源情况 | 野生资源稀少。药材来源于野生。

| 采收加工 | 全草，全年均可采收，鲜用或晒干。根，秋、冬季采挖，洗净泥沙，切碎，鲜用或晒干、烘干。

| 药材性状 | 本品干枯皱缩。茎高 90 ~ 150 cm，直径 2 ~ 8 mm，表皮棕褐色，无毛，有膨大的节。叶多皱缩破碎，展开后呈长圆形，长 8 ~ 15 cm，宽 3 ~ 5 cm，暗绿色，先端渐尖，基部心形，无毛，边缘疏生小齿。聚伞花序生于叶腋间；花黄色。气微，味酸、涩。

| 功能主治 | 酸、涩，凉。凉血解毒，消肿止痛。用于急喉喑，牙龈肿痛，疮疖肿毒，热病便血，瘰疬，疥癣，毒蛇咬伤，烫火伤。

| 用法用量 | 内服煎汤，10 ~ 20 g。外用适量，鲜品捣敷。

| 附　注 | 本种的拉丁学名在 FOC 中被修订为 *Begonia longifolia* Blume。

秋海棠科 Begoniaceae 秋海棠属 Begonia

裂叶秋海棠
Begonia palmata D. Don

| 药 材 名 | 红孩儿（药用部位：全草。别名：红八角莲、岩红）。

| 形态特征 | 多年生草本，高 15 ~ 60 cm。根茎横生，粗壮，具节。地上茎肉质，节膨大，多少被棕色绵毛。单叶互生；叶柄与叶片近等长；托叶披针形，长约 2 cm，早落；叶片膜质，斜卵形，长 12 ~ 20 cm，宽 10 ~ 15 cm，呈多角状或不规则的 5 ~ 7 裂，先端渐尖，基部偏心形，边缘有小锯齿及睫毛，上面绿色，略被柔毛，下面淡绿色或淡紫色，被褐色绵毛。花单性，雌雄同株；聚伞花序腋生；总花梗与花梗细长，粉红色，被棕色柔毛；雄花花被片 4，外轮 2 花被片较内轮花被片大，外被绵毛，雄蕊多数，花丝线形，花药椭圆形；雌花花被片 5，斜卵形，近等长，子房被柔毛。蒴果长 10 ~ 15 mm，具 3 翅，

其中 1 翅特大。花期 6 ~ 8 月，果期 7 ~ 9 月。

| **生境分布** | 生于中山、丘陵岗地、低山。湖南各地均有分布。

| **资源情况** | 野生资源较少。药材来源于野生。

| **采收加工** | 夏、秋季采收，洗净，晒干或鲜用。

| **功能主治** | 甘、酸，寒。清热解毒，散瘀消肿。用于肺热咳嗽，疔疮痈肿，痛经，闭经，风湿热痹，跌打肿痛，蛇咬伤。

| **用法用量** | 内服煎汤，9 ~ 15 g；或研末；或浸酒。外用适量，鲜品捣敷。

秋海棠科 Begoniaceae 秋海棠属 Begonia

红孩儿

Begonia palmata D. Don var. *bowringiana* (Champ. ex Benth.) J. Golding et C. Kareg.

药材名

红孩儿（药用部位：根茎）。

形态特征

茎和叶柄均密被或被锈褐色交织的绒毛。叶片形状和大小变化较大，通常斜卵形，长5～16 cm，宽3.5～13 cm，浅裂至中裂，裂片宽三角形至窄三角形，先端渐尖，边缘具齿或微具齿，基部斜心形，呈（30°～）90°～130°，上面密被短小而基部圆形的硬毛，有时散生长硬毛，下面沿脉密被或被锈褐色交织的绒毛。花玫瑰色或白色，花被片外面密被混合毛。花期6月开始，果期7月开始。

生境分布

生于海拔450～1 900 m的山谷、密林潮湿地。分布于湖南郴州（桂东）等。

资源情况

野生资源稀少。药材来源于野生。

采收加工

夏、秋季采挖，洗净，晒干或鲜用。

| **功能主治** | 甘、酸，寒。清热解毒，凉血润肺。用于肺热咯血，呕血，痢疾，跌打损伤，
刀伤出血。

| **用法用量** | 内服煎汤，9 ~ 15 g；或研末；或浸酒。外用适量，鲜品捣敷。

秋海棠科 Begoniaceae 秋海棠属 Begonia

掌裂叶秋海棠 *Begonia pedatifida* Lévl.

| 药 材 名 | 水八角（药用部位：根茎。别名：花鸡公、一口血、蜈蚣七）。

| 形态特征 | 草本。根茎粗，长圆柱状。叶片扁圆形至宽卵形，长 10 ~ 17 cm；叶柄密被或疏被褐色卷曲长毛；托叶膜质，卵形，长约 10 mm，宽约 8 mm，先端钝，早落。花葶高 7 ~ 15 cm，疏被或密被长毛；花白色或带粉红色，4 ~ 8 花；苞片早落；雄花花梗长 1 ~ 2 cm，花被片 4，外面 2 花被片宽卵形，内面 2 花被片长圆形，雄蕊多数，花丝长 1.5 ~ 2 mm，花药倒卵状长圆形，长 1 ~ 1.2 mm，先端凹或微钝；雌花花梗长 1 ~ 2.5 cm，被毛或近无毛，花被片 5，不等大，外面的花被片宽卵形，内面的花被片小，长圆形，子房倒卵状球形，2 室，每室胎座具 2 裂片，具不等大的 3 翅，花柱 2，约 1/2 处分枝，

柱头外向增厚，扭曲成环状，带刺状乳突。蒴果有 3 翅，其中 1 翅特别大，长圆形，长、宽均约 1.2 cm；种子极多数，小，长圆形，淡褐色，光滑。花期 6 ~ 7 月，果期 10 月开始。

| **生境分布** | 生于低山、岗地。湖南各地均有分布。

| **资源情况** | 野生资源较少。药材来源于野生。

| **采收加工** | 9 ~ 10 月采挖，除去茎叶、须根，洗净泥沙，切片，晒干或鲜用。

| **药材性状** | 本品粗而横走，呈不规则长块状，长 2 ~ 6 cm，直径 0.5 ~ 1 cm。表面红棕色或棕褐色，密生须根，并有鳞片及芽。质硬，不易折断，断面纤维性，浅黄色，略带褐色。气微，味酸。

| **功能主治** | 酸，凉。活血止血，利湿消肿，止痛，解毒。用于吐血，尿血，崩漏，外伤出血，水肿，胃痛，风湿痹痛，跌打损伤，疮痈肿毒，蛇咬伤。

| **用法用量** | 内服煎汤，9 ~ 15 g，鲜品 30 ~ 60 g；或研末，6 ~ 9 g。外用适量，鲜品捣敷；或研末撒。

葫芦科 Cucurbitaceae 盒子草属 Actinostemma

盒子草
Actinostemma tenerum Griff.

| 药 材 名 | 盒子草（药用部位：全草或种子、叶。别名：黄丝藤、葫篓棵子、天球草）。

| 形态特征 | 柔弱草本。枝纤细，疏被长柔毛，后变无毛。叶柄细，长 2 ～ 6 cm，被短柔毛；叶形状变异大，呈心状戟形、心状狭卵形或披针状三角形，不分裂或 3 ～ 5 裂或仅在基部分裂，边缘波状或具小圆齿或具疏齿，基部弯缺为半圆形、长圆形、深心形，裂片狭三角形，先端稍钝或渐尖，有小尖头，两面具疏散的疣状突起，长 3 ～ 12 cm，宽 2 ～ 8 cm。卷须细，2 歧。雄花序总状，有时圆锥状，基部具长 6 mm 的叶状 3 裂总苞片，稀 1 ～ 3 花生于短缩的总梗上；花序轴细弱，长 1 ～ 13 cm，被短柔毛；苞片线形，长约 3 mm，密被短柔

毛，毛长 3 ~ 12 mm；萼裂片线状披针形，边缘有疏小齿，长 2 ~ 3 mm，宽 0.5 ~ 1 mm；花冠裂片披针形，先端尾状钻形，具 1 脉，稀 3 脉，疏生短柔毛，长 3 ~ 7 mm，宽 1 ~ 1.5 mm；雄蕊 5，花丝被柔毛或无毛，长 0.5 mm，花药长 0.3 mm，药隔稍伸出花药成乳头状；雌花单生、双生或雌雄同序，花梗具关节，长 4 ~ 8 cm，花萼和花冠同雄花，子房卵状，有疣状突起。果实绿色，卵形、阔卵形、长圆状椭圆形，长 1.6 ~ 2.5 cm，直径 1 ~ 2 cm，疏生暗绿色鳞片状突起，自近中部盖裂，果盖锥形，具种子 2 ~ 4；种子表面有不规则的雕纹，长 11 ~ 13 mm，宽 8 ~ 9 mm，厚 3 ~ 4 mm。花期 7 ~ 9 月，果期 9 ~ 11 月。

| **生境分布** | 生于岗地、低山的水边草丛中。分布于湖南常德（临澧）、长沙（岳麓）、株洲（渌口）、湘潭（韶山）、衡阳（衡阳）、岳阳（岳阳）等。

| **资源情况** | 野生资源丰富。药材来源于野生。

| **采收加工** | 夏、秋季采收全草，秋季采收成熟果实，收集种子，晒干。

| **药材性状** | 本品常弯曲成团。茎圆柱形，扭曲，嫩茎表面具 5 粗棱线，黄绿色，老茎有多数细纵棱，灰黄色，直径 1 ~ 4 mm；质脆，易折断，断面不平坦，黄绿色，纤维性强，木质部占大部分，中心有髓。叶片多卷缩破碎，上表面棕绿色，下表面灰绿色，完整叶展开后多呈心状戟形或心状狭卵形，先端渐尖或长尖，膜质，边缘波状或具疏齿，叶脉明显，上、下表面被短柔毛。卷须细，单歧或 2 歧，与叶对生。果实卵形，长 0.8 ~ 1.5 cm，直径 0.6 ~ 1 cm，疏生暗绿色鳞片状突起，自近中部盖裂，果盖锥形，稍皱缩，果皮薄而脆，易破碎，气清香，味微苦；种子常 2 ~ 4，呈龟体状，长 1 ~ 1.2 cm，宽 0.5 ~ 0.9 cm，厚 0.3 ~ 0.4 cm，外表面灰褐色，具不规则的雕纹，种皮质硬而脆，断面类白色，内表面灰白色，较光滑，种仁白色，瓜子状，外被白色膜，子叶 2，富油性，轻划有油痕，碎后具香气，味苦。

| **功能主治** | 苦，寒。利尿消肿，清热解毒。用于水肿，臌胀，疳积，湿疹，疮疡，毒蛇咬伤。

| **用法用量** | 内服煎汤，15 ~ 30 g。外用适量，捣敷；或煎汤熏洗。

葫芦科 Cucurbitaceae 冬瓜属 Benincasa

冬瓜 Benincasa hispida (Thunb.) Cogn.

| **药 材 名** | 冬瓜藤（药用部位：茎）、冬瓜叶（药用部位：叶）、苦冬瓜（药用部位：果实。别名：白瓜、白东瓜、枕瓜）、冬瓜皮（药用部位：外果皮。别名：白瓜皮、白东瓜皮）、冬瓜瓤（药用部位：果瓤。别名：冬瓜练）、冬瓜子（药用部位：种子。别名：白瓜子、瓜子、冬瓜仁）。

| **形态特征** | 一年生蔓生或架生草本。茎被黄褐色硬毛及长柔毛，有棱沟。叶柄粗壮，长 5 ~ 20 cm，被黄褐色硬毛和长柔毛；叶片肾状近圆形，宽 15 ~ 30 cm，5 ~ 7 浅裂，表面深绿色，稍粗糙，有疏柔毛，背面粗糙，灰白色，有粗硬毛，叶脉在叶背面稍隆起，密被毛。卷须 2 ~ 3 歧。花单生，雌雄同株；雄花萼筒宽钟形，有锯齿，反折，花冠黄色，辐状，花冠裂片宽倒卵形，两面有稀疏的柔毛，先端

钝圆，具 5 脉，雄蕊 3，离生，花丝短粗，基部膨大，药室 3 回折曲；子房卵形或圆筒形，密生黄褐色茸毛状硬毛，长 2 ~ 4 cm，花柱长 2 ~ 3 mm，柱头 3，长 12 ~ 15 mm，2 裂。果实长圆柱状或近球状，大型，有硬毛和白霜，长 25 ~ 60 cm，直径 10 ~ 25 cm；种子卵形，白色或淡黄色，压扁，有边缘，长 10 ~ 11 mm，宽 5 ~ 7 mm，厚 2 mm。

| **生境分布** | 生于岗地、丘陵的草丛或灌丛中。湖南各地均有分布。

| 资源情况 | 野生资源丰富。药材来源于野生。

| 采收加工 | **冬瓜藤**：夏、秋季采收，鲜用或晒干。

冬瓜叶：夏季采收，阴干或鲜用。

苦冬瓜：夏末秋初果实成熟时采收。

冬瓜皮：秋、冬季采收，晒干。

冬瓜瓤：秋、冬季采收，鲜用。

冬瓜子：秋、冬季采收，洗净，晒干。

| 药材性状 | **冬瓜皮**：本品为不规则的碎片，常向内卷曲，大小不一。外表面灰绿色或黄白色，被白霜，有的较光滑，不被白霜；内表面较粗糙，有的可见筋脉状维管束。体轻，质脆。气微，味淡。

冬瓜子：本品呈长椭圆形或卵形，扁平，厚约 0.2 cm，表面黄白色，略粗糙，边缘光滑（单边冬瓜子）或两面外缘各有 1 环纹（双边冬瓜子），一端稍尖，有 2 小突起，较大的突起上有珠孔，较小的为种脐，另一端圆钝，种皮质稍硬

而脆，子叶 2，白色，肥厚，胚根短小。体轻，富油性。气无，味微甜。以颗粒饱满、色白者为佳。

| 功能主治 | 冬瓜藤：苦，寒。归肺、肝经。清肺化痰，通经活络。用于肺热咳痰，关节不利，脱肛，疥疮。

冬瓜叶：苦，凉。归肺、大肠经。清热，利湿，解毒。用于消渴，暑湿泻痢，疟疾，疮毒，蜂螫伤。

苦冬瓜：甘、淡，微寒。归肺、大肠、小肠、膀胱经。利尿，清热，化痰，生津，解毒。用于水肿胀满，淋证，足癣，痰喘，暑热烦闷，消渴，痈肿，痔漏，金石中毒，食鱼蟹类中毒，酒精中毒。

冬瓜皮：甘，凉。归脾、小肠经。利尿消肿。用于水肿胀满，小便不利，暑热口渴，小便短赤。

冬瓜瓤：甘，平。归肺、膀胱经。清热止渴，利水消肿。用于热病烦渴，消渴，淋证，水肿，痈肿。

冬瓜子：甘，微寒。归肺、大肠经。清肺化痰，消痈排脓，利湿。用于痰热咳嗽，肺痈，肠痈，白浊，带下，足癣，水肿，淋证。

| 用法用量 | 冬瓜藤：内服煎汤，9 ~ 15 g，鲜品加倍；或捣汁。外用适量，煎汤洗；或烧灰洗。

冬瓜叶：内服煎汤，9 ~ 15 g。外用适量，研末敷。

苦冬瓜：内服煎汤，60 ~ 120 g；或煨熟；或捣汁。外用适量，捣敷；或煎汤洗。

冬瓜皮：内服煎汤，9 ~ 30 g。

冬瓜瓤：内服煎汤，30 ~ 60 g；或绞汁。外用适量，煎汤洗。

冬瓜子：内服煎汤，10 ~ 15 g；或研末。外用适量，研膏涂敷。

葫芦科 Cucurbitaceae 冬瓜属 Benincasa

节瓜

Benincasa hispida (Thunb.) Cogn. var. *chieh-qua* F. C. How

| 药 材 名 | 节瓜（药用部位：果实）。

| 形态特征 | 一年生蔓生或架生草本。茎被黄褐色硬毛及长柔毛，有棱沟。叶柄粗壮，长 5 ～ 20 cm，被黄褐色硬毛和长柔毛；叶片肾状近圆形，宽 15 ～ 30 cm，5 ～ 7 浅裂，表面深绿色，稍粗糙，有疏柔毛，背面粗糙，灰白色，有粗硬毛，叶脉在叶背面稍隆起，密被毛。卷须 2 ～ 3 歧。花单生，雌雄同株；雄花萼筒宽钟形，有锯齿，反折，花冠黄色，辐状，花冠裂片宽倒卵形，两面有稀疏的柔毛，先端钝圆，具 5 脉，雄蕊 3，离生，花丝短粗，基部膨大，药室 3 回折曲；子房卵形或圆筒形，密生黄褐色茸毛状硬毛，长 2 ～ 4 cm，花柱长 2 ～ 3 mm，柱头 3，长 12 ～ 15 mm，2 裂。果实长圆柱状或近球状，大型，有

硬毛和白霜，长 25 ~ 60 cm，直径 10 ~ 25 cm；种子卵形，白色或淡黄色，压扁，有边缘，长 10 ~ 11 mm，宽 5 ~ 7 mm，厚 2 mm。

| **生境分布** | 生于岗地。分布于湖南常德（安乡）等。

| **资源情况** | 野生资源稀少。栽培资源丰富。药材来源于栽培。

| **采收加工** | 夏季果实成熟时采收。

| **功能主治** | 甘、淡，平。归脾、大肠、小肠经。止渴生津，祛暑，健脾，利大小肠。

| **用法用量** | 内服煎汤，30 ~ 60 g；或煮食。

西瓜
Citrullus lanatus (Thunb.) matsum. et Nakai

| 药 材 名 | 西瓜根叶（药用部位：根、叶）、西瓜皮（药用部位：外果皮）、西瓜（药用部位：果瓤。别名：寒瓜）、西瓜霜（药材来源：未成熟的果实）、西瓜子仁（药用部位：种仁）、西瓜子壳（药用部位：种皮）。

| 形态特征 | 一年生蔓生藤本。茎、枝粗壮。卷须 2 歧。叶片纸质，三角状卵形，带白绿色，3 深裂，中裂片较长，倒卵形、长圆状披针形或披针形，先端急尖或渐尖，裂片又羽状或 2 回羽状浅裂或深裂。花单生于叶腋，雌雄同株；雄花萼筒宽钟形，萼裂片狭披针形，与萼筒近等长，长 2 ~ 3 mm，花冠淡黄色，直径 2.5 ~ 3 cm，外面带绿色，被长柔毛，花冠裂片卵状长圆形，先端钝或稍尖，脉黄褐色，被毛，雄蕊

3，近离生，其中 1 雄蕊 1 室，2 雄蕊 2 室，花丝短，药室折曲；雌花花萼和花冠与雄花相同，子房卵形，花柱长 4 ~ 5 mm，柱头 3，肾形。果实大型，近球形或椭圆形，肉质，多汁，果皮光滑，色泽及纹饰各异；种子多数，卵形，压扁，平滑。花果期夏季。

| **生境分布** | 生于丘陵、岗地、低山等草丛或灌丛中。湖南各地均有分布。

| **资源情况** | 野生资源较少。栽培资源丰富。药材来源于栽培。

| **采收加工** | **西瓜根叶**：夏季采收，鲜用或晒干。

西瓜皮：夏季采收果实，削去内层柔软部分，也可将外面青皮削去，仅保留中间部分，洗净，晒干。

西瓜：夏季果实成熟时采收，鲜用。

西瓜子仁：夏季采收果实，收集种子，洗净，晒干，除去种皮，收集种仁。

西瓜子壳：夏季采收果实，剥取种仁，收集种皮，晒干。

| **功能主治** | **西瓜根叶**：淡、微苦，凉。归大肠经。清热利湿。用于水泻，痢疾，烫伤，萎缩性鼻炎。

西瓜皮：甘，凉。归心、胃、膀胱经。清热，解渴，利尿。用于暑热烦渴，小便短小，水肿，口舌生疮。

西瓜：清热除烦，解暑生津，利尿。用于暑热烦渴，热盛津伤，小便不利，喉痹，口疮。

西瓜霜：咸，寒。归肺、胃、大肠经。清热泻火，消肿止痛。用于咽喉肿痛，喉痹，口疮。

西瓜子仁：甘，平。归肺、大肠经。清肺化痰，和中润肠。用于久嗽，咯血，便秘。

西瓜子壳：淡，平。归胃、大肠经。止血。用于吐血，便血。

| **用法用量** | **西瓜根叶**：内服煎汤，10 ~ 30 g。外用适量，鲜品捣汁搽。

西瓜皮：内服煎汤，9 ~ 30 g；或焙干，研末。外用适量，烧存性，研末撒。

西瓜：内服适量，捣汁；或生食。

西瓜霜：内服煎汤，0.5 ~ 1.5 g。外用适量，研末吹敷。

西瓜子仁：内服煎汤，9 ~ 15 g；或生食；或炒熟。

西瓜子壳：内服煎汤，60 ~ 90 g。

葫芦科 Cucurbitaceae 黄瓜属 Cucumis

甜瓜 Cucumis melo L.

| **药 材 名** | 甜瓜根（药用部位：根）、穿肠草（药用部位：全草）、甜瓜茎（药用部位：茎）、甜瓜叶（药用部位：叶）、甜瓜花（药用部位：花）、甜瓜蒂（药用部位：果柄）、甜瓜（药用部位：果实。别名：梨瓜、甘瓜、香瓜）、甜瓜皮（药用部位：果皮）、甜瓜子（药用部位：种子）。

| **形态特征** | 一年生匍匐或攀缘草本。茎、枝有棱，密被白色或稍黄色糙硬毛。卷须纤细，单一。叶片厚纸质，近圆形或肾形，边缘不分裂或 3 ~ 7 浅裂，有锯齿，具掌状脉。花单性，雌雄同株；雄花数朵簇生于叶腋，花梗纤细，萼筒狭钟形，萼裂片近钻形，直立或开展，较萼筒短，花冠黄色，长 2 cm，花冠裂片卵状长圆形，先端急尖，雄蕊 3，

花丝极短，药室折曲，药隔先端伸长，退化雌蕊长约 1 mm；雌花单生，花梗粗糙，子房长椭圆形，花柱长 1～2 mm，柱头靠合，长约 2 mm。果实多形，通常呈球形或长椭圆形，果皮平滑，有纵沟纹或斑纹，无刺状突起，果肉白色、黄色或绿色，有香甜味；种子污白色或黄白色，卵形或长圆形，先端尖，基部钝，表面光滑，无边缘。花果期夏季。

| **生境分布** | 生于丘陵、岗地的草丛或灌丛中。湖南各地均有分布。

| **资源情况** | 野生资源丰富。栽培资源丰富。药材来源于栽培。

| **采收加工** | 甜瓜根：夏季采挖，洗净，晒干。

穿肠草：夏、秋季采收，鲜用或晒干。

甜瓜茎：夏季采收，晒干或鲜用。

甜瓜叶：夏季采收，鲜用或晒干。

甜瓜花：夏季花开时采收，晒干或鲜用。

甜瓜蒂：夏季采收成熟果实，食用时将切下的果柄收集，阴干或晒干。

甜瓜：7～8月果实成熟时采收，鲜用。

甜瓜皮：果实成熟时采收，削下果皮，晒干或鲜用。

甜瓜子：夏、秋季采收，阴干。

| **功能主治** | 甜瓜根：甘、苦，寒。祛风止痒。用于风热湿疮。

穿肠草：祛火败毒。痔疮肿痛，漏疮生管，脏毒滞热，流水刺痒。

甜瓜茎：苦、甘，寒。归肺、肝经。宣鼻窍，通经。用于鼻息肉，鼻塞，经闭。

甜瓜叶：甘，寒。祛瘀，消积，生发。用于跌打损伤，疳积，湿疮，疥癣，脱发。

甜瓜花：甘、苦，寒。理气，降逆，解毒。用于心痛，咳逆上气，疮毒。

甜瓜蒂：苦，寒；有毒。归脾、胃、肝经。涌吐痰食，除湿退黄。用于中风，癫痫，喉痹，痰涎壅盛，呼吸不利，宿食不化，胸脘胀痛，湿热黄疸。

甜瓜：甘，寒。归心、胃经。清暑热，解烦渴，利小便。用于暑热烦渴，小便不利，暑热下痢腹痛。

甜瓜皮：甘、微苦，寒。清暑热，解烦渴。用于暑热烦渴，牙痛。

甜瓜子：甘，寒。归肺、胃、大肠经。清肺，润肠，散结，消瘀。用于肺热咳嗽，口渴，大便燥结，肠痈，肺痈。

| **用法用量** | 甜瓜根：外用适量，煎汤洗。

穿肠草：外用适量，煎汤洗。

甜瓜茎：内服煎汤，9 ~ 15 g。外用适量，研末吹鼻；或熬膏涂搽。

甜瓜叶：内服煎汤，9 ~ 15 g。外用适量，捣敷；或捣汁涂。

甜瓜花：内服煎汤，3 ~ 9 g。外用适量，捣敷。

甜瓜蒂：内服煎汤，3 ~ 6 g；或入丸、散剂，0.3 ~ 1.5 g。外用适量，研末吹鼻。

甜瓜：内服适量，生食；或煎汤；或研末。

甜瓜皮：内服煎汤，3 ~ 9 g。外用适量，泡水漱口。

甜瓜子：内服煎汤，10 ~ 15 g；或研末，3 ~ 6 g。

葫芦科 Cucurbitaceae 黄瓜属 Cucumis

菜瓜
Cucumis melo L. var. *conomon* (Thunb.) makino

| 药 材 名 | 越瓜（药用部位：果实。别名：白瓜、生瓜、稍瓜）。

| 形态特征 | 果实长圆状圆柱形或近棒状，长 20 ~ 30（~ 50）cm，直径 6 ~ 10
（~ 15）cm，上部较下部略粗，两端圆形或稍呈截形，平滑无毛，
淡绿色，有纵线条；果肉白色或淡绿色，无香甜味。花果期夏季。

| 生境分布 | 生于丘陵、岗地的草丛中。湖南各地均有分布。

| 资源情况 | 野生资源一般。栽培资源丰富。药材来源于栽培。

| 采收加工 | 夏、秋季果实成熟时采收。

| 功能主治 | 甘，寒。归胃、小肠经。除烦热，生津液，利小便。用于烦热口渴，

小便不利，口疮。

| **用法用量** | 　内服适量，生食；或煮熟。外用适量，烧灰存性，研末调敷。

葫芦科 Cucurbitaceae 黄瓜属 Cucumis

黄瓜
Cucumis sativus L.

| 药 材 名 | 黄瓜根（药用部位：根）、黄瓜藤（药用部位：藤茎）、黄瓜叶（药用部位：叶）、黄瓜（药用部位：果实。别名：胡瓜、王瓜、刺瓜）、黄瓜皮（药用部位：果皮。别名：金衣）、黄瓜子（药用部位：种子。别名：哈力苏）、黄瓜霜（药材来源：果皮）。

| 形态特征 | 一年生蔓生或攀缘草本。茎、枝伸长，有棱沟，被白色糙硬毛。卷须细，不分歧。叶片宽卵状心形，膜质，长、宽均 7 ~ 20 cm，两面粗糙，被糙硬毛，3 ~ 5 角或浅裂，裂片三角形，有齿。雌雄同株；雄花常数朵簇生于叶腋，萼筒狭钟状或近圆筒状，长 8 ~ 10 mm，密被白色长柔毛，萼裂片钻形，开展，与萼筒近等长，花冠黄白色，长约 2 cm，花冠裂片长圆状披针形，先端急尖，雄蕊 3，花丝近无，

花药长 3 ～ 4 mm，药隔伸出，长约 1 mm；雌花单生，稀簇生，子房纺锤形，粗糙，有小刺状突起。果实长圆形或圆柱形，长 10 ～ 30（～ 50）cm，成熟时黄绿色，表面粗糙，有具刺尖的瘤状突起，极稀近平滑；种子小，狭卵形，白色，无边缘，两端近急尖，长 5 ～ 10 mm。花果期夏季。

| 生境分布 | 生于丘陵、岗地的草丛或灌丛中。湖南各地均有分布。

| 资源情况 | 野生资源一般。栽培资源丰富。药材来源于栽培。

| 采收加工 | 黄瓜根：夏、秋季采挖，洗净，切段，晒干或鲜用。

黄瓜藤：夏、秋季采收，晒干或鲜用。

黄瓜叶：夏、秋季采收，晒干或鲜用。

黄瓜：夏季采收，鲜用。

黄瓜皮：夏、秋季采收果实，削下果皮，晒干或鲜用。

黄瓜子：夏、秋季采收成熟果实，取出种子，洗净，晒干。

黄瓜霜：采收后刮去果瓤，将朱砂、芒硝各 9 g 和匀，灌入果实内，倒吊，阴干，待果皮外出霜，刮下，晒干。

| 功能主治 | 黄瓜根：苦、微甘，凉。归胃、大肠经。清热，利湿，解毒。用于胃热消渴，湿热泻痢，黄疸，疮疡肿毒，聤耳流脓。

黄瓜藤：苦，凉。归心、肺经。清热，化痰，利湿，解毒。用于痰热咳嗽，癫痫，湿热泻痢，湿痰流注，疮痈肿毒，高血压。

黄瓜叶：苦，寒。清湿热，消毒肿。用于湿热泻痢，无名肿毒，足癣。

黄瓜：甘，凉。归肺、脾、胃经。清热，利水，解毒。用于热病口渴，小便短赤，水肿尿少，烫火伤，紫白癜风，痱疮。

黄瓜皮：甘、淡，凉。清热，利水，通淋。用于水肿尿少，热结膀胱，小便淋痛。

黄瓜子：续筋接骨，祛风，消痰。用于骨折筋伤，风湿痹痛，老年痰喘。

黄瓜霜：甘、咸，凉。清热明目，消肿止痛。用于火眼赤痛，咽喉肿痛，口舌生疮，牙龈肿痛，跌打瘀肿。

| 用法用量 | 黄瓜根：内服煎汤，10 ~ 15 g，鲜品加倍；或入丸剂。外用适量，捣敷。

黄瓜藤：内服煎汤，15 ~ 30 g，鲜品加倍。外用适量，煎汤洗；或研末撒。

黄瓜叶：内服煎汤，10 ~ 15 g，鲜品加倍；或绞汁饮。外用适量，捣敷；或绞汁涂。

黄瓜：内服适量，煮熟；或生啖；或绞汁服。外用适量，生擦；或捣汁涂。

黄瓜皮：内服煎汤，10 ~ 15 g，鲜品加倍。

黄瓜子：内服研末，3 ~ 10 g；或入丸、散剂。外用适量，研末调敷。

黄瓜霜：外用适量，点眼；或吹喉；或撒布。

葫芦科 Cucurbitaceae 南瓜属 Cucurbita

笋瓜

Cucurbita maxima Duch. ex Lam.

| 药 材 名 | 笋瓜子（药用部位：种子。别名：番南瓜、蛮南瓜、北瓜）。

| 形态特征 | 一年生粗壮蔓生藤本。茎粗壮，圆柱状，具白色的短刚毛。叶柄
粗壮，圆柱形，密被短刚毛；叶片肾形或圆肾形，长 15 ~ 25 cm，
近全缘或仅具细锯齿，先端钝圆，基部心形，弯缺开张，叶两面有
短刚毛，叶脉在背面明显隆起。卷须粗壮，通常多歧。雌雄同株。
雄花单生，花梗有短柔毛；花萼筒钟形，裂片线状披针形，密被白
色短刚毛；花冠筒状，5 中裂，裂片卵圆形，先端钝，边缘折皱状，
向外反折，有 3 ~ 5 隆起的脉，中间 1 脉延伸至先端成尖头，脉
上有明显的短毛；雄蕊 3，花丝靠合，花药靠合，药室折曲；雌花
单生，子房卵圆形，花柱短，柱头 3，2 裂。果柄短，圆柱状，瓜蒂
不扩大或稍膨大；瓠果的形状和颜色因品种而异；种子丰满，扁压，

边缘钝或多少拱起。

| **生境分布** | 栽培于菜园。湖南各地均有栽培。

| **资源情况** | 栽培资源一般。药材来源于栽培。

| **功能主治** | 驱虫。

葫芦科 Cucurbitaceae 南瓜属 *Cucurbita*

南瓜 *Cucurbita moschata* (Duch. ex Lam.) Duch. ex Poiret

| 药 材 名 | 南瓜根（药用部位：根）、南瓜藤（药用部位：藤茎）、南瓜叶（药用部位：叶）、南瓜花（药用部位：花）、南瓜须（药用部位：卷须）、南瓜（药用部位：果实。别名：北瓜、番瓜、饭瓜）、南瓜瓤（药用部位：果瓤）、南瓜蒂（药用部位：果柄）、南瓜子（药用部位：种子）、盘肠草（药用部位：幼苗）。

| 形态特征 | 一年生蔓生草本。茎常节部生根，长 2 ~ 5 m。叶柄粗壮，长 8 ~ 19 cm；叶片宽卵形或卵圆形，质稍柔软，有 5 角或 5 浅裂，稀钝，长 12 ~ 25 cm，宽 20 ~ 30 cm，侧裂片较小，中间裂片较大，上面密被黄白色刚毛和茸毛，常有白斑，叶脉隆起。卷须稍粗壮，3 ~ 5 歧。雌雄同株；雄花单生，萼筒钟形，长 5 ~ 6 mm，萼裂片条形，

长 1 ~ 1.5 cm，上部扩大成叶状，花冠黄色，钟状，长 8 cm，直径 6 cm，5 中裂，裂片边缘反卷，具折皱，先端急尖，雄蕊 3，花丝腺体状，花药靠合，药室折曲；雌花单生，子房 1 室，花柱短，柱头 3，膨大，先端 2 裂。果柄粗壮，有棱和槽，长 5 ~ 7 cm，果蒂扩大成喇叭状，瓠果形状多样，外面常有数条纵沟或无；种子多数，长卵形或长圆形，灰白色，边缘薄。

| 生境分布 | 生于丘陵、岗地和低山的草丛或灌丛中。湖南各地均有分布。

| 资源情况 | 野生资源较少。栽培资源丰富。药材来源于栽培。

| 采收加工 | **南瓜根**：夏、秋季采挖，洗净，晒干或鲜用。

南瓜藤：夏、秋季采收。

南瓜叶：夏、秋采收，晒干或鲜用。

南瓜花：6 ~ 7 月花开时采收，鲜用或晒干。

南瓜须：夏、秋季采收，鲜用。

南瓜：夏、秋季果实成熟时采收，鲜用。

南瓜瓤：秋季采收成熟果实，取出果瓤，除去种子，鲜用。

南瓜蒂：秋季采收成熟果实，切取果柄，晒干。

南瓜子：夏、秋季采收成熟果实，取出种子，洗净，晒干。

盘肠草：秋后采收，晒干或鲜用。

| 功能主治 | **南瓜根**：甘、淡，平。归肝、膀胱经。利湿热，通乳汁。用于湿热淋证，黄疸，痢疾，乳汁不通。

南瓜藤：甘、苦，凉。归肝、胃、肺经。清肺，平肝，和胃，通络。用于肺痨低热，肝胃气痛，月经不调，火眼赤痛，烫火伤。

南瓜叶：甘、微苦，凉。清热，解暑，止血。用于暑热口渴，热痢，外伤出血。

南瓜花：甘，凉。清湿热，消肿毒。用于黄疸，痢疾，咳嗽，痈疽肿毒。

南瓜须：用于乳缩疼痛。

南瓜：甘，平。归肺、脾、胃经。解毒消肿。用于肺痈，哮证，痈肿，烫伤，毒蜂螫伤。

南瓜瓤：甘，凉。解毒，敛疮。用于痈肿疮毒，烫伤，创伤。

南瓜蒂：苦、微甘，平。解毒，利水，安胎。用于痈疽肿毒，疔疮，烫伤，疮溃不敛，水肿，腹水，胎动不安。

南瓜子：甘，平。归大肠经。杀虫，下乳，利水消肿。用于绦虫、蛔虫、血吸虫、钩虫、蛲虫病，产后手足浮肿，百日咳，痔疮。

盘肠草：甘、淡，温。归肝、胃经。祛风，止痛。用于盘肠气痛，惊风，感冒，风湿热。

| **用法用量** | **南瓜根：**内服煎汤，15～30 g，鲜品加倍。外用适量，磨汁涂；或研末调敷。

南瓜藤：内服煎汤，15～30 g；或切段取汁。外用适量，捣汁涂；或研末调敷。

南瓜叶：内服煎汤，10～15 g，鲜品加倍；或入散剂。外用适量，研末撒。

南瓜花：内服煎汤，9～15 g。外用适量，捣烂；或研末调敷。

南瓜须：内服适量。

南瓜：内服适量，蒸煮；或捣汁。外用适量，捣敷。

南瓜瓤：内服适量，捣汁。外用适量，捣敷。

南瓜蒂：内服煎汤，15～30 g；或研末。外用适量，研末调敷。

南瓜子：内服煎汤，30～60 g；或研末；或制成乳剂。外用适量，煎汤熏洗。

盘肠草：内服煎汤，3～10 g。外用适量，捣敷；或炒热熨。

葫芦科 Cucurbitaceae 南瓜属 Cucurbita

西葫芦 *Cucurbita pepo* L.

| 药 材 名 | 西葫芦（药用部位：果实）、西葫芦子（药用部位：种子）。

| 形态特征 | 一年生蔓生草本。茎有棱沟，有短刚毛和半透明的糙毛。叶柄粗壮，被短刚毛，长 6 ~ 9 cm；叶片质硬，挺立，三角形或卵状三角形，长 0.5 ~ 1 cm，宽 3 ~ 4 cm，上面深绿色，下面颜色较浅，叶脉在背面稍凸起，两面均有糙毛。卷须稍粗壮，具柔毛，多分歧。雌雄同株；雄花单生，花梗粗壮，有棱角，长 3 ~ 6 cm，被黄褐色短刚毛，萼筒有明显的 5 角，萼裂片线状披针形，花冠黄色，常向基部渐狭成钟状，长 5 cm，直径 3 cm，分裂至近中部，花冠裂片直立或稍扩展，先端锐尖，雄蕊 3，花丝长 15 mm，花药靠合，长 10 mm；雌花单生，子房卵形，1 室。果柄粗壮，有明显的棱沟，果蒂变粗或稍扩大，

不呈喇叭状，果实形状因品种而异；种子多数，卵形，白色，长约 20 mm，边缘拱起而钝。

| **生境分布** | 生于岗地。分布于湖南株洲（醴陵）、衡阳（衡南、雁峰）等。

| **资源情况** | 野生资源较少。栽培资源丰富。药材来源于栽培。

| **采收加工** | **西葫芦**：开花坐果 50 天后果实成熟时采收，存放于阴凉通风处。
西葫芦子：采收果实，取出种子，洗净种子表皮的黏液，立即脱水，在弱光下晾干，再置于通风干燥处阴干。

| **功能主治** | **西葫芦**：甘、微苦，平。用于咳嗽。
西葫芦子：驱虫。

| **用法用量** | **西葫芦**：内服煎汤，10 ~ 15 g。
西葫芦子：外用适量，研末涂抹。

葫芦科 Cucurbitaceae 绞股蓝属 Gynostemma

光叶绞股蓝

Gynostemma laxum (Wall.) Cogn.

| 药 材 名 | 光叶绞股蓝（药用部位：全草。别名：三叶绞股蓝）。

| 形态特征 | 攀缘草本。茎细弱，多分枝，具纵棱及槽，无毛或疏被微柔毛。叶纸质，鸟足状，具3小叶；叶柄长1.5 ～ 4 cm，具纵条纹，无毛；中央小叶片长圆状披针形，长5 ～ 10 cm，宽2 ～ 4 cm，侧生小叶片卵形，长4 ～ 7 cm，宽2 ～ 3.5 cm，无毛；小叶柄长5 ～ 7 mm，无毛或有时被短柔毛。雌雄异株；雄圆锥花序顶生或腋生，纤细，长5 ～ 30 cm，被短柔毛，侧枝短，基部具钻状披针形苞片，苞片长1 mm，被短柔毛，花梗丝状，长3 ～ 7 mm，小苞片钻状，细小，花萼5裂，萼裂片狭三角状卵形，长约0.5 mm，花冠黄绿色，5深裂，花冠裂片狭卵状披针形，长约1.5 mm，宽约0.5 mm，无毛，先端渐尖，

全缘，具 1 脉，雄蕊 5，花丝合生，花药着生于花丝先端；雌花序同雄花序，花冠裂片狭三角形，子房球形，直径约 1 mm，花柱 3，离生，先端 2 裂。浆果球形，直径 8 ～ 10 mm，黄绿色，无毛，不开裂；种子阔卵形，直径约 4 mm，淡灰色，压扁，先端略急尖，基部圆形，两面具乳突。花期 8 月，果期 8 ～ 9 月。

| **生境分布** | 生于中海拔地区的沟谷密林或石灰岩山地混交林中。分布于湖南娄底（新化）、常德（石门）等。

| **资源情况** | 野生资源丰富。栽培资源一般。药材来源于野生和栽培。

| **采收加工** | 夏、秋季采收，洗净，晒干。

| **功能主治** | 用于蛇咬伤。

| **用法用量** | 外用适量，研末涂抹。

葫芦科 Cucurbitaceae 绞股蓝属 Gynostemma

五柱绞股蓝 *Gynostemma pentagynum* Z. P. Wang

| 药 材 名 | 五柱绞股蓝（药用部位：全株）。

| 形态特征 | 草质藤本。茎攀缘，具纵棱及槽，被短柔毛。叶片纸质，鸟足状，具 7 ~ 9 小叶；叶柄长 4 ~ 8 cm，具纵条纹；小叶片菱状椭圆形或倒卵状披针形，中间小叶长 5 ~ 12 cm，宽 2 ~ 4.5 cm，侧生小叶先端钝，基部不等边，上面绿色，背面淡绿色，沿脉被长硬毛状柔毛，余无毛；小叶柄长约 1 cm。卷须 2 歧。雌雄异株；雄圆锥花序长 10 ~ 20 cm，直径约 5 cm，主轴、侧枝及花梗均被短柔毛，侧枝基部具线状苞片，苞片长 2 mm，花梗丝状，长约 4 mm，基部具线状小苞片，小苞片长约 0.7 mm，萼裂片 5，卵形，长 1 mm，宽 0.5 mm，先端急尖，花冠白色，5 深裂，花冠裂片狭卵状披针形，长约 2.5 mm，

宽 1 mm，具 1 脉，雄蕊 5，花丝合生，花药轮生于花丝先端，无退化雌蕊；雌花未见。浆果球形，直径 6 ～ 7 mm，黄绿色，无毛，果柄丝状，长 8 ～ 20 mm，先端稍增厚，无毛；种子扁心形，长、宽均 3 mm，厚约 1 mm，淡灰色至深褐色，边缘具齿及纵槽，两面具瘤状条纹。花期 8 月，果期 10 月。

| 生境分布 | 生于沟边、丛林中。分布于湖南怀化（通道）等。

| 资源情况 | 野生资源较少。药材来源于野生。

| 功能主治 | 清热解毒。

| 用法用量 | 内服煎汤，15 ～ 30 g。

葫芦科 Cucurbitaceae 绞股蓝属 Gynostemma

绞股蓝
Gynostemma pentaphyllum (Thunb.) Makino

| 药 材 名 | 七叶胆（药用部位：全株。别名：小苦药、公罗锅底、遍地生根）。

| 形态特征 | 草质攀缘藤本。茎细弱，具分枝，具纵棱及槽。叶膜质或纸质，鸟足状，具3～9小叶；小叶片卵状长圆形或披针形，上面深绿色，背面淡绿色，侧脉6～8对，在表面平坦，在背面凸起，细脉网状。卷须纤细，2歧。雌雄异株；雄圆锥花序多分枝，花梗丝状，基部具钻状小苞片，萼筒极短，5裂，萼裂片三角形，花冠淡绿色或白色，5深裂，具1脉，雄蕊5，花丝短，连合成柱状，花药着生于花丝先端；雌圆锥花序远较雄花序短小，花萼及花冠似雄花，子房球形，2～3室，花柱3，短而叉开，柱头2裂，具短小的退化雄蕊5。果实肉质，不裂，球形，直径5～6 mm，成熟后黑色，光滑无毛，内含倒垂的种子2；种子

卵状心形，直径约 4 mm，灰褐色或深褐色，先端钝，基部心形，压扁，两面具乳突状突起。花期 3 ～ 11 月，果期 4 ～ 12 月。

| **生境分布** | 生于山谷密林、山坡疏林、灌丛或路旁草丛中。湖南各地均有分布。

| **资源情况** | 野生资源丰富。栽培资源丰富。药材来源于野生和栽培。

| **采收加工** | 夏、秋季采收，洗净，晒干。

| **药材性状** | 本品干燥皱缩。茎纤细，灰棕色或暗棕色，表面具纵沟纹，被稀疏茸毛。叶湿润展开后为复叶，小叶膜质，通常 5 ～ 7，稀 9，叶柄长 2 ～ 4 cm，被糙毛，侧生小叶卵状长圆形或长圆状披针形，中央 1 小叶较大，长 4 ～ 12 cm，宽 1 ～ 3.5 cm，先端渐尖，基部楔形，两面被粗毛，叶缘有锯齿，齿尖具芒。果实圆球形，直径约 5 mm，果柄长 3 ～ 5 mm。味苦，具草腥气。

| **功能主治** | 苦、微甘，凉。归肺、脾、肾经。清热，补虚，解毒。用于体虚乏力，虚劳失精，白细胞减少症，高脂血症，病毒性肝炎，慢性胃肠炎，慢性支气管炎。

| **用法用量** | 内服煎汤，15 ～ 30 g；或研末，3 ～ 6 g；或代茶饮。外用适量，捣烂涂擦。

葫芦科 Cucurbitaceae 雪胆属 Hemsleya

雪胆

Hemsleya chinensis Cogn. ex Forbes et Hemsl.

药材名

雪胆（药用部位：块茎。别名：金龟莲、中华雪胆）。

形态特征

多年生攀缘草本。茎和小枝纤细；老枝平滑，近无毛。卷须线形，2歧。趾状复叶由5~9小叶组成；小叶片卵状披针形、矩圆状披针形或宽披针形，膜质，被短柔毛，上面深绿色，背面灰绿色。雌雄异株；雄花组成疏散聚伞总状花序或圆锥花序，花序轴及小枝线形，曲折，花梗发状，萼裂片5，卵形，先端急尖，反折，花冠橙红色，压干后呈黄褐色，花瓣反折围住花萼成灯笼状，花冠裂片矩圆形，雄蕊5，花丝短，花药卵形，1室；雌花组成稀疏总状花序，花序梗纤细，花萼、花冠同雄花，花较大，子房筒状，果期近无毛，花柱3，柱头2裂。果实矩圆状椭圆形，单生，基部渐狭，果柄略弯曲，近无毛，具纵棱9~10，花柱基高1.5~2 mm，先端近平截；种子黑褐色，近圆形，周围生狭的木栓质翅，边缘微皱，下端近平截，两面边缘密生小瘤突，中间部分小瘤突较稀疏。花期7~9月，果期9~11月。

| **生境分布** | 生于海拔 1 200 ～ 2 100 m 的杂木林下或林缘沟边。分布于湖南衡阳（衡阳）、邵阳（新宁）、常德（石门）、张家界（桑植）、益阳（安化）、永州（道县）等。

| **资源情况** | 野生资源较少。药材来源于野生。

| **药材性状** | 本品为形状不规则的或类圆形块片，稍卷曲，直径 3 ～ 10 cm，厚 4 ～ 8 mm，表面棕褐色或灰褐色，有的有凹陷的茎基痕，切面淡黄色或灰白色。质坚实，粉性。气微，味极苦。以切面色淡黄、质坚实、粉质多、味极苦者为佳。

| **功能主治** | 苦，寒；有小毒。归心、胃、大肠经。清热解毒，利湿消肿，止痛止血。用于咽喉肿痛，牙痛，目赤肿痛，胃痛，细菌性痢疾，肠炎，肝炎，尿路感染，前列腺炎，痔疮，宫颈柱状上片异位，痈肿疔疮，外伤出血。

| **用法用量** | 内服煎汤，6 ～ 9 g；或研末，0.5 ～ 1 g。外用适量，捣敷；或研末调敷。

葫芦科 Cucurbitaceae 雪胆属 Hemsleya

马铜铃

Hemsleya graciliflora (Harms) Cogn.

| 药 材 名 |

马铜铃（药用部位：块根）。

| 形态特征 |

多年生攀缘草本。小枝纤细，具棱槽，疏被微柔毛及细刺毛，老时近光滑无毛。卷须纤细，先端2歧。趾状复叶多为7小叶；小叶长圆状披针形至倒卵状披针形，长5～10 cm，宽2～3.5 cm，先端钝或短渐尖，基部楔形，边缘圆锯齿状，沿中脉及侧脉疏被细刺毛。雌雄异株。雄花：腋生成聚伞圆锥状花序，花序梗及分枝纤细，密被短柔毛，花梗丝状；花萼裂片三角形，自花冠裂片间伸出；花冠浅黄绿色，平展，裂片倒卵形，薄膜质，基部疏被细乳突；雄蕊5，花丝短。雌花：子房狭圆筒状，基部渐狭，花柱3，柱头2裂。果实筒状倒圆锥形；种子长圆形，稍扁平，周生木栓质翅，外有乳白色膜质边，先端浑圆或微凹，两侧较狭，基部中央微缺。

| 生境分布 |

生于海拔1 200～2 000 m的杂木林中。分布于湖南张家界（桑植、永定）、邵阳（新宁、城步）、株洲（炎陵）、娄底（新化）等。

| **资源情况** | 野生资源稀少。药材来源于野生。

| **功能主治** | 清热解毒，消肿止痛。

葫芦科 Cucurbitaceae 雪胆属 Hemsleya

蛇莲

Hemsleya sphaerocarpa Kuang et A. M. Lu

| 药 材 名 |

蛇莲（药用部位：块根。别名：粗茎罗锅底、锣锅底、曲莲）。

| 形态特征 |

草质藤本。茎和小枝纤细，疏被短柔毛，茎节处被毛较密。卷须纤细，先端 2 歧。趾状复叶多为 7 小叶；小叶片长圆状披针形或宽披针形，上面深绿色，背面灰绿色，被极短的疏柔毛，先端渐尖，基部渐狭，边缘圆锯齿状。雌雄异株；稀疏聚伞总状花序或圆锥花序，花序梗通常纤细，花梗发状；雄花萼筒短，萼裂片 5，卵状三角形，先端渐尖，花冠幅状，花冠裂片平展，宽卵形，先端渐尖，雄蕊 5，花丝极短，花药近圆形；雌花子房近球形，无毛，花柱 3，柱头 2 裂。果实圆球状，直径 2.5 ~ 3 cm，具 10 纵纹，先端 3 片裂；种子近圆形，双凸透镜状，直径 8 ~ 9 mm，周围生宽约 2 mm 的木栓质翅，具折皱，边缘密生细瘤突，中间部分细瘤突较疏。花期 5 ~ 9 月，果期 7 ~ 11 月。

| 生境分布 |

生于海拔 800 ~ 1 400 m 的阔叶林边或山谷疏林下。分布于湖南邵阳（新宁、城步、武冈）、常德（石门）、张家界（桑植）、永州（道县）等。

| **资源情况** | 野生资源较少。药材来源于野生。

| **采收加工** | 秋、冬季采挖，除去芦头及须根，洗净，切块，晒干或微火烘干。

| **功能主治** | 苦、涩，微寒；有小毒。健胃行气，解毒。用于消化不良，脘腹胀痛，咽喉肿痛，咳嗽，泻痢。

| **用法用量** | 内服研末，每次 0.6 ~ 1.5 g。

葫芦科 Cucurbitaceae 葫芦属 Lagenaria

葫芦

Lagenaria siceraria (Molina) Standl.

| 药 材 名 | 壶卢（药用部位：果实。别名：葫芦、葫芦瓜、瓠瓜）、壶卢子（药用部位：种子。别名：葫芦子）、陈壶卢瓢（药用部位：老熟果实或果壳。别名：旧壶卢瓢、葫芦壳、葫芦瓢）、壶卢秧（药用部位：茎、叶、花、须）。

| 形态特征 | 一年生攀缘草本。茎、枝具沟纹。叶柄纤细，先端有 2 腺体；叶片卵状心形或肾状卵形，不分裂或 3 ~ 5 裂，具 5 ~ 7 掌状脉。卷须纤细，上部分 2 歧。雌雄同株，雌、雄花均单生；雄花花梗细，较叶柄稍长，花梗、花萼、花冠均被微柔毛，萼筒漏斗状，萼裂片披针形，花冠黄色，花冠裂片皱波状，具 5 脉，雄蕊 3，药室折曲；雌花花梗较叶柄稍短或与叶柄近等长，花萼和花冠似雄花，子房中

间缢细，密生黏质长柔毛，花柱粗短，柱头 3，膨大，2 裂。果实初为绿色，后变白色至带黄色，果形变异很大，呈哑铃状、扁球形、棒状或构状，成熟后果皮变木质；种子白色，倒卵形或三角形，先端截形或 2 齿裂，稀圆形。花期夏季，果期秋季。

| 生境分布 | 生于丘陵、岗地、低山的草丛或灌丛中。湖南各地均有分布。

| 资源情况 | 野生资源一般。栽培资源丰富。药材来源于栽培。

| 采收加工 | **壶卢**：秋季采收已成熟但外皮尚未木质化的果实，除去果皮。
壶卢子：秋季采收成熟果实，切开，取出种子，洗净，晒干。
陈壶卢瓢：秋末冬初采收老熟果实，切开，除去瓢心、种子，打碎，晒干。
壶卢秧：夏、秋季采收，晒干。

| 功能主治 | **壶卢**：甘、淡，平。归肺、脾、肾经。利水，消肿，通淋，散结。用于水肿，腹水，黄疸，消渴，淋病，痈肿。
壶卢子：甘，平。清热解毒，消肿止痛。用于肺炎，肠痈，牙痛。
陈壶卢瓢：甘、苦，平。利水，消肿。用于水肿，臌胀。
壶卢秧：甘，平。解毒，散结。用于食物中毒，药物中毒，龋齿痛，鼠瘘，痢疾。

| 用法用量 | **壶卢**：内服煎汤，9 ~ 30 g；或煅存性，研末。
壶卢子：内服煎汤，9 ~ 15 g。
陈壶卢瓢：内服煎汤，10 ~ 30 g；或烧存性，研末。外用适量，烧存性，研末调敷。
壶卢秧：内服煎汤，6 ~ 30 g；或煅存性，研末。

葫芦科 Cucurbitaceae 葫芦属 *Lagenaria*

瓠瓜

Lagenaria siceraria (Molina) Standl. var. *depressa* (Ser.) H. Hara

| 药 材 名 | 壶卢（药用部位：果实。别名：葫芦、葫芦瓜、瓠瓜）、壶卢子（药用部位：种子。别名：葫芦子）、陈壶卢瓢（药用部位：老熟果实或果壳。别名：旧壶卢瓢、葫芦壳、葫芦瓢）、壶卢秧（药用部位：茎、叶、花、须）。

| 形态特征 | 一年生攀缘草本。茎、枝具沟纹。叶柄纤细，先端有 2 腺体；叶片卵状心形或肾状卵形，不分裂或 3 ~ 5 裂，具 5 ~ 7 掌状脉。卷须纤细，上部分 2 歧。雌雄同株，雌、雄花均单生；雄花花梗细，较叶柄稍长，花梗、花萼、花冠均被微柔毛，萼筒漏斗状，萼裂片披针形，花冠黄色，花冠裂片皱波状，具 5 脉，雄蕊 3，药室折曲；雌花花梗较叶柄稍短或与叶柄近等长，花萼和花冠似雄花，子房中

间缢细，密生黏质长柔毛，花柱粗短，柱头 3，膨大，2 裂。果实初为绿色，后变白色至带黄色，扁球形，直径约 30 cm，成熟后果皮变木质；种子白色，倒卵形或三角形，先端截形或 2 齿裂，稀圆形。花期夏季，果期秋季。

| 生境分布 | 生于丘陵、岗地、低山的草丛或灌丛中。湖南各地均有分布。

| 资源情况 | 野生资源丰富。栽培资源丰富。药材来源于栽培。

| 采收加工 | 壶卢：秋季采收已成熟但外皮尚未木质化的果实，除去果皮。

壶卢子：秋季采收成熟果实，切开，取出种子，洗净，晒干。

陈壶卢瓢：秋末冬初采收老熟果实，切开，除去瓢心、种子，打碎，晒干。

壶卢秧：夏、秋季采收，晒干。

| 功能主治 | 壶卢：甘、淡，平。归肺、脾、肾经。利水，消肿，通淋，散结。用于水肿，腹水，黄疸，消渴，淋病，痈肿。

壶卢子：甘，平。清热解毒，消肿止痛。用于肺炎，肠痈，牙痛。

陈壶卢瓢：甘、苦，平。利水，消肿。用于水肿，臌胀。

壶卢秧：甘，平。解毒，散结。用于食物中毒，药物中毒，龋齿痛，鼠瘘，痢疾。

| 用法用量 | 壶卢：内服煎汤，9 ～ 30 g；或煅存性，研末。

壶卢子：内服煎汤，9 ～ 15 g。

陈壶卢瓢：内服煎汤，10 ～ 30 g；或烧存性，研末。外用适量，烧存性，研末调敷。

壶卢秧：内服煎汤，6 ～ 30 g；或煅存性，研末。

葫芦科 Cucurbitaceae 葫芦属 Lagenaria

瓠子

Lagenaria siceraria (Molina) Standl. var. *hispida* (Thunb.) H. Hara

药材名

瓠子（药用部位：果实）、瓠子子（药用部位：种子）、蒲种壳（药用部位：果皮）。

形态特征

一年生攀缘草本。茎、枝具沟纹。叶柄纤细，长 16 ~ 20 cm，先端有 2 腺体；叶片卵状心形或肾状卵形，长、宽均 10 ~ 35 cm，不分裂或 3 ~ 5 裂，具 5 ~ 7 掌状脉，先端锐尖，边缘有不规则的齿，基部心形，弯缺开张，半圆形或近圆形，深 1 ~ 3 cm，宽 2 ~ 6 cm，两面均被微柔毛。卷须纤细，初时有微柔毛，后毛渐脱落，变光滑无毛，上部分 2 歧。雌雄同株，雌、雄花均单生；雄花花梗细，较叶柄稍长，萼筒漏斗状，长约 2 cm，萼裂片披针形，长 5 mm，花冠黄色，花冠裂片皱波状，长 3 ~ 4 cm，宽 2 ~ 3 cm，先端微缺而有小尖头，具 5 脉，雄蕊 3，花丝长 3 ~ 4 mm，花药长 8 ~ 10 mm，长圆形，药室折曲；雌花花梗较叶柄稍短或与叶柄近等长，花萼和花冠似雄花，萼筒长 2 ~ 3 mm，子房圆柱形，花柱粗短，柱头 3，膨大，2 裂。果实粗细匀称而呈圆柱状，直或稍弓曲，长 60 ~ 80 cm，绿白色，果肉白色。花期夏季，果期秋季。

| **生境分布** | 生于岗地。分布于湖南岳阳（临湘）、郴州（安仁）、怀化（新晃）等。

| **资源情况** | 野生资源稀少。栽培资源丰富。药材来源于栽培。

| **采收加工** | **瓠子**：夏、秋季果实成熟时采收，鲜用或晒干。

瓠子子：秋季采收成熟果实，取出种子，洗净，晒干。

蒲种壳：立秋至白露间采收老熟果实，除去种子，晒干。

| **功能主治** | **瓠子**：甘，平。利水，消肿，清热，止渴，除烦。用于腹胀，面目、四肢水肿，小便不通。

瓠子子：解毒，活血，辟秽。用于疫瘴，棒疮，咽喉肿痛。

蒲种壳：苦、淡，寒。利水消肿。用于四肢浮肿，小便不通。

| **用法用量** | **瓠子**：内服煎汤，鲜品 60 ~ 120 g；或烧存性，研末。外用适量，烧存性，研末调敷。

瓠子子：内服煎汤，3 ~ 9 g。外用适量，煎汤擦浴。

蒲种壳：内服煎汤，12 ~ 15 g。

葫芦科 Cucurbitaceae 丝瓜属 Luffa

广东丝瓜

Luffa acutangula (L.) Roxb.

| 药 材 名 | 丝瓜（药用部位：果实。别名：天丝瓜、天罗、蛮瓜）、丝瓜络（药用部位：成熟果实的维管束。别名：天萝筋、丝瓜网、瓜络）、丝瓜子（药用部位：种子。别名：乌牛子）、丝瓜皮（药用部位：果皮）、丝瓜蒂（药用部位：瓜蒂。别名：甜丝瓜蒂）、丝瓜花（药用部位：花）、丝瓜叶（药用部位：叶片。别名：虞刺叶）、丝瓜藤（药用部位：茎）、天罗水（药用部位：茎中的汁液。别名：丝瓜水）、丝瓜根（药用部位：根）。

| 形态特征 | 一年生草质攀缘藤本。茎稍粗壮，具明显的棱角。卷须粗壮，常3歧。叶柄粗壮；叶片近圆形，膜质，常5～7浅裂，中间裂片宽三角形。雌雄同株；雄花通常17～20生于总梗先端，呈总状花序，萼筒钟

形，萼裂片披针形，先端渐尖，稍向外反折，具 1 脉，基部有 3 明显的瘤状突起，花冠黄色，辐状，花冠裂片倒心形，先端凹陷，外面具 3 隆起的脉，雄蕊 3，离生，其中 1 雄蕊 1 室，2 雄蕊 2 室，药室 2 回折曲；雌花单生，与雄花序生于同一叶腋，子房棍棒状，具 10 纵棱，花柱粗而短，柱头 3，膨大，2 裂。果实圆柱状或棍棒状，具 8 ~ 10 纵向的锐棱和沟，无瘤状突起，无毛；种子卵形，黑色，有网状纹饰，无狭翼状边缘，基部 2 浅裂。花果期夏、秋季。

| 生境分布 | 生于丘陵、岗地、中山、低山的草丛或灌丛中。湖南各地均有分布。

| 资源情况 | 野生资源丰富。药材来源于野生。

| 采收加工 | **丝瓜**：鲜嫩果实于夏、秋季间采收，鲜用；老熟果实于秋后采收，晒干。

丝瓜络：秋季果实成熟、果皮变黄、内部干枯时采收果实，搓去果皮及果肉，或用水浸泡至果皮和果肉腐烂，取出，洗净，除去种子，晒干。

丝瓜子：秋季采收成熟果实，在采制丝瓜络时收集种子，晒干。

丝瓜皮：夏、秋季间采收果实，削下果皮，鲜用或晒干。

丝瓜蒂：夏、秋季间采收果实，收集瓜蒂，鲜用或晒干。

丝瓜花：夏季花开时采收，晒干或鲜用。

丝瓜叶：夏、秋季采收，晒干或鲜用。

丝瓜藤：夏、秋季采收，洗净，鲜用或晒干。

天罗水：夏、秋季采收地上茎，切段，将切口插入瓶中，放置一昼夜，即得。

丝瓜根：夏、秋季采挖，洗净，鲜用或晒干。

| 功能主治 | **丝瓜**：甘，凉。归肺、肝、胃、大肠经。清热化痰，凉血解毒。用于热病身热烦渴，咳嗽痰喘，肠风下血，痔疮出血，血淋，崩漏，痈疽疮疡，乳汁不通，无名肿毒，水肿。

丝瓜络：甘，凉。归肺、肝、胃经。通经活络，解毒消肿。用于胸胁疼痛，风湿痹病，经脉拘挛，乳汁不通，肺热咳嗽，痈肿疮毒，乳痈。

丝瓜子：苦，寒。清热，利水，通便，驱虫。用于水肿，石淋，肺热咳嗽，肠风下血，痔漏，便秘，蛔虫病。

丝瓜皮：甘，凉。清热解毒。用于金疮，痈肿，疔疮，坐板疮。

丝瓜蒂：苦，微寒。清热解毒，化痰定惊。用于痘疮不起，咽喉肿痛，癫狂，痛证。

丝瓜花：甘、微苦，寒。清热解毒，化痰止咳。用于肺热咳嗽，咽痛，鼻窦炎，疔疮肿毒，痔疮。

丝瓜叶：苦，微寒。清热解毒，止血，祛暑。用于痈疽，疔肿，疮癣，蛇咬伤，烫火伤，咽喉肿痛，创伤出血，暑热烦渴。

丝瓜藤：苦，微寒。归心、脾、肾经。舒筋活血，止咳化痰，解毒杀虫。用于腰膝酸痛，肢体麻木，月经不调，咳嗽痰多，鼻渊，牙宣，龋齿。

天罗水：甘、微苦，微寒。清热解毒，止咳化痰。用于肺痈，肺痿，咳喘，肺痨，夏令皮肤疮疹，痤疮，烫伤。

丝瓜根：甘、微苦，寒。活血通络，清热解毒。用于偏头痛，腰痛，乳腺炎，鼻炎，鼻窦炎，喉风，肠风下血，痔漏。

| **用法用量** | 丝瓜：内服煎汤，9 ~ 15 g，鲜品 60 ~ 120 g；或烧存性，研末，每次 3 ~ 9 g。外用适量，捣汁涂；或捣敷；或研末调敷。

丝瓜络：内服煎汤，5 ~ 15 g；或烧存性，研末，每次 1.5 ~ 3 g。外用适量，煅存性，研末调敷。

丝瓜子：内服煎汤，6 ~ 9 g；或炒焦研末。外用适量，研末调敷。

丝瓜皮：内服煎汤，9 ~ 15 g；或入散剂。外用适量，研末调敷；或捣敷。

丝瓜蒂：内服煎汤，1 ~ 3 g；或入散剂。外用适量，研末吹喉或搐鼻。

丝瓜花：内服煎汤，6 ~ 9 g。外用适量，捣敷。

丝瓜叶：内服煎汤，6 ~ 15 g，鲜品 15 ~ 60 g；或捣汁；或研末。外用适量，煎汤洗；或捣敷；或研末调敷。

丝瓜藤：内服煎汤，30 ~ 60 g；或烧存性，研末，每次 3 ~ 6 g。外用适量，煅存性，研末调敷。

天罗水：内服煎汤，50 ~ 100 ml。外用适量，涂搽；或洗。

丝瓜根：内服煎汤，3 ~ 9 g，鲜品 30 ~ 60 g；或烧存性，研末。外用适量，煎汤洗；或捣汁涂。

丝瓜 *Luffa cylindrica* (L.) Roem.

| 药 材 名 | 丝瓜（药用部位：果实。别名：天丝瓜、天罗、蛮瓜）、丝瓜络（药用部位：成熟果实的维管束。别名：天萝筋、丝瓜网、瓜络）、丝瓜子（药用部位：种子。别名：乌牛子）、丝瓜皮（药用部位：果皮）、丝瓜蒂（药用部位：瓜蒂。别名：甜丝瓜蒂）、丝瓜花（药用部位：花）、丝瓜叶（药用部位：叶片。别名：虞刺叶）、丝瓜藤（药用部位：茎）、天罗水（药用部位：茎中的汁液。别名：丝瓜水）、丝瓜根（药用部位：根）。

| 形态特征 | 一年生攀缘藤本。茎、枝粗糙，有棱沟。卷须稍粗壮，通常 2 ～ 4 歧。叶片三角形或近圆形，通常掌状 5 ～ 7 裂。雌雄同株；雄花通常 15 ～ 20 花生于总状花序上部，花序梗稍粗壮，萼筒宽钟形，萼

裂片卵状披针形或近三角形，上端向外反折，里面密被短柔毛，先端渐尖，具3 脉，花冠黄色，辐状，花冠裂片长圆形，外面具 3 ~ 5 凸起的脉，先端钝圆，基部狭窄，雄蕊通常 5，稀 3，药室多回折曲；雌花单生，子房长圆柱状，有柔毛，柱头 3，膨大。果实圆柱状，直或稍弯，长 15 ~ 30 cm，直径 5 ~ 8 cm，表面平滑，通常有深色纵条纹，未熟时肉质，成熟后干燥，里面呈网状纤维，自先端盖裂；种子多数，黑色，卵形，扁，平滑，边缘狭翼状。花果期夏、秋季。

| 生境分布 | 生于丘陵、岗地、中山、低山的草丛或灌丛中。湖南各地均有分布。

| 资源情况 | 野生资源一般。栽培资源丰富。药材来源于栽培。

| 采收加工 | **丝瓜：**鲜嫩果实于夏、秋季间采收，鲜用；老熟果实于秋后采收，晒干。

丝瓜络：秋季果实成熟、果皮变黄、内部干枯时采收果实，搓去果皮及果肉，或用水浸泡至果皮和果肉腐烂，取出，洗净，除去种子，晒干。

丝瓜子：秋季采收成熟果实，在采制丝瓜络时收集种子，晒干。

丝瓜皮：夏、秋季间采收果实，削下果皮，鲜用或晒干。

丝瓜蒂：夏、秋季间采收果实，收集瓜蒂，鲜用或晒干。

丝瓜花：夏季花开时采收，晒干或鲜用。

丝瓜叶：夏、秋季采收，晒干或鲜用。

丝瓜藤：夏、秋季采收，洗净，鲜用或晒干。

天罗水：夏、秋季采收地上茎，切段，将切口插入瓶中，放置一昼夜，即得。

丝瓜根：夏、秋季采挖，洗净，鲜用或晒干。

| 功能主治 | **丝瓜：**甘，凉。归肺、肝、胃、大肠经。清热化痰，凉血解毒。用于热病身热烦渴，咳嗽痰喘，肠风下血，痔疮出血，血淋，崩漏，痈疽疮疡，乳汁不通，无名肿毒，水肿。

丝瓜络：甘，凉。归肺、肝、胃经。通经活络，解毒消肿。用于胸胁疼痛，风湿痹病，经脉拘挛，乳汁不通，肺热咳嗽，痈肿疮毒，乳痈。

丝瓜子：苦，寒。清热，利水，通便，驱虫。用于水肿，石淋，肺热咳嗽，肠风下血，痔漏，便秘，蛔虫病。

丝瓜皮：甘，凉。清热解毒。用于金疮，痈肿，疔疮，坐板疮。

丝瓜蒂：苦，微寒。清热解毒，化痰定惊。用于痘疮不起，咽喉肿痛，癫狂，痛证。

丝瓜花：甘、微苦，寒。清热解毒，化痰止咳。用于肺热咳嗽，咽痛，鼻窦炎，疔疮肿毒，痔疮。

丝瓜叶：苦，微寒。清热解毒，止血，祛暑。用于痈疽，疔肿，疮癣，蛇咬伤，烫火伤，咽喉肿痛，创伤出血，暑热烦渴。

丝瓜藤：苦，微寒。归心、脾、肾经。舒筋活血，止咳化痰，解毒杀虫。用于腰膝酸痛，肢体麻木，月经不调，咳嗽痰多，鼻渊，牙宣，龋齿。

天罗水：甘、微苦，微寒。清热解毒，止咳化痰。用于肺痈，肺痿，咳喘，肺痨，夏令皮肤疮疹，痤疮，烫伤。

丝瓜根：甘、微苦，寒。活血通络，清热解毒。用于偏头痛，腰痛，乳腺炎，鼻炎，鼻窦炎，喉风，肠风下血，痔漏。

| 用法用量 |　丝瓜：内服煎汤，9～15 g，鲜品60～120 g；或烧存性，研末，每次3～9 g。外用适量，捣汁涂；或捣敷；或研末调敷。

丝瓜络：内服煎汤，5～15 g；或烧存性，研末，每次1.5～3 g。外用适量，煅存性，研末调敷。

丝瓜子：内服煎汤，6～9 g；或炒焦研末。外用适量，研末调敷。

丝瓜皮：内服煎汤，9～15 g；或入散剂。外用适量，研末调敷；或捣敷。

丝瓜蒂：内服煎汤，1～3 g；或入散剂。外用适量，研末吹喉或搐鼻。

丝瓜花：内服煎汤，6～9 g。外用适量，捣敷。

丝瓜叶：内服煎汤，6～15 g，鲜品15～60 g；或捣汁；或研末。外用适量，煎汤洗；或捣敷；或研末调敷。

丝瓜藤：内服煎汤，30～60 g；或烧存性，研末，每次3～6 g。外用适量，煅存性，研末调敷。

天罗水：内服煎汤，50～100 ml。外用适量，涂搽；或洗。

丝瓜根：内服煎汤，3～9 g，鲜品30～60 g；或烧存性，研末。外用适量，煎汤洗；或捣汁涂。

| 附　注 |　本种的拉丁学名在FOC中被修订为 *Luffa aegyptiaca* Mill.。

葫芦科 Cucurbitaceae 苦瓜属 Momordica

苦瓜 *Momordica charantia* L.

| 药 材 名 | 苦瓜（药用部位：果实。别名：锦荔枝、红姑娘、凉瓜）、苦瓜子（药用部位：种子）、苦瓜花（药用部位：花）、苦瓜叶（药用部位：叶）、苦瓜藤（药用部位：茎）、苦瓜根（药用部位：根）。

| 形态特征 | 一年生攀缘柔弱草本，多分枝。卷须纤细，不分歧。叶柄细；叶片卵状肾形或近圆形，膜质，长、宽均 4 ~ 12 cm，上面绿色，背面淡绿色，5 ~ 7 深裂，裂片卵状长圆形，叶脉掌状。雌雄同株；雄花单生于叶腋，花梗纤细，长 3 ~ 7 cm，中部或下部具 1 苞片，苞片绿色，肾形或圆形，全缘，长、宽均 5 ~ 15 mm，萼裂片卵状披针形，长 4 ~ 6 mm，宽 2 ~ 3 mm，先端急尖，花冠黄色，长 1.5 ~ 2 cm，宽 0.8 ~ 1.2 cm，雄蕊 3，离生，药室 2 回折曲；雌花单生，花梗被

微柔毛，长 10 ~ 12 cm，基部常具 1 苞片，子房纺锤形，密生瘤状突起，柱头 3，膨大，2 裂。果实纺锤形或圆柱形，多瘤皱，长 10 ~ 20 cm，成熟后橙黄色，自先端 3 瓣裂；种子多数，长圆形，具红色假种皮，两端各具 3 小齿，两面有刻纹，长 1.5 ~ 2 cm，宽 1 ~ 1.5 cm。花果期 5 ~ 10 月。

| **生境分布** | 生于丘陵、岗地、低山的草丛和灌丛中。湖南各地均有分布。

| **资源情况** | 野生资源一般。栽培资源丰富。药材来源于栽培。

| **功能主治** | **苦瓜**：苦，寒。归心、脾、肺经。祛暑涤热，明目，解毒。用于暑热烦渴，消渴，赤眼疼痛，痢疾，疮痈肿毒。

苦瓜子：苦、甘，温。温补肾阳。用于肾阳不足，小便频数，遗尿，遗精，阳痿。

苦瓜花：苦，寒。清热解毒，和胃。用于痢疾，胃气痛。

苦瓜叶：苦，凉。清热解毒。用于疮痈肿毒，梅毒，痢疾。

苦瓜藤：苦，寒。清热解毒。用于痢疾，疮痈肿毒，胎毒，牙痛。

苦瓜根：苦，寒。清湿热，解毒。用于湿热泻痢，便血，疔疮肿毒，风火牙痛。

| **用法用量** | **苦瓜**：内服煎汤，6 ~ 15 g，鲜品 30 ~ 60 g；或煅存性，研末。外用适量，鲜品捣敷；或取汁涂。

苦瓜子：内服煎汤，9 ~ 15 g。

苦瓜花：内服煎汤，6 ~ 9 g；或焙焦研末入散剂。

苦瓜叶：内服煎汤，10 ~ 15 g，鲜品 30 ~ 60 g；或研末。外用适量，煎汤洗；或捣敷；或捣汁涂。

苦瓜藤：内服煎汤，3 ~ 12 g。外用适量，煎汤洗；或捣敷。

苦瓜根：内服煎汤，10 ~ 15 g，鲜品 30 ~ 60 g。外用适量，煎汤洗；或捣敷。

木鳖子
Momordica cochinchinensis (Lour.) Spreng.

| 药 材 名 | 木鳖子（药用部位：种子。别名：木蟹、土木鳖、壳木鳖）、木鳖子根（药用部位：块根）。

| 形态特征 | 粗壮大藤本，长达 15 m，具块根，全株近无毛或稍被短柔毛。叶柄粗壮，长 5 ~ 10 cm，基部或中部有 2 ~ 4 腺体；叶片卵状心形或宽卵状圆形，质稍硬，长、宽均 10 ~ 20 cm，3 ~ 5 中裂至深裂或不分裂，叶脉掌状。卷须颇粗壮，不分歧。雌雄异株；雄花单生于叶腋或有时 3 ~ 4 花着生于极短的总状花序轴上，花梗粗壮，长 3 ~ 5 cm，若单生，则花梗长 6 ~ 12 cm，先端生 1 大型苞片，苞片无梗，兜状，圆肾形，长 3 ~ 5 cm，宽 5 ~ 8 cm，萼筒漏斗状，萼裂片宽披针形或长圆形，长 12 ~ 20 mm，宽 6 ~ 8 mm，花冠黄

色，花冠裂片卵状长圆形，长 5 ~ 6 cm，宽 2 ~ 3 cm，先端急尖或渐尖，基部有齿状黄色腺体，外面 2 腺体稍大，内面 3 腺体稍小，基部有黑斑，雄蕊 3，2 雄蕊 2 室，1 雄蕊 1 室，药室 1 回折曲；雌花单生于叶腋，花梗长 5 ~ 10 cm，近中部生 1 苞片，苞片兜状，长、宽均为 2 mm，花冠、花萼同雄花，子房卵状长圆形，长约 1 cm，密生刺状毛。果实卵球形，先端有 1 短喙，基部近圆形，长 12 ~ 15 cm，成熟时红色，肉质，密生长 3 ~ 4 mm 的具刺尖的突起；种子多数，卵形或方形，干后黑褐色，长 26 ~ 28 mm，宽 18 ~ 20 mm，厚 5 ~ 6 mm，边缘有齿，两面稍拱起，具雕纹。花期 6 ~ 8 月，果期 8 ~ 10 月。

| **生境分布** | 生于海拔 450 ~ 1 100 m 的山沟、林缘及路旁。湖南各地均有分布。

| **资源情况** | 野生资源丰富。药材来源于野生。

| **采收加工** | 木鳖子：冬初采收果实，沤烂果肉，洗净种子，晒干。
木鳖子根：夏、秋季采挖，洗净泥土，切段，鲜用或晒干。

| **药材性状** | 木鳖子：本品呈扁平圆板状或略三角状，两侧多少不对称，中间稍隆起或微凹下，厚约 5 mm。表面灰棕色至棕黑色，粗糙，有凹陷的网状花纹或仅有细皱纹。周边有数十个排列不规则的粗齿，有时呈波状，种脐端稍窄缩，近长方形。外壳质硬而脆，内种皮甚薄，其内为 2 肥大的子叶，黄白色，富油质。有特殊的油腻气，味苦。以饱满、外壳无破裂、种仁色黄白者为佳。
木鳖子根：本品极粗壮，直径 8 ~ 18 cm，带皮者表面浅棕黄色，微粗糙，有较密的椭圆形皮孔，去皮者表面色稍浅，断面浅黄灰色，质较松，粉性甚差，纤维较多。横断面韧皮部有多层横向层纹，木部有较密的棕黄色导管小孔。味苦。

| **功能主治** | 木鳖子：苦、甘，温；有毒。归肝、脾、胃经。消肿散结，解毒，追风止痛。用于痈肿，疔疮，无名肿毒，痔疮，疮癣，粉刺，乳腺炎，淋巴结结核，痢疾，风湿痹痛，筋脉拘挛，牙龈肿痛。
木鳖子根：苦、微甘，寒。解毒，消肿，止痛。用于痈疮疔毒，无名肿毒，淋巴结炎。

| **用法用量** | 木鳖子：内服煎汤，0.6 ~ 1.2 g；或入丸、散剂。外用适量，研末调醋敷；或磨汁涂；或煎汤熏洗。
木鳖子根：外用适量，捣敷。

葫芦科 Cucurbitaceae 裂瓜属 Schizopepon

湖北裂瓜
Schizopepon dioicus Cogn. ex Oliv.

| 药 材 名 | 湖北裂瓜（药用部位：根、茎。别名：毛水瓜蔓、毛瓜、裂瓜）。

| 形态特征 | 一年生攀缘草本。卷须纤细，2 歧。叶片膜质，宽卵状心形或阔卵形，长 5 ~ 9 cm，宽 3 ~ 7 cm，通常每边有 2 ~ 3 三角形裂片，稀波状，边缘具锯齿，先端渐尖，基部弯缺宽，半圆形，掌状 5 ~ 7 脉，叶面粗糙，布有疣状突起。雌雄异株。雄花生于总状花序上，花序轴纤细；花梗丝状；花萼裂片线状钻形或狭披针形；花冠辐状，白色，裂片披针形或长圆状披针形，具 1 脉；雄蕊 3，花丝合生，花药离生或仅在基部合生，药隔不伸出。雌花在叶腋内单生或少数聚生在短缩的总梗上端；子房卵形，先端短渐尖，3 室，每室具一着生于先端的下垂胚珠，花柱 3 裂，柱头稍膨大，2 裂。果实阔卵形，表面常布有稀疏的疣状突起，成熟时淡褐色，自先端 3 瓣裂，通常

由于 1 胚珠不育而仅具 2 种子；种子卵形，成熟时淡褐色。

| **生境分布** | 生于海拔 1 000 ～ 2 000 m 的林下、山沟草丛及山坡路旁。分布于湖南张家界（桑植）、衡阳（衡山）、湘西州（古丈、龙山）等。

| **资源情况** | 野生资源稀少。药材来源于野生。

| **功能主治** | 清热解毒，祛风除湿。

葫芦科 Cucurbitaceae 佛手瓜属 Sechium

佛手瓜
Sechium edule (Jacq.) Swartz

| 药 材 名 | 佛手瓜（药用部位：叶、果实。别名：洋丝瓜）。

| 形态特征 | 多年生宿根草质藤本，具块根。茎攀缘或人工架生，有棱沟。叶片膜质，近圆形，浅裂，上面深绿色，稍粗糙，背面淡绿色，有短柔毛，脉上毛较密。卷须 3 ~ 5 歧。雌雄同株；雄花生于长 8 ~ 30 cm 的总花梗上部成总状花序，萼筒短，萼裂片展开，近无毛，花冠辐状，分裂至基部，花冠裂片卵状披针形，具 5 脉，雄蕊 3，花丝合生，花药分离，药室折曲；雌花单生，花冠与花萼同雄花，子房倒卵形，具 5 棱，有疏毛，1 室。果实淡绿色，倒卵形，有稀疏短硬毛，长 8 ~ 12 cm，直径 6 ~ 8 cm，上部有 5 纵沟，具 1 种子；种子大型，长达 10 cm，宽 7 cm，卵形，压扁。花期 7 ~ 9 月，果期 8 ~ 10 月。

| **生境分布** | 生于岗地、丘陵、低山的草丛和灌丛中。分布于湖南株洲（醴陵）、湘潭（湘潭）、衡阳（衡山）、邵阳（武冈）、常德（武陵）、郴州（北湖、宜章、汝城）、怀化（鹤城、新晃、通道、溆浦）、娄底（娄星）、长沙（浏阳）等。 |

| **资源情况** | 野生资源较丰富。药材来源于野生。 |

| **功能主治** | 叶，用于疮疡肿毒。果实，健脾消食，行气止痛。用于胃痛，消化不良。 |

| **用法用量** | 内服煎汤，叶 9 ~ 15 g，果实 10 ~ 15 g。 |

葛蒻科 Cucurbitaceae 罗汉果属 Siraitia

罗汉果

Siraitia grosvenorii (Swingle) C. Jeffrey ex Lu et Z. Y. Zhang

| 药 材 名 | 罗汉果（药用部位：果实。别名：拉汉果、假苦瓜、金不换）、罗汉果叶（药用部位：叶）、罗汉果根（药用部位：根）。

| 形态特征 | 攀缘草本。根多年生，肥大，纺锤形或近球形。茎、枝稍粗壮，有棱沟，初被黄褐色柔毛和黑色疣状腺鳞，后毛渐脱落至近无毛。叶片膜质，卵状心形、三角状卵形或阔卵状心形，长12～23 cm，宽5～17 cm，表面绿色，背面淡绿色。卷须2歧。雌雄异株；雄花序总状，6～10花生于花序轴上部，萼筒宽钟状，喉部常具3长圆形膜质鳞片，萼裂片5，三角形，花冠黄色，被黑色腺点，花冠裂片5，长圆形，雄蕊5，插生于筒近基部，两两基部靠合，1雄蕊分离，花药1室，长约3 mm，药室呈"S"形折曲；雌花单生或2～5花集生于长6～8 cm

的总梗先端,总梗粗壮,花萼和花冠较雄花大。果实球形或长圆形,长 6 ~ 11 cm,直径 4 ~ 8 cm,初时密生黄褐色茸毛和混生黑色腺鳞,老后仅在果柄着生处残存一圈茸毛,果皮较薄,干后易脆;种子多数,淡黄色,近圆形或阔卵形,压扁,长 15 ~ 18 mm,宽 10 ~ 12 mm,基部钝圆,先端稍变狭,两面中央稍凹陷,周围有放射状沟纹,边缘有微波状缘檐。花期 5 ~ 7 月,果期 7 ~ 9 月。

| 生境分布 | 生于海拔 400 ~ 1 400 m 的山坡林下、河边湿地、灌丛中。分布于湖南邵阳(武冈)、常德(桃源)、郴州(嘉禾、临武、汝城)、永州(双牌、江永)、怀化(辰溪、通道)等。

| 资源情况 | 野生资源丰富。栽培资源丰富。药材来源于野生和栽培。

| 采收加工 | **罗汉果:** 9 ~ 10 月果实成熟时采收,置地板上 8 ~ 10 天,果皮由青绿色转黄色,烘炕 5 ~ 6 天,叩之有声时,即成干燥果实,刷毛,存放于干燥处。

罗汉果叶: 夏季采收,鲜用或晒干。

罗汉果根: 夏、秋季采挖,洗净,鲜用或晒干。

| 功能主治 | **罗汉果:** 甘,凉。归肺、脾经。清肺利咽,化痰止咳,润肠通便。用于肺热咳嗽,痰火咳嗽,咽喉炎,扁桃体炎,急性胃炎,便秘。

罗汉果叶: 解毒,止痒。用于疮毒,痈肿,顽癣,慢性咽炎,慢性支气管炎。

罗汉果根: 利湿止泻,舒筋。用于腹泻,舌变形增大,脑膜炎后遗症。

| 用法用量 | **罗汉果:** 内服煎汤,15 ~ 30 g;或炖肉;或代茶饮。

罗汉果叶: 内服煎汤,6 ~ 15 g。外用适量,捣敷;或研末以醋调敷。

罗汉果根: 内服煎汤,9 ~ 15 g;或研末;或与猪脑蒸。

葫芦科 Cucurbitaceae 茅瓜属 Solena

茅瓜
Solena amplexicaulis (Lam.) Gandhi.

| 药 材 名 | 茅瓜（药用部位：果实。别名：解毒草、老鼠瓜、山熊胆）、茅瓜叶（药用部位：叶）。

| 形态特征 | 攀缘草本。块根纺锤状，直径 1.5 ~ 2 cm。茎、枝柔弱，无毛，具沟纹。叶柄长 0.5 ~ 1 cm；叶片薄革质，形状变异极大，不分裂或 3 ~ 5 裂，长 8 ~ 12 cm，宽 1 ~ 5 cm，上面深绿色，背面灰绿色，叶脉凸起，近无毛。卷须不分歧。雌雄异株；雄花 10 ~ 20 生于花序梗先端，呈伞房状花序，花极小，花梗长 2 ~ 8 mm，萼筒钟状，基部圆形，长 5 mm，直径 3 mm，萼裂片近钻形，长 0.2 ~ 0.3 mm，花冠黄色，花冠裂片三角形，长 1.5 mm，雄蕊 3，分离，着生于萼筒基部，花丝长约 3 mm，花药近圆形，长 1.3 mm，药室弧状弓曲；雌花单生

于叶腋，花梗长 5 ~ 10 mm，子房卵形，长 2.5 ~ 3.5 mm，直径 2 ~ 3 mm，柱头 3。果实红褐色，长圆状或近球形，长 2 ~ 6 cm，直径 2 ~ 5 cm，表面近平滑。种子数枚，灰白色，近圆球形或倒卵形，长 5 ~ 7 mm，直径 5 mm，边缘不拱起，表面光滑无毛。花期 5 ~ 8 月，果期 8 ~ 11 月。

| 生境分布 | 生于山坡路旁、林下、杂木林中或灌丛中。分布于湖南株洲（攸县）、邵阳（武冈）、永州（江永）、张家界（桑植）、怀化（溆浦）等。

| 资源情况 | 野生资源较少。药材来源于野生。

| 采收加工 | 茅瓜：全年或秋、冬季采收，洗净，刮去粗皮，切片，鲜用或晒干。
茅瓜叶：夏、秋季采收，鲜用或晒干。

| 功能主治 | 茅瓜：甘、苦、微涩，寒；有毒。归肺、肝、脾经。清热解毒，化瘀散结，化痰利湿。用于疮痈肿毒，烫火伤，肺痈咳嗽，咽喉肿痛，水肿，腹胀，腹泻，痢疾，酒疸，湿疹，风湿痹病。
茅瓜叶：甘、微苦，平。止血。用于外伤出血。

| 用法用量 | 茅瓜：内服煎汤，15 ~ 30 g；或研末；或浸酒。外用适量，鲜品捣敷。
茅瓜叶：外用适量，研末外敷；或鲜品捣敷。

葫芦科 Cucurbitaceae 赤瓟属 *Thladiantha*

大苞赤瓟 *Thladiantha cordifolia* (Bl.) Cogn.

| **药 材 名** | 大苞赤瓟（药用部位：根、果实）。

| **形态特征** | 草质藤本，全体被长柔毛。茎多分枝，稍粗壮，具深棱沟。叶柄细，长 4 ~ 12 cm；叶片膜质或纸质，卵状心形，长 8 ~ 15 cm，宽 6 ~ 11 cm，表面粗糙。卷须单一。雌雄异株；雄花 3 至数朵生于总梗上端，呈短总状花序，总梗长 4 ~ 15 cm，花基部具 1 苞片，长 1.5 ~ 2 cm，花梗长约 0.5 cm，萼筒钟形，长 5 ~ 6 mm，5 裂，萼裂片线形，长 10 mm，宽约 1 mm，具 1 脉，花冠黄色，花冠裂片卵形或椭圆形，长约 1.7 cm，宽约 0.7 cm，雄蕊 5，花丝长 4 mm，花药椭圆形，长 4 mm，退化子房半球形；雌花单生，花萼及花冠似雄花，子房长圆形，花柱 3 裂，柱头膨大，肾形，2 浅裂。果柄强壮，有棱沟，长 3 ~ 5 cm，

果实长圆形，长 3 ~ 5 cm，宽 2 ~ 3 cm，两端钝圆，果皮粗糙，具 10 纵纹；种子宽卵形，长 4 ~ 5 mm，宽 3 ~ 3.5 mm，厚 2 mm，两面稍稍隆起，有网纹。花果期 5 ~ 11 月。

| 生境分布 | 生于林中或溪旁。分布于湖南湘西州（花垣）、衡阳（衡东）等。

| 资源情况 | 野生资源一般。药材来源于野生。

| 功能主治 | 根，清热解毒，健胃止痛。果实，消肿。

| 用法用量 | 内服煎汤，10 ~ 15 g。

葫芦科 Cucurbitaceae 赤瓟属 Thladiantha

齿叶赤瓟
Thladiantha dentata Cogn.

| 药 材 名 |

齿叶赤瓟（药用部位：根）。

| 形态特征 |

粗壮攀缘或匍匐草本，全体近无毛。茎、枝光滑，有棱沟。叶柄长 5 ～ 16 cm，有不明显的沟纹；叶片卵状心形或宽卵状心形，长12 ～ 20 cm，宽 8 ～ 12 cm，边缘有小齿，上面深绿色，密布疣状糙点，下面淡绿色，平滑，无毛。卷须有不明显的纵纹，上部 2歧，有时在幼枝先端不分歧。雌雄异株；雄花序总状或上部分枝成圆锥花序，花序轴长8 ～ 12 cm，花梗长 1 ～ 1.5 cm，萼筒宽杯形，上部直径 5 ～ 6 mm，萼裂片长圆状披针形，长约 5 mm，宽约 1.5 mm，先端钝，具 3 脉，花冠黄色，花冠裂片卵状长圆形，长 1.2 cm，宽 0.5 ～ 0.6 cm，先端急尖，具 3 ～ 5 脉，雄蕊 5，着生于花萼筒部，其中 4 雄蕊对生，1 雄蕊分离，花丝长 4 mm，花药椭圆形，长 2 mm，退化子房半球形，直径约 2 mm，基部具 3 长约 3 mm 的长圆形黄色鳞片；雌花单生或 2 ～ 5 生于长 1 ～ 1.5 cm 的粗壮总梗先端，花梗长 3 ～ 6 cm，光滑无毛，萼裂片披针形，长 4 ～ 5 mm，宽约 1.5 mm，先端急尖，有不甚明显的 3 脉，花冠裂片卵

状长圆形，先端急尖，长约 1.5 cm，宽 7～8 mm，具 5 脉，退化雄蕊 5，其中 4 退化雄蕊对生，1 退化雄蕊分离，棒状，长约 2.5 mm，子房狭长圆形，平滑无毛，长 1.3～1.6 cm，直径 4～6 mm，基部稍圆而略呈截形，先端渐狭，花柱短粗，长 2～3 mm，先端分 3 叉，柱头 3，膨大，圆肾形，边缘不规则波状 2 裂，宽 3 mm。果柄较粗壮，长 2～3.5 cm，果实长椭圆形或长卵形，两端圆形，先端有小尖头，长 3.5～6 cm，直径 2.5～3.5 cm，表面平滑；种子长卵形，黄白色，长约 6 mm，宽约 3.5 mm，基部圆形，先端稍狭，两面平滑，有不明显的小疣状突起。花期夏季，果期秋季。

| **生境分布** | 生于路旁、山坡、沟边或灌丛中。分布于湖南怀化（沅陵）、湘西州（保靖）等。

| **资源情况** | 野生资源较少。药材来源于野生。

| **功能主治** | 生津开胃，健脾补虚。用于食积，脘腹胀痛。

| **用法用量** | 内服煎汤，10～15 g。

葫芦科 Cucurbitaceae 赤瓟属 *Thladiantha*

皱果赤瓟
Thladiantha henryi Hemsl.

| 药 材 名 |

米来瓜（药用部位：块根。别名：南葛、苦瓜、苦瓜蒌）。

| 形态特征 |

攀缘藤本。叶片膜质或薄膜质，宽卵状心形，长 8 ~ 16 cm，宽 7 ~ 14 cm，边缘具胼胝质小齿，先端具胼胝质小尖头，基部心形，弯缺张开成半圆形。卷须纤细，2 歧或有时单一。雌雄异株。雄花：6 ~ 10 余花生于花序轴的上端成总状花序，或花序分枝成圆锥花序；花萼筒宽钟形，裂片披针形；花冠黄色，裂片长圆状椭圆形或长圆形；雄蕊 5，两两成对的花丝基部靠合，1 分离，花丝被短柔毛，基部有 3 黄色的鳞片状附属物，花药长圆形；退化雌蕊缺；雌花花萼和花冠与雄花同，但均较雄花稍大；退化雄蕊 5，棒状，被短柔毛，橙黄色；子房长卵形或卵状长圆形，被柔毛，多瘤状突起，折皱状，花柱短粗，先端 3 分叉，柱头极膨大，圆肾形，淡黄色，2 深裂。果实椭圆形，果皮隆起成折皱状；种子长卵形，扁压，先端稍狭，两面较平滑。

| **生境分布** | 生于海拔 1 150 ～ 2 000 m 的山坡林下、路旁或灌丛中。分布于湖南湘西州（古丈、龙山）等。 |

| **资源情况** | 野生资源稀少。药材来源于野生。 |

| **功能主治** | 败火，温补，调气。 |

| **用法用量** | 内服煎汤，15 ～ 25 g。 |

葫芦科 Cucurbitaceae 赤瓟属 Thladiantha

异叶赤瓟

Thladiantha hookeri C. B. Clarke

| **药 材 名** | 赤瓟罗锅底（药用部位：块根。别名：裂叶赤瓟、土瓜赤瓟、曲莲）。

| **形态特征** | 攀缘草本。块根扁圆形，重可达数十斤。叶片膜质，不分裂或不规则 2 ~ 3 裂，卵形，长 8 ~ 12 cm，宽 4 ~ 8 cm，先端渐尖，基部心形，边缘微波状，有稀疏小齿，上面有白色的疣状小点。卷须纤细，单一。雌雄异株。雄花序总状，或与 1 单花并生，3 ~ 12 花生于花序轴上，花序轴丝状；花萼筒宽钟形，有稀疏的柔毛，裂片伸直，狭三角形，具 3 脉；花冠黄色，裂片卵形，外面光滑无毛，内面有乳头状突起；雄蕊 5，花丝无毛，花药长圆形。雌花单生，花梗丝状，初时有微柔毛，老后变无毛；花萼和花冠与雄花同，但较之稍大；子房纺锤形，外面密被黄褐色柔毛，两端狭，花柱细，先端 3 分叉，柱头膨大，肾形。果实长圆形，果皮光滑；种子阔卵形，基部钝圆，

两面拱起，平滑。

| **生境分布** | 生于海拔 1 250 ～ 1 760 m 的山坡林下或林缘。分布于湖南湘西州（古丈、龙山）、邵阳（城步）等。

| **资源情况** | 野生资源稀少。药材来源于野生。

| **功能主治** | 有小毒。清热解毒，健胃止痛。用于慢性支气管炎，急、慢性胃炎，胆道、泌尿系统感染，颌下淋巴结炎，扁桃体炎，肺结核。

葫芦科 Cucurbitaceae 赤瓟属 Thladiantha

长叶赤瓟

Thladiantha longifolia Cogn. ex Oliv.

| 药 材 名 | 长叶赤瓟（药用部位：根、果实）。

| 形态特征 | 攀缘草本。茎、枝柔弱，有棱沟。叶柄纤细，长 2 ~ 7 cm，无毛或有极短的柔毛；叶片膜质，卵状披针形或长卵状三角形，长 8 ~ 18 cm，下部宽 4 ~ 8 cm，先端急尖或短渐尖，边缘具小脉稍伸出而成的胼胝质小齿，基部深心形，弯缺开张，半圆形，深 1.5 ~ 2 cm，宽 1.5 ~ 2.5 cm，基部叶脉不沿弯缺边缘；表面有短刚毛，后断裂成白色小疣点，粗糙，脉上有短柔毛或近无毛，背面稍光滑，无毛。卷须纤细，单一，光滑无毛。雌雄异株；雄花 3 ~ 9（~ 12）生于总花梗上部，呈总状花序，总花梗细弱，长 2 ~ 2.5 cm，花梗纤细，长 1 ~ 2 cm，疏被短柔毛，后脱落至近无毛，萼筒浅杯状，

先端宽 0.6 cm，脉上生短柔毛，萼裂片三角状披针形，长 7 ～ 8 mm，具 1 脉，花冠黄色，花冠裂片长圆形或椭圆形，长 1.5 ～ 2 cm，宽约 1 cm，先端稍钝，具 5 脉，雄蕊 5，其中 4 雄蕊对生，1 雄蕊离生，花丝向上渐细，长约 3 mm，花药长圆形，长 2.5 ～ 3 mm；雌花单生或 2 ～ 3 生于一短的总花梗上，花梗长 2 ～ 4 cm，花萼和花冠与雄花相同，退化雄蕊 5，钻形，长约 1.5 mm，其中 4 退化雄蕊对生，1 退化雄蕊分离，子房长卵形，两端狭，基部内凹并有小裂片，表面多折皱，花柱柱状，先端分 3 叉，柱头膨大，圆肾形。果实阔卵形，长达 4 cm，果皮有瘤状突起，基部稍内凹；种子卵形，长 6 ～ 8 mm，宽 3 ～ 4.5 mm，厚 1 ～ 1.5 mm，两面稍膨胀，有网脉，边缘稍隆起成环状，先端圆钝。花期 4 ～ 7 月，果期 8 ～ 10 月。

| **生境分布** | 生于山坡杂木林、沟边及灌丛中。分布于湖南怀化（中方、辰溪、麻阳、洪江）、湘西州（古丈、永顺、保靖）、张家界（慈利）等。

| **资源情况** | 野生资源较少。药材来源于野生。

| **采收加工** | 根，秋后采收，鲜用或切片晒干。果实，成熟后连柄摘下，用线将果柄串起，挂于日光下或通风处晒干，后置通风干燥处贮存，防止潮湿霉烂及虫蛀。

| **功能主治** | 清热解毒，利胆，通乳。用于头痛，发热，便秘，无名肿毒。

| **用法用量** | 内服煎汤，15 ～ 20 g。

葫芦科 Cucurbitaceae 赤瓟属 *Thladiantha*

南赤瓟 *Thladiantha nudiflora* Hemsl. ex Forbes et Hemsl.

| 药 材 名 | 南赤瓟（药用部位：根、叶。别名：野冬瓜、球子莲、地黄瓜）。

| 形态特征 | 全体密生柔毛状硬毛。根块状。茎草质，攀缘状，有较深的棱沟。叶柄粗壮，长 3 ~ 10 cm；叶片质稍硬，卵状心形，长 5 ~ 15 cm，宽 4 ~ 12 cm，上面深绿色，背面色淡。卷须 2 歧。雌雄异株；雄花呈总状花序，多数花集生于花序轴上部，花序轴长 4 ~ 8 cm，花梗长 1 ~ 1.5 cm，花萼筒部宽钟形，上部宽 5 ~ 6 mm，萼裂片卵状披针形，长 5 ~ 6 mm，基部宽 2.5 mm，先端急尖，具 3 脉，花冠黄色，花冠裂片卵状长圆形，长 1.2 ~ 1.6 cm，宽 0.6 ~ 0.7 cm，具 5 脉，雄蕊 5，着生于萼筒檐部，花丝长 4 mm，花药卵状长圆形，长 2.5 mm；雌花单生，花梗长 1 ~ 2 cm，花萼和花冠同雄花，但较

雄花的大，子房狭长圆形，长 1.2 ~ 1.5 cm，直径 0.4 ~ 0.5 cm，上部渐狭，基部钝圆，花柱粗短，自 2 mm 处 3 裂，分生部分长 1.5 mm，柱头膨大，圆肾形，2 浅裂，退化雄蕊 5，棒状，长 1.5 mm。果柄粗壮，长 2.5 ~ 5.5 cm，果实长圆形，干后红色或红褐色，长 4 ~ 5 cm，直径 3 ~ 3.5 cm，先端稍钝或有时渐狭，基部钝圆，有时密生毛及不甚明显的纵纹，后渐无毛；种子卵形或宽卵形，长 5 mm，宽 3.5 ~ 4 mm，厚 1 ~ 1.5 mm，先端尖，基部圆，表面有明显的网纹，两面稍拱起。春、夏季开花，秋季果实成熟。

| 生境分布 | 生于沟边、林缘或山坡灌丛中。湖南各地均有分布。

| 资源情况 | 野生资源丰富。药材来源于野生。

| 采收加工 | 根，秋后采收，鲜用或切片晒干。叶，春、夏季采收，鲜用或晒干。

| 药材性状 | 本品根呈块状或块片状，灰棕色，去皮者灰黄色，有细纵纹，断面纤维性。味淡、微苦。

| 功能主治 | 清热解毒，消食化滞。用于痢疾，肠炎，消化不良，脘腹胀闷，毒蛇咬伤。

| 用法用量 | 内服煎汤，9 ~ 18 g。外用适量，鲜品捣敷。

葫芦科 Cucurbitaceae 赤瓟属 Thladiantha

鄂赤瓟
Thladiantha oliveri Cogn. ex Mottet

| 药 材 名 |

王瓜根（药用部位：根）。

| 形态特征 |

多年生攀缘或蔓生草本。茎、枝近无毛。叶柄近无毛，长 5 ~ 15 cm；叶宽卵状心形，长 10 ~ 20 cm，宽 8 ~ 18 cm，基部 1 对叶脉沿弯缺边缘外展，基部弯缺开展。卷须 2歧。雄花多数聚生于花序梗先端，有时稍分枝，花序梗粗，光滑，有棱沟，长达 20 cm或更长，花梗长 0.5 ~ 1 cm，萼裂片线形，反折，长 7 ~ 9 mm，具 1 脉，花冠黄色，花冠裂片卵状长圆形，长 1.8 ~ 2.2 cm，具 5 脉；雌花常单生或双生，极稀 3 ~ 4花生于长 1 ~ 1.5 cm 的花序梗上，花梗长 2 ~ 4 cm，萼裂片线形，反折，长 1 ~ 1.2 cm，花冠裂片同雄花，长 2 ~ 4 cm。果柄长 3 ~ 5 cm，果实卵形，长 3 ~ 4 cm，直径 2 ~ 2.5 cm，基部平截，稍内凹，先端钝圆，有喙状小尖头，无毛，有暗绿色纵纹；种子卵形，稍扁，长 5 ~ 6 mm，密生颗粒状突起。花果期 5 ~ 10 月。

| 生境分布 |

生于海拔 660 ~ 2 100 m 的灌丛、山坡路旁及山沟湿地。分布于湖南株洲（醴陵）、衡阳（衡南）、邵阳、怀化（麻阳、洪江、溆浦）、湘西州（古丈、龙山、永顺）、张家界（慈利）等。

| **资源情况** | 野生资源较丰富。药材来源于野生。

| **采收加工** | 夏、秋季间采挖。

| **药材性状** | 本品根呈纺锤形，常 2 ~ 9 呈簇生状，直径约 3 cm。断面洁白或黄白色，粉性。味稍苦、涩。

| **功能主治** | 泻热通结，散瘀消肿。用于热病烦渴，黄疸，热结便秘，小便不利，经闭，乳汁不下，癥瘕，痈肿。

| **用法用量** | 内服煎汤，5 ~ 15 g，鲜品 60 ~ 90 g；或捣汁。外用适量，捣敷；或磨汁涂。

萝芦科 Cucurbitaceae 栝楼属 Trichosanthes

蛇瓜

Trichosanthes anguina L.

| 药 材 名 |　蛇瓜（药用部位：果实）。

| 形态特征 |　一年生攀缘藤本。茎纤细，具棱槽，被毛。叶柄长 3.5 ~ 8 cm，密被毛；叶片膜质，肾状圆形，长 8 ~ 16 cm，宽 12 ~ 18 cm，3 ~ 7裂，裂片形状多变，边缘疏生细齿，基部弯缺为深心形，两面均被毛，主脉 5 ~ 7。卷须 2 ~ 3 歧，被短柔毛。花单性同株；雄花组成总状花序，常有 1 单生雌花并生，花序梗长 10 ~ 18 cm，被毛；花梗细，密被短柔毛；萼筒近圆筒形，长 2.5 ~ 3 cm，密生毛；花冠白色，花冠裂片卵状长圆形，长 7 ~ 8 mm，具 3 脉，边缘流苏与花冠裂片近等长；子房棒状，长 2.5 ~ 3 cm，密被柔毛及硬毛。果实长圆柱形，长 1 ~ 2 m，直径 3 ~ 4 cm，常扭曲，幼时绿色，具灰白色条纹，

成熟时橙黄色；种子长圆形，长 11 ～ 17 mm，藏于鲜红色果瓤内。花果期夏末至秋季。

| **生境分布** | 生于山谷森林、山坡疏林或灌丛中。分布于湖南湘潭（湘潭）等。

| **资源情况** | 野生资源较少。药材来源于野生。

| **功能主治** | 印度用于消渴，黄疸。中南半岛各国、菲律宾：泻下，驱虫。

| **用法用量** | 外用捣碎敷，15 ～ 30 g。

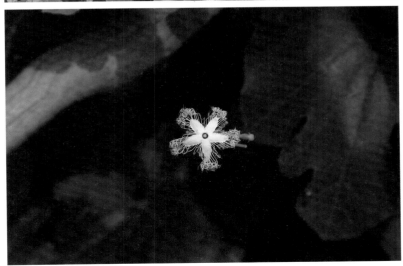

葫芦科 Cucurbitaceae 栝楼属 Trichosanthes

王瓜

Trichosanthes cucumeroides (Ser.) Maxim.

| 药 材 名 |

王瓜根（药用部位：块根）。

| 形态特征 |

多年生草质藤本。块根纺锤形，肥大。茎细弱，多分枝，具纵棱和槽，被短柔毛。卷须2歧，被短柔毛。叶互生；叶柄长3～10 cm，具纵条纹，密被短茸毛和疏短刚毛状软毛；叶片纸质，阔卵形或圆形，先端钝或渐尖，基部深心形，边缘具细齿或波状齿，长5～13（～19）cm，宽5～12（～18）cm，常3～5浅裂至深裂，有时不分裂，裂片卵形或倒卵形，上面深绿色，被短绒毛及疏散短刚毛，下面淡绿色，密被短茸毛，基出掌状脉5～7，细脉，网状。雌雄异株；雄花组成总状花序，或1单花与其并生，总花梗长5～10 cm，具纵条纹，被短茸毛，花梗短，长约5 mm，被短茸毛，小苞片线状披针形，长2～3 mm，全缘，被短茸毛，稀无小苞片，萼筒喇叭形，长6～7 cm，基部直径约2 mm，先端直径约7 mm，被短茸毛，萼裂片线状披针形，长3～6 mm，宽约1.5 mm，花冠白色，花冠裂片长圆状卵形，长14～15（～20）mm，宽6～7 mm，具极长的丝状流苏，雄蕊3，花丝短，分离，退化雌蕊刚毛状；雌花单生，花梗短，长 0.5 ~ 1 cm，子房长圆形，均密被短柔毛，花萼、花冠与雄花相同。果实卵圆形、卵状椭圆形或球形，长 6 ~ 7 cm，直径 4 ~ 5.5 cm，成熟时橙红色，平滑，两端钝圆，具喙，果柄长 5 ~ 20 mm，被短柔毛；种子横长圆形，长 7 ~ 12 mm，宽 7 ~ 14 mm，深褐色，2 侧室大，近圆形，直径约 4.5 mm，表面具瘤状突起。花期 5 ~ 8 月，果期 8 ~ 11 月。

| 生境分布 | 生于海拔（250 ~）600 ~ 1 700 m 的山谷森林、山坡疏林或灌丛中。湖南各地均有分布。

| 资源情况 | 野生资源丰富。药材来源于野生。

| 采收加工 | 夏、秋季间采挖。

| 药材性状 | 本品呈圆柱形或纺锤形，肥壮，白色，肉质。味极苦。

| 功能主治 | 泻热，生津，破血，消瘀。用于热病烦渴，黄疸，热结便秘，小便不利，经闭，癥瘕，痈肿。

| 用法用量 | 内服煎汤，5 ~ 15 g，鲜品 60 ~ 90 g；或捣汁。外用适量，捣敷；或磨汁涂。

葫芦科 Cucurbitaceae 栝楼属 *Trichosanthes*

湘桂栝楼
Trichosanthes hylonoma Hand.-Mazz.

| 药 材 名 | 天花粉（药用部位：根）、栝楼（药用部位：果实。别名：瓜蒌、瓜楼、鸭屎瓜）、瓜蒌皮（药用部位：果皮）、栝楼子（药用部位：种子。别名：瓜蒌子、瓜蒌仁）。

| 形态特征 | 攀缘藤本。根条形，肥厚。茎细弱，具纵棱及槽，幼时被短柔毛，后除节上外，余变无毛，具白色皮孔。单叶互生；叶片纸质，坚挺，阔卵形，长（6 ～）11 ～ 17 cm，宽（5 ～）10 ～ 16 cm，常 3 ～ 5 中裂，外侧有 1 ～ 2 对不明显的裂片或大波状齿，中央裂片卵形，长渐尖，两侧裂片长约为中央裂片的一半，边缘具疏离的短尖头状细齿，基部弯缺近四方形，凹入 2 cm，上面绿色，疏被糙伏毛状柔毛，后变无毛，边缘具缘毛，背面无毛，基出掌状脉 3 ～ 5，侧脉

弧形，网结，细脉疏松网状，明显；叶柄长 3 ～ 6 cm，具纵棱及沟，疏被柔毛，有白色糙点。卷须细，2 歧，具纵条纹。雌雄异株；雄花单生于叶腋，花梗纤细，丝状，长 4 ～ 7 cm，中、下部无毛，上部被平展的柔毛，萼筒狭钟状，长 12 ～ 15 cm，直径约 4 mm，无毛或被极疏的柔毛，萼裂片钻状线形，长 6 ～ 7 mm，伸展或反折，花冠白色，直径约 3 cm，外面密被腺状柔毛，花冠裂片宽倒卵形，长 1.5 cm，宽 1 cm，上部稍 3 裂，中裂片钻形，两侧具线状细裂的流苏，基部窄，花药头状，长约 3 mm，花丝长约 2 mm；雌花未见。果实卵状椭圆形，长 9 cm，直径 5 ～ 6 cm，成熟时橘红色，先端具短喙，基部变狭；种子长圆形，长 10 ～ 13 mm，宽 9 mm，灰褐色，种脐一端平截微凹，另一端圆形，边缘具细圆齿。花期 5 ～ 6 月，果期 9 ～ 10 月。

| 生境分布 | 生于海拔 800 ～ 950 m 的山谷灌木林中。湖南各地均有分布。

| 资源情况 | 野生资源丰富。药材来源于野生。

| 采收加工 | **天花粉：**春、秋季采挖，以秋季采挖者为佳，洗净泥土，刮去粗皮，切成长 10 ～ 20 cm 的长段，粗大者可再切对开，晒干，用硫黄熏白。
栝楼：果实成熟时用剪刀在距果实 15 cm 处连茎剪下，悬挂于通风干燥处晾干。
栝楼皮：采收成熟的果实，用刀切成 2 ～ 4 瓣至瓜蒂处，将种子和瓤一起取出，果皮平放晒干或用绳子吊起晒干。
栝楼子：秋季分批采摘成熟果实，纵剖，将瓜瓤和种子放入盆内，加木灰反复搓洗，取种子冲洗干净后晒干。

| 药材性状 | **天花粉：**本品呈不规则圆柱形、纺锤形或瓣块状，长 8 ～ 40 cm，直径 2 ～ 5 cm。外皮黄棕色，有纵皱纹及横长皮孔，外皮刮去后较光滑，黄白色，有横皱纹及残留的栓皮斑块，纵剖面可见黄色纵条纹。质坚实，断面淡黄白色，粉性，导管孔明显，略呈放射状排列。气微，味微苦。
栝楼：本品呈类球形或宽椭圆形，长 7 ～ 9 cm，直径 5 ～ 6 cm。表面橙红色或橙黄色，皱缩或较光滑，先端有圆形的花柱残基，基部略尖，具残存的果柄；内表面黄色，有红黄色丝络，果瓤橙黄色，黏稠，与多数种子黏结成团。轻重不一。质脆，易破开。具焦糖气，味微酸、甜。
栝楼皮：本品常切成 2 至数瓣，边缘向内卷曲，长 6 ～ 12 cm。外表面橙红色或橙黄色，皱缩，有的具残存的果柄；内表面黄白色。质较脆，易折断。具焦糖气，味淡、微酸。

栝楼子：本品呈扁平椭圆形，长 9 ~ 13 mm，宽 6 ~ 9 mm，厚约 3.5 mm，表面浅棕色至棕褐色，平滑，沿边缘有 1 圈沟纹，先端较尖，有种脐，基部钝圆或较狭。种皮质坚硬，内种皮膜质，灰绿色，子叶 2，黄白色，富油性。气微，味淡。

| 功能主治 | 天花粉：甘、微苦，微寒。归肺、胃经。清热生津，润肺化痰，消肿排脓。用于热病口渴，消渴多饮，肺热燥咳，疮疡肿毒。

栝楼：甘、微苦，寒。归肺、胃、大肠经。清热涤痰，宽胸散结，润燥滑肠。用于肺热咳嗽，痰浊黄稠，胸痹心痛，结胸，痞满，乳痈，肺痈，肠痈，大便秘结。

栝楼皮：甘，寒。归肺、胃经。清热化痰，利气宽胸。用于痰热咳嗽，胸闷胁痛。

栝楼子：甘，寒。归肺、胃、大肠经。润肺化痰，滑肠通便。用于燥咳痰黏，肠燥便秘。

| 用法用量 | 天花粉：内服煎汤，9 ~ 15 g；或入丸、散剂。外用适量，研末撒或调敷。

栝楼：内服煎汤，9 ~ 15 g。

栝楼皮：内服煎汤，6 ~ 10 g。

栝楼子：内服煎汤，9 ~ 15 g。

葫芦科 Cucurbitaceae 栝楼属 *Trichosanthes*

栝楼
Trichosanthes kirilowii Maxim.

| 药 材 名 |

天花粉（药用部位：根）、栝楼（药用部位：果实。别名：瓜蒌、瓜楼、鸭屎瓜）、栝楼皮（药用部位：果皮）、栝楼子（药用部位：种子。别名：瓜蒌子、瓜蒌仁）。

| 形 态 特 征 |

攀缘藤本。块根圆柱状，淡黄褐色。茎较粗，多分枝，具纵棱及槽。叶片纸质，近圆形，常 3 ~ 5（~ 7）浅裂至中裂，裂片常再分裂，表面深绿色，粗糙，背面淡绿色，掌状脉 5。卷须 3 ~ 7 歧。雌雄异株；雄总状花序单生，小苞片倒卵形或阔卵形，萼筒筒状，先端扩大，全缘，花冠白色，花冠裂片倒卵形，长 20 mm，宽 18 mm，先端中央具 1 绿色尖头，两侧具丝状流苏，花药靠合，花丝分离，粗壮；雌花单生，萼筒圆筒形，萼裂片和花冠同雄花，子房椭圆形，绿色，花柱长 2 cm，柱头 3。果柄粗壮，果实椭圆形或圆形，长 7 ~ 10.5 cm，成熟时黄褐色或橙黄色；种子卵状椭圆形，压扁，长 11 ~ 16 mm，宽 7 ~ 12 mm，淡黄褐色，近边缘处具棱线。花期 5 ~ 8 月，果期 8 ~ 10 月。

| 生境分布 | 生于海拔 200 ~ 1 800 m 的山坡林下、灌丛中、草地及村旁田间。分布于湖南长沙（宁乡）、衡阳（衡山、祁东）、邵阳（邵东、新邵、洞口、新宁、武冈）、岳阳（平江）、张家界（桑植）、永州（东安）、怀化（洪江）等。

| 资源情况 | 野生资源丰富。栽培资源丰富。药材来源于野生和栽培。

| 采收加工 | **天花粉：**春、秋季采挖，以秋季采挖者为佳，洗净泥土，刮去粗皮，切成长 10 ~ 20 cm 的长段，粗大者可再切对开，晒干，用硫黄熏白。

栝楼：果实成熟时用剪刀在距果实 15 cm 处连茎剪下，悬挂于通风干燥处晾干。

栝楼皮：采收成熟的果实，用刀切成 2 ~ 4 瓣至瓜蒂处，将种子和瓤一起取出，果皮平放晒干或用绳子吊起晒干。

栝楼子：秋季分批采摘成熟果实，纵剖，将瓜瓤和种子放入盆内，加木灰反复搓洗，取种子冲洗干净后晒干。

| 药材性状 | **天花粉：**本品呈不规则圆柱形、纺锤形或瓣块状，长 8 ~ 40 cm，直径 2 ~ 5 cm。外皮黄棕色，有纵皱纹及横长皮孔，外皮刮去后较光滑，黄白色，有横皱纹及残留的栓皮斑块，纵剖面可见黄色纵条纹。质坚实，断面淡黄白色，粉性，导管孔明显，略呈放射状排列。气微，味微苦。

栝楼：本品呈类球形或宽椭圆形，长 7 ~ 10 cm，直径 6 ~ 10 cm。表面橙红色或橙黄色，皱缩或较光滑，先端有圆形的花柱残基，基部略尖，具残存的果柄；内表面黄色，有红黄色丝络，果瓤橙黄色，黏稠，与多数种子黏结成团。轻重不一。质脆，易破开。具焦糖气，味微酸、甜。

栝楼皮：本品常切成 2 至数瓣，边缘向内卷曲，长 6 ~ 12 cm。外表面橙红色或橙黄色，皱缩，有的有残存果柄；内表面黄白色。质较脆，易折断。具焦糖气，味淡、微酸。

栝楼子：本品呈扁平椭圆形，长 12 ~ 15 mm，宽 6 ~ 10 mm，厚约 3.5 mm，表面浅棕色至棕褐色，平滑，沿边缘有 1 圈沟纹，先端较尖，有种脐，基部钝圆或较狭。种皮质坚硬，内种皮膜质，灰绿色，子叶 2，黄白色，富油性。气微，味淡。

| 功能主治 | **天花粉：**甘、微苦，微寒。归肺、胃经。清热生津，润肺化痰，消肿排脓。用于热病口渴，消渴多饮，肺热燥咳，疮疡肿毒。

栝楼：甘、微苦，寒。归肺、胃、大肠经。清热涤痰，宽胸散结，润燥滑肠。用于肺热咳嗽，痰浊黄稠，胸痹心痛，结胸，痞满，乳痈，肺痈，肠痈，大便

秘结。

栝楼皮： 甘，寒。归肺、胃经。清热化痰，利气宽胸。用于痰热咳嗽，胸闷胁痛。

栝楼子： 甘，寒。归肺、胃、大肠经。润肺化痰，滑肠通便。用于燥咳痰黏，肠燥便秘。

| 用法用量 | **天花粉：** 内服煎汤，9 ~ 15 g；或入丸、散剂。外用适量，研末撒或调敷。

栝楼： 内服煎汤，9 ~ 15 g。

栝楼皮： 内服煎汤，6 ~ 10 g。

栝楼子： 内服煎汤，9 ~ 15 g。

长萼栝楼

Trichosanthes laceribractea Hayata

| 药 材 名 | 长萼栝楼（药用部位：根）。

| 形态特征 | 攀缘草本。茎具纵棱及槽，无毛或疏被短刚毛状刺毛。单叶互生；叶片纸质，形状变化较大，近圆形或阔卵形，长5～16（～19）cm，宽4～15（～18）cm，常3～7浅裂至深裂，裂片三角形、卵形或菱状倒卵形，先端渐尖，基部收缩，边缘具波状齿或再浅裂，最外侧裂片耳状，表面深绿色，密被短刚毛状刺毛，后变为鳞片状白色糙点，背面淡绿色，沿各级脉被短刚毛状刺毛，掌状脉5～7；叶柄长1.5～9 cm，具纵条纹，被短刚毛状刺毛，后变为白色糙点。卷须2～3歧。雌雄异株；雄总状花序腋生，总梗粗壮，长10～23 cm，被毛或疏被短刚毛，具纵棱及槽，小苞片阔卵形，内凹，

长 2.5 ~ 4 cm，长、宽近相等，先端长渐尖，边缘具长细裂片，花梗长 5 ~ 6 mm；萼筒狭线形，长约 5 cm，先端扩大，直径 12 ~ 15 mm，基部及中部宽约 2 mm，萼裂片卵形，长 10 ~ 13 mm，宽约 7 mm，直伸，先端渐尖，边缘具狭的锐尖齿，花冠白色，花冠裂片倒卵形，长 2 ~ 2.5 cm，宽 12 ~ 15 mm，先端钝圆，基部楔形，边缘具纤细长流苏，花药长约 12 mm，药隔被淡褐色柔毛；雌花单生，花梗长 1.5 ~ 2 cm，被微柔毛，基部具 1 线状披针形苞片，苞片长约 2 cm，边缘具裂齿，萼筒圆柱状，长约 4 cm，直径约 5 mm，萼齿线形，长 1 ~ 1.3 cm，全缘，花冠同雄花，子房卵形，长约 1 cm，直径约 7 mm，无毛。果实球形至卵状球形，直径 5 ~ 8 cm，成熟时橙黄色至橙红色，平滑；种子长方形或长方状椭圆形，长 10 ~ 14 mm，宽 5 ~ 8 mm，厚 4 ~ 5 mm，灰褐色，两端钝圆或平截。花期 7 ~ 8 月，果期 9 ~ 10 月。

| **生境分布** | 生于海拔 200 ~ 1 020 m 的山谷密林中或山坡路旁。湖南各地均有分布。

| **资源情况** | 野生资源丰富。药材来源于野生。

| **采收加工** | 栽后 3 ~ 4 年，12 月下旬至翌年 2 月上旬采挖，去净泥土，刮去粗皮，大者纵切成 4 瓣，小者对剖开，切成长 6 ~ 7 cm 的小段，烘干或晒干。

| **功能主治** | 用于热病口渴，疮痈肿毒。

| **用法用量** | 内服煎汤，35 ~ 60 g。

葫芦科 Cucurbitaceae 栝楼属 Trichosanthes

全缘栝楼 *Trichosanthes ovigera* Bl.

| 药 材 名 | 实葫芦根（药用部位：根）。

| 形态特征 | 茎细弱，具纵棱及槽，被短柔毛。叶纸质，卵状心形至近圆心形，长 7 ~ 19 cm，宽 7 ~ 8 cm，不分裂或具 3 ~ 5 齿裂，先端渐尖，基部深心形，边缘具疏细齿或波状齿，中间裂片卵形、长圆形或倒卵状长圆形，侧裂片较小，叶密被短柔毛。卷须 2 ~ 3 歧，被短柔毛。花雌雄异株。雄花组成总状花序，或有单花与之并生，总花梗具纵条纹，与花梗均密被短柔毛；小苞片披针形或倒披针形，边缘具三角状齿，两面被短柔毛；萼筒狭长，先端扩大，被短柔毛，萼齿三角状卵形；花冠白色，裂片具狭长圆形的丝状流苏；花丝短。雌花单生，花梗具纵条纹，密被短柔毛；萼筒圆柱形，萼齿及花冠同雄花；子房长卵形，被短柔毛。果实卵圆形或纺锤状椭圆形，

幼时绿色，具条纹，成熟时橙红色，基部钝圆或尖，先端渐尖，具喙；种子三角形，淡黄褐色或深褐色，3室，两侧室小，中央环带宽而隆起。

| **生境分布** | 生于海拔 700 ～ 2 000 m 的山谷丛林中和山坡疏林、灌丛或林缘。分布于湖南怀化（芷江）、株洲（炎陵）。

| **资源情况** | 野生资源稀少。药材来源于野生。

| **采收加工** | 秋后采挖，洗净，鲜用或切片，晒干。

| **功能主治** | 辛、微苦，平。散瘀消肿，清热解毒。用于跌打损伤，骨折，疮疖肿毒，肾囊肿。

| **用法用量** | 内服煎汤，9 ～ 15 g。外用适量，鲜品捣敷。

| **附　　注** | 本种在 FOC 中被修订为 葫芦科 Cucurbitaceae 栝楼属 *Trichosanthes* 全缘栝楼 *Trichosanthes pilosa* Wall.。

葫芦科 Cucurbitaceae 栝楼属 Trichosanthes

趾叶栝楼 Trichosanthes pedata Merr. et Chun

| 药 材 名 | 石蟾蜍（药用部位：全草。别名：鸟足栝楼、叉指叶栝楼）。

| 形态特征 | 草质攀缘藤本。茎细，具纵棱及槽，无毛或仅节上被短柔毛。指状复叶具小叶 3 ～ 5；叶柄长 2.5 ～ 6 cm，具纵条纹，无毛；小叶片膜质或近纸质，中央小叶常呈披针形或长圆状倒披针形，长 9 ～ 12 cm，宽 2.5 ～ 3.5 cm，两端渐尖，边缘具疏离细齿，外侧 2 小叶近菱形或不等侧的卵形，表面幼时被短硬毛，后变为白色圆糙点，背面淡绿色，无毛，具颗粒状突起，主脉和侧脉在表面稍凹，密被短柔毛，在背面凸起，具白色圆糙点，细脉网状；小叶柄长 2 ～ 5（～ 11）mm，上面被短柔毛。卷须长而细弱，具条纹，2 歧。雄总状花序长 14 ～ 19 cm，总花梗及花梗被褐色短柔毛，具纵

槽纹，中部以上有 8 ～ 20 花，苞片倒卵形或菱状卵形，长 10 ～ 15 mm，宽约 8 mm，被短柔毛，先端渐尖，基部渐狭，中部以上撕裂或具不规则的锐齿，花梗长 4 mm，萼筒狭漏斗形，长 2 ～ 4 cm，上部直径 7 ～ 10 mm，萼裂片披针形，长 7 ～ 10 mm，宽 2 ～ 3.5 mm，先端渐尖，全缘或具裂齿，花冠白色，花冠裂片倒卵形，长 10 ～ 15 mm，宽 8 ～ 12 mm，先端具流苏，花药长 7 mm，宽 4 mm，药隔有毛；雌花单生，萼筒圆柱形，长约 3 mm，直径约 5 mm，萼齿和花冠同雄花，子房卵形，长 1.5 cm，直径 8 mm，无毛。果实球形，直径 5 ～ 6 cm，橙黄色，光滑无毛，果柄长 1（ ～ 3 ）cm；种子卵形，膨胀，灰褐色，长 10 ～ 12 mm，宽约 8 mm，先端圆形，种脐压扁，三角形，无边棱及线。花期 6 ～ 8 月，果期 7 ～ 12 月。

| **生境分布** | 生于海拔 200 ～ 1 500 m 的山谷疏林、灌丛或路旁草地中。分布于湖南邵阳（武冈）、永州（江永）、岳阳（平江）等。

| **资源情况** | 野生资源较少。药材来源于野生。

| **采收加工** | 全年均可采收，洗净，鲜用或切片晒干。

| **功能主治** | 清热解毒。用于咳嗽痰稠，咽喉肿痛，胸闷，便秘，痈肿疮疖，毒蛇咬伤。

| **用法用量** | 内服煎汤，10 ～ 15 g。外用适量，鲜品捣敷。

葫芦科 Cucurbitaceae 栝楼属 Trichosanthes

双边栝楼

Trichosanthes rosthornii Harms

| 药 材 名 | 天花粉（药用部位：根）、栝楼（药用部位：果实。别名：瓜蒌、瓜楼、鸭屎瓜）、栝楼子（药用部位：种子。别名：瓜蒌子、瓜蒌仁）。

| 形态特征 | 攀缘藤本，长达 10 m。块根圆柱状，淡黄褐色。茎较粗，多分枝，具纵棱及槽，被白色伸展柔毛。叶片纸质，近圆形，3 ~ 7 深裂几达基部，裂片线状狭披针形，先端钝，急尖，边缘常再浅裂，叶基心形，弯缺深 2 ~ 4 cm，表面深绿色，粗糙，背面淡绿色，掌状脉 5。卷须 3 ~ 7 歧。雌雄异株；雄总状花序单生，小苞片倒卵形或阔卵形，萼筒筒状，先端扩大，全缘，花冠白色，花冠裂片倒卵形，长 20 mm，宽 18 mm，先端中央具 1 绿色尖头，两侧具丝状流苏，花药靠合，花丝分离，粗壮；雌花单生，萼筒圆筒形，萼裂片和花

冠同雄花，子房椭圆形，绿色，花柱长 2 cm，柱头 3。果柄粗壮，果实椭圆形或圆形，长 7 ~ 10.5 cm，成熟时黄褐色或橙黄色；种子较大，极扁平，呈长方状椭圆形，长 15 ~ 18 mm，宽 8 ~ 9 mm，深棕色，近边缘处具棱线。花期 5 ~ 8 月，果期 8 ~ 10 月。

| 生境分布 | 生于海拔 200 ~ 1 800 m 的山坡林下、灌丛中、草地和村旁田间。湖南各地均有分布。

| 资源情况 | 野生资源丰富。栽培资源丰富。药材来源于野生和栽培。

| 采收加工 | **天花粉：** 春季萌芽前或秋季茎叶枯萎时采挖，除去茎藤、泥土，刮去外皮，纵剖成 2 ~ 4 瓣，粗大者横切成长 10 ~ 20 cm 的块片，晒干或炕至半干，取出，置明矾水中，除去外溢的黄汁，再晒或炕至全干。

栝楼： 秋末冬初果皮表面呈红黄色并有光泽时连果柄剪下，置阴凉通风处晾干。

栝楼子： 秋末冬初采摘红黄色的成熟果实，用刀切开相连的 2 瓣，取出内瓤，洗出种子，拌以草木灰或糠灰，擦去种子的黏膜，洗净，晒干。

| 药材性状 | **天花粉：** 本品呈不规则圆柱形、纺锤形或瓣块状，长 8 ~ 40 cm，直径 2 ~ 5 cm。外皮黄棕色，有纵皱纹及横长皮孔，外皮刮去后较光滑，黄白色，有横皱纹及残留的栓皮斑块，纵剖面可见黄色纵条纹。质坚实，断面淡黄白色，粉性，导管孔明显，略呈放射状排列。气微，味微苦。

栝楼： 本品呈类球形或宽椭圆形，长 7 ~ 10 cm，直径 6 ~ 10 cm。表面橙红色或橙黄色，皱缩或较光滑，先端有圆形的花柱残基，基部略尖，具残存的果柄；内表面黄色，有红黄色丝络，果瓤橙黄色，黏稠，与多数种子黏结成团。轻重不一。质脆，易破开。具焦糖气，味微酸、甜。

栝楼子： 本品呈扁平椭圆形，长 12 ~ 15 mm，宽 6 ~ 9 mm，厚约 3.5 mm，表面浅棕色至棕褐色，平滑，沿边缘有 1 圈沟纹，先端较尖，有种脐，基部钝圆或较狭。种皮质坚硬，内种皮膜质，灰绿色，子叶 2，黄白色，富油性。气微，味淡。

| 功能主治 | **天花粉：** 甘、微苦，微寒。归肺、胃经。清热生津，润肺化痰，消肿排脓。用于热病口渴，消渴多饮，肺热燥咳，疮疡肿毒。

栝楼： 甘、微苦，寒。归肺、胃、大肠经。清热涤痰，宽胸散结，润燥滑肠。用于肺热咳嗽，痰浊黄稠，胸痹心痛，结胸，痞满，乳痈，肺痈，肠痈，大便

秘结。

栝楼子： 甘，寒。归肺、胃、大肠经。润肺化痰，滑肠通便。用于燥咳痰黏，
肠燥便秘。

| **功能主治** | **天花粉：** 内服煎汤，9 ~ 15 g；或入丸、散剂。外用适量，研末撒或调敷。
栝楼： 内服煎汤，9 ~ 15 g。
栝楼子： 内服煎汤，9 ~ 15 g。

葫芦科 Cucurbitaceae 栝楼属 Trichosanthes

红花栝楼

Trichosanthes rubriflos Thorel ex Cayla

| 药 材 名 | 红花栝楼（药用部位：根。别名：栝楼）。

| 形态特征 | 大草质攀缘藤本，长 5 ～ 6 m。茎粗壮，多分枝，具纵棱及槽，被柔毛。叶片纸质，阔卵形或近圆形，长、宽几相等，均为 7 ～ 20 cm，3 ～ 7 掌状深裂，裂片阔卵形、长圆形或披针形，全缘、具细齿或具不规则的粗齿，叶基阔心形。卷须 3 ～ 5 歧。花雌雄异株。雄总状花序粗壮，具纵棱及槽，被微柔毛，中部以上有 6 ～ 14 花；苞片阔卵形或倒卵状菱形，深红色，被短柔毛，边缘具锐裂的长齿；花萼红色，先端扩大，被短柔毛，裂片线状披针形；花冠粉红色至红色，裂片倒卵形，边缘具流苏；花丝短。雌花单生，花梗密被柔毛；花萼筒筒状，裂片和花冠同雄花；子房卵形。果实阔卵形或球形，成熟时红色，先端具短喙；种子长圆状椭圆形，黄褐色，种脐渐狭，

另端平截，无棱线。

| **生境分布** | 生于海拔 150 ~ 1 540 m 的山谷密林、山坡疏林及灌丛中。分布于湖南长沙（雨花）、邵阳（双清）等。

| **资源情况** | 野生资源稀少。药材来源于野生。

| **采收加工** | 秋后采挖，洗净，鲜用或切片，晒干。

| **功能主治** | 甘、微苦，寒；有小毒。清肺化痰，解毒散结。用于肺热咳嗽，胸闷胸痛，便秘，疟疾，疮疖肿毒。

| **用法用量** | 内服煎汤，5 ~ 10 g。外用适量，鲜品捣敷。

葫芦科 Cucurbitaceae 马㲍儿属 Zehneria

马㲍儿
Zehneria indica (Lour.) Keraudren

| 药 材 名 | 马㲍儿（药用部位：全草或块根。别名：老鼠拉冬瓜、野苦瓜、扣子草）。

| 形态特征 | 攀缘或平卧草本。块根薯状。茎、枝纤细，有棱沟，无毛。卷须不分枝。叶柄细，长 2.5 ～ 3.5 cm；叶片膜质，多型，三角状卵形、卵状心形或戟形，不分裂或 3 ～ 5 浅裂，长 3 ～ 5 cm，宽 2 ～ 4 cm，表面深绿色，脉上被极短的柔毛，背面淡绿色，无毛，先端渐尖，稀短渐尖，基部弯缺半圆形，边缘微波状或有疏齿，脉掌状。雌雄同株；雄花单生或 2 ～ 3 花生于短的总状花序上，花序梗纤细，极短，花梗丝状，花萼宽钟形，萼齿 5，花冠 5 裂，淡黄色，有极短的柔毛，雄蕊 3，其中 2 雄蕊 2 室，1 雄蕊 1 室，有时全部 2 室；雌花在与雄

花同一叶腋内单生或双生，子房狭卵形，有疣状突起，花柱短，柱头 3 裂，退化雄蕊腺体状。果实长圆形或狭卵形，两端钝，外面无毛，长 1 ~ 1.5 cm，宽 0.5 ~ 0.8 cm，成熟后橘红色或红色；种子灰白色，卵形，基部稍变狭，边缘不明显。花期 4 ~ 7 月，果期 7 ~ 10 月。

| 生境分布 | 生于林中阴湿处、路边、田边及灌丛中。湖南各地均有分布。

| 资源情况 | 野生资源丰富。药材来源于野生。

| 采收加工 | 夏、秋季采收，块根除去泥及细根，洗净，切成厚片，茎叶切碎，鲜用或晒干。

| 药材性状 | 本品块根呈薯状，表面土黄色至棕黄色，切面粉白色至黄白色，粉性，质坚脆，易折断。茎纤细扭曲，暗绿色或灰白色，有细纵棱。卷须细丝状。单叶互生，皱缩卷曲，多破碎，完整叶呈三角状卵形或心形，上表面绿色，密布灰白色小凸点，下表面灰绿色，叶脉明显。气微，味微涩。

| 功能主治 | 甘、苦，凉。清热解毒，消肿散结，化痰利尿。用于痈肿疮疖，痰核，瘰疬，咽喉肿痛，疟腮，石淋，小便不利，湿疹，目赤黄疸，痔漏，脱肛，外伤出血，毒蛇咬伤。

| 用法用量 | 内服煎汤，15 ~ 30 g。外用适量，捣敷；或煎汤洗。

葫芦科 Cucurbitaceae 马㼎儿属 Zehneria

钮子瓜

Zehneria maysorensis (Wight et Arn.) Arn.

| 药 材 名 |

钮子瓜（药用部位：全草或根。别名：土瓜、野黄瓜、老鼠拉冬瓜）。

| 形态特征 |

草质藤本。茎、枝细弱，伸长，有沟纹，多分枝，无毛或稍被长柔毛。叶片膜质，宽卵形，稀三角状卵形，表面深绿色，粗糙，被短糙毛，背面苍绿色，近无毛，边缘有小齿或深波状锯齿，不分裂，有时 3 ～ 5 浅裂，脉掌状。卷须丝状，单一，无毛。雌雄同株；雄花常 3 ～ 9 生于总梗先端成近头状或伞房状花序，萼筒宽钟状，无毛或被微柔毛，萼裂片狭三角形，花冠白色，花冠裂片卵形或卵状长圆形，雄蕊 3，花药卵形；雌花单生，稀几花生于总梗先端，极稀雌雄同序，子房卵形。果实球状或卵状，直径 1 ～ 1.4 cm，浆果状，外面光滑无毛；种子卵状长圆形，扁压，平滑，边缘稍拱起。花期 4 ～ 8 月，果期 8 ～ 11 月。

| 生境分布 |

生于海拔 500 ～ 1 000 m 的林缘或山坡路旁潮湿处。湖南各地均有分布。

| **资源情况** | 野生资源丰富。药材来源于野生。

| **采收加工** | 夏、秋季采收，洗净，鲜用或晒干。

| **药材性状** | 本品茎多为圆柱形，微弯曲，长 2 ~ 5 cm，直径 1 ~ 5 mm，有节，具纵棱，外表黄棕色，质硬脆，折断面纤维性，可见黄色放射状纹理，髓部淡黄色。叶棕褐色，多卷曲皱缩，质脆，易碎，完整叶片近心形，先端尖，基部心形，边缘有疏锯齿，叶脉明显。卷须完整者先端略分成 2 叉，分叉处略膨大。浆果深棕色，表面具不规则深皱纹，破碎后内含种子多数。气清香，味微甜、涩。

| **功能主治** | 甘，平。清热，镇痉，解毒，通淋。用于发热，惊厥，头痛，咽喉肿痛，疮疡肿毒，淋证。

| **用法用量** | 内服煎汤，10 ~ 15 g。外用适量，鲜品捣敷。

千屈菜科 Lythraceae 水苋菜属 Ammannia

水苋菜
Ammannia baccifera L.

药 材 名

水苋菜（药用部位：全草。别名：仙桃草、
结筋草）。

形态特征

一年生草本，无毛，高 10 ～ 50 cm。茎直
立，多分枝，带淡紫色，稍具 4 棱，具狭
翅。叶生于下部的对生，生于上部或侧枝的
有时近互生，长椭圆形、矩圆形或披针形，
生于茎上的长可达 7 cm，生于侧枝的较小，
长 6 ～ 15 mm，宽 3 ～ 5 mm，先端短尖或
钝，基部渐狭，侧脉不明显，近无柄。花数
朵组成腋生的聚伞花序或花束，结实时稍疏
松；总花梗近无，花梗长 1.5 mm；花极小，
长约 1 mm，绿色或淡紫色；花萼蕾期钟形，
先端平面呈四方形，萼裂片 4，正三角形，
短于萼筒的 2 ～ 3 倍，结实时半球形，包围
蒴果下半部，无棱，附属体褶叠状或小齿状，
通常无花瓣；雄蕊通常 4，贴生于萼筒中部，
与萼裂片等长或较短；子房球形，花柱极短
或无。蒴果球形，紫红色，直径 1.2 ～ 1.5 mm，
中部以上不规则周裂；种子极小，形状不规
则，近三角形，黑色。花期 8 ～ 10 月，果
期 9 ～ 12 月。

| **生境分布** | 生于潮湿处或水田中，冬、春季始见。湖南各地均有分布。

| **资源情况** | 野生资源丰富。药材来源于野生。

| **采收加工** | 夏季采收，洗净，切碎，鲜用或晒干。

| **功能主治** | 苦、涩，微寒。散瘀止血，祛湿解毒。用于跌打损伤，内、外伤出血，骨折，风湿痹痛，蛇咬伤，疮痈肿毒，疥癣。

| **用法用量** | 内服煎汤，3～9 g；或浸酒；或研末。外用适量，捣敷；或研末敷。

千屈菜科 Lythraceae 紫薇属 Lagerstroemia

川黔紫薇

Lagerstroemia excelsa (Dode) Chun ex S. Lee et L. Lau

| 药 材 名 | 山紫薇叶（药用部位：叶）。

| 形态特征 | 落叶大乔木，高 20 ～ 30 m，胸径可达 1 m；树皮灰褐色，呈薄片状剥落。叶对生，膜质，椭圆形或阔椭圆形，长 7 ～ 13 cm，宽 3.5 ～ 5 cm，先端突然收缩，阔短尖，基部钝形，两边不等大，边缘波状，网状脉在两面均凸起；叶柄扁，被短柔毛。圆锥花序分枝具 4 棱，密被灰褐色星状柔毛；花多而密，细小，簇生状；花（5 ～）6 基数，花芽近球形，被柔毛；花萼有不明显的脉纹 12，初被星状短柔毛，后变无毛，裂片三角形，与萼筒近等长，内面有毛，先端具一增厚的小尖头，附属体细小，直立；花瓣黄白色，阔三角状矩圆形，基部偏斜，具长 1 ～ 1.2 mm 的爪；雄蕊 6，着生于萼筒近基部，花药圆形；子房球形，无毛，5 ～ 6 室。蒴果球状卵形，6 裂；种子长不

超过 3 mm。

| **生境分布** | 生于海拔 1 200 ～ 2 000 m 的山谷密林中。分布于湖南常德（石门）、永州（双牌）、湘西州（龙山、吉首）、张家界（桑植）等。

| **资源情况** | 野生资源稀少。药材来源于野生。

| **药材性状** | 清热解毒，利湿止血。用于痈疮肿毒，乳痈，痢疾，湿疹，外伤出血。

千屈菜科 Lythraceae 紫薇属 Lagerstroemia

紫薇 *Lagerstroemia indica* L.

药材名

紫薇花（药用部位：花）、紫薇叶（药用部位：叶）、紫薇根（药用部位：根）、紫薇皮（药用部位：茎皮、根皮）。

形态特征

落叶灌木或小乔木，高可达 7 m。树皮平滑，灰色或灰褐色；枝干多扭曲；小枝纤细，具 4 棱，略呈翅状。叶互生，有时对生，纸质，椭圆形、阔矩圆形或倒卵形，长 2.5 ~ 7 cm，宽 1.5 ~ 4 cm，先端短尖或钝，有时微凹，基部阔楔形或近圆形，无毛或下面沿中脉有微柔毛，侧脉 3 ~ 7 对，小脉不明显；无柄或叶柄很短。花淡红色、紫色或白色，直径 3 ~ 4 cm，常组成顶生圆锥花序；花梗长 3 ~ 15 mm，中轴及花梗均被柔毛；花萼长 7 ~ 10 mm，外面光滑，无棱，鲜时萼筒上有微凸起的短棱，两面无毛，萼裂片 6，三角形，直立，无附属体；花瓣 6，皱缩，长 12 ~ 20 mm，具长爪；雄蕊 36 ~ 42，外面 6 着生于花萼上，较其余雄蕊长得多；子房 3 ~ 6 室，无毛。蒴果椭圆状球形或阔椭圆形，长 1 ~ 1.3 cm，幼时绿色至黄色，成熟时或干燥时呈紫黑色，室背开裂；种子有翅，长约 8 mm。花期 6 ~ 9 月，果期 9 ~ 12 月。

| **生境分布** | 生于山野路旁灌丛中。栽培于庭园中。湖南各地均有分布。

| **资源情况** | 野生资源较少。栽培资源丰富。药材来源于栽培。

| **采收加工** | **紫薇花**：6 ~ 9 月采收，晒干。

紫薇叶：春、夏季采收，洗净，鲜用或晒干。

紫薇根：全年均可采挖，洗净，切片，鲜用或晒干。

紫薇皮：5 ~ 6 月采收茎，秋、冬季采挖根，剥取茎皮、根皮，洗净，切片，晒干。

| **功能主治** | **紫薇花**：苦、微酸，寒。清热解毒，活血止血。用于疮疖痈疽，胎毒，疥癣，崩中，带下，肺痨咯血，惊风。

紫薇叶：微苦、涩，寒。清热解毒，利湿止血。用于痈肿疮毒，乳痈，痢疾，湿疹，外伤出血。

紫薇根：微苦，微寒。清热利湿，活血止血，止痛。用于痢疾，水肿，烫火伤，湿疹，痈肿疮毒，跌打损伤，崩中，偏头痛，牙痛，痛经，产后腹痛。

紫薇皮：苦，寒。清热解毒，祛风除湿，散瘀止血。用于无名肿毒，丹毒，乳痈，咽喉肿痛，肝炎，疥癣，鹤膝风，跌打损伤，内、外伤出血，崩漏带下。

| **用法用量** | **紫薇花**：内服煎汤，10 ~ 15 g；或研末。外用适量，研末敷；或煎汤洗。

紫薇叶：内服煎汤，10 ~ 15 g；或研末。外用适量，捣敷；或研末敷；或煎汤洗。

紫薇根：内服煎汤，10 ~ 15 g。外用适量，研末敷；或煎汤洗。

紫薇皮：内服煎汤，10 ~ 15 g；或浸酒；或研末。外用适量，研末敷；或煎汤洗。

南紫薇

Lagerstroemia subcostata Koehne

| 药 材 名 | 拘那花（药用部位：花、根）。

| 形态特征 | 落叶乔木或灌木，高可达 14 m。树皮薄，灰白色或茶褐色，无毛或稍被短硬毛。叶膜质，矩圆形、矩圆状披针形，稀卵形，长 2 ~ 9（~ 11）cm，宽 1 ~ 4.4（~ 5）cm，先端渐尖，基部阔楔形，上面通常无毛，有时散生小柔毛，下面无毛、微被柔毛或沿中脉被短柔毛，有时脉腋间有丛毛，中脉在上面略下陷，在下面凸起，侧脉 3 ~ 10 对，先端连接；叶柄短，长 2 ~ 4 mm。花小，白色或玫瑰色，直径约 1 cm，组成顶生圆锥花序，长 5 ~ 15 cm，具灰褐色微柔毛，花密生；花萼有 10 ~ 12 棱，长 3.5 ~ 4.5 mm，5 裂，萼裂片三角形，直立，内面无毛；花瓣 6，长 2 ~ 6 mm，皱缩，具爪；

雄蕊 15 ~ 30，5 ~ 6 较长，12 ~ 14 较短，着生于萼片或花瓣上，花丝细长；子房 5 ~ 6 室，无毛。蒴果椭圆形，长 6 ~ 8 mm，3 ~ 6 瓣裂；种子有翅。花期 6 ~ 8 月，果期 7 ~ 10 月。

| 生境分布 | 生于林缘、溪边湿润、肥沃的土壤中。湖南各地均有分布。

| 资源情况 | 野生资源一般。药材来源于野生。

| 采收加工 | 根，秋、冬季采挖，洗净，切片，鲜用或晒干。花，夏季开花时分期分批采摘，鲜用或晒干。

| 功能主治 | 淡、微苦，寒。解毒，散瘀，截疟。用于疮痈肿毒，蛇咬伤，疟疾。

| 用法用量 | 内服煎汤，9 ~ 15 g。外用适量，鲜品捣敷。

千屈菜

Lythrum salicaria L.

| 药 材 名 | 千屈菜（药用部位：全草。别名：对牙草、铁菱角）。

| 形态特征 | 多年生草本。根茎横卧于地下，粗壮；茎直立，多分枝，高
30 ~ 100 cm，青绿色，略被粗毛或密被绒毛。枝通常具 4 棱。叶
对生或 3 叶轮生，披针形或阔披针形，长 4 ~ 6（~ 10）cm，宽
8 ~ 15 mm，先端钝或短尖，基部圆形或心形，有时略抱茎，全缘，
无柄。花组成小聚伞花序，簇生，花梗及总梗极短，花枝似一大型
穗状花序；苞片阔披针形至三角状卵形，长 5 ~ 12 mm；萼筒长
5 ~ 8 mm，有 12 纵棱，稍被粗毛，萼裂片 6，三角形；附属体针状，
直立，长 1.5 ~ 2 mm；花瓣 6，红紫色或淡紫色，倒披针状长椭圆形，
基部楔形，长 7 ~ 8 mm，着生于萼筒上部，有短爪，稍皱缩；雄蕊

12，6 长 6 短，伸出萼筒外；子房 2 室，花柱长短不一。蒴果扁圆形。

| **生境分布** | 生于河岸、湖畔、溪沟边和潮湿草地。湖南各地均有分布。

| **资源情况** | 野生资源丰富。药材来源于野生。

| **采收加工** | 秋季采收，洗净，切碎，鲜用或晒干。

| **药材性状** | 本品茎呈方柱形，灰绿色至黄绿色，直径 1 ~ 2 mm，有分枝，质硬，易折断，断面边缘纤维状，中空。叶片灰绿色，质脆，多皱缩破碎，完整叶对生或 3 叶轮生，叶片狭披针形，全缘，无柄。穗状花序；花两性，每 2 ~ 3 小花生于叶状苞片内；花萼灰绿色，筒状；花瓣紫色。蒴果椭圆形，全包于宿存花萼内。气微臭，味微苦。

| **功能主治** | 苦，寒。清热解毒，收敛止血。用于痢疾，泄泻，便血，崩中，疮疡溃烂，吐血，衄血，外伤出血。

| **用法用量** | 内服煎汤，10 ~ 30 g。外用适量，研末敷；或捣敷；或煎汤洗。

千屈菜科 Lythraceae 节节菜属 Rotala

节节菜
Rotala indica (Willd.) Koehne

| 药 材 名 | 节节菜（药用部位：全草。别名：水马齿苋）。

| 形态特征 | 一年生草本。茎多分枝，节上生根，常略具 4 棱，基部常匍匐，上部直立或稍披散。叶对生，无柄或近无柄，倒卵状椭圆形或矩圆状倒卵形，长 4 ~ 17 mm，宽 3 ~ 8 mm，侧枝上的叶长约 5 mm，先端近圆形或钝而有小尖头，基部楔形或渐狭，下面叶脉明显，边缘软骨质。花小，长不及 3 mm，通常组成长 8 ~ 25 mm 的腋生穗状花序，稀单生；苞片叶状，矩圆状倒卵形，长 4 ~ 5 mm，小苞片 2，极小，线状披针形，长约为花萼的一半或稍过之；萼筒管状钟形，膜质，半透明，长 2 ~ 2.5 mm，萼裂片 4，披针状三角形，先端渐尖；花瓣 4，极小，倒卵形，长不及萼裂片的一半，淡红色，宿存；雄蕊 4；

子房椭圆形，先端狭，长约 1 mm，花柱丝状，长为子房的一半或与子房近等长。蒴果椭圆形，稍有棱，长约 1.5 mm，常 2 瓣裂。花期 9 ～ 10 月，果期 10 月至翌年 4 月。

| 生境分布 | 生于水稻田中或湿地上。分布于湖南邵阳（双清、绥宁）、永州（零陵）、怀化（麻阳）、衡阳（衡东）等。

| 资源情况 | 野生资源较少。药材来源于野生。

| 采收加工 | 夏、秋季采收，洗净，鲜用或晒干。

| 功能主治 | 酸、苦，凉。清热解毒，止泻。用于疮疖肿毒，小儿泄泻。

| 用法用量 | 外用适量，鲜品捣敷。

千屈菜科 Lythraceae 节节菜属 Rotala

圆叶节节菜
Rotala rotundifolia (Buch.-Ham. ex Roxb.) Koehne

| 药 材 名 | 水豆瓣（药用部位：全草）。

| 形态特征 | 一年生草本，无毛。根茎细长，匍匐于地上；茎单一或稍分枝，直立，丛生，高 5 ~ 30 cm，带紫红色。叶对生，无柄或具短柄，近圆形、阔倒卵形或阔椭圆形，长 5 ~ 10 mm，有时可达 20 mm，宽 3.5 ~ 15 mm，先端圆形，基部钝，无柄时近心形，侧脉 4 对，纤细。花单生于苞片内，组成顶生稠密的穗状花序；花序长 1 ~ 4 cm，每株 1 ~ 3，有时 5 ~ 7；花极小，长约 2 mm，近无梗；苞片叶状，卵形或卵状矩圆形，与花近等长，小苞片 2，披针形或钻形，与萼筒近等长；萼筒阔钟形，膜质，半透明，长 1 ~ 1.5 mm，萼裂片 4，三角形，渐无附属体；花瓣 4，倒卵形，淡紫红色，长约为萼裂片

的 2 倍；雄蕊 4；子房近梨形，长约 2 mm，花柱长为子房的 1/2，柱头盘状。蒴果椭圆形，3 ～ 4 瓣裂。花果期 12 月至翌年 6 月。

| **生境分布** | 生于水稻田中或湿地上。湖南各地均有分布。

| **资源情况** | 野生资源丰富。药材来源于野生。

| **采收加工** | 夏、秋季采收，洗净，鲜用或晒干。

| **功能主治** | 甘、淡，凉。清热利湿，消肿解毒。用于痢疾，淋病，水臌，急性肝炎，痈肿疮毒，牙龈肿痛，痔肿，乳痈，急性脑膜炎，急性咽喉炎，月经不调，痛经，烫火伤。

| **用法用量** | 内服煎汤，15 ～ 30 g；或鲜品绞汁。外用适量，鲜品捣敷；或研末敷；或煎汤洗。

菱科 Trapaceae 菱属 Trapa

菱

Trapa bispinosa Roxb.

| 药 材 名 | 菱（药用部位：果肉）、菱壳（药用部位：果皮）、菱蒂（药用部位：果柄）、菱叶（药用部位：叶）、菱茎（药用部位：茎）。

| 形态特征 | 一年生浮水水生草本。根二型：着泥根细铁丝状，着生于水底泥中；同化根羽状细裂，裂片丝状。茎柔弱分枝。叶二型：浮水叶互生，聚生于主茎或分枝茎先端，呈旋叠状镶嵌排列在水面成莲座状菱盘，叶片菱圆形或三角状菱圆形，长 3.5 ~ 4 cm，宽 4.2 ~ 5 cm，表面深亮绿色，无毛，背面灰褐色或绿色，主侧脉在背面稍凸起，密被淡灰色或棕褐色短毛，脉间有棕色斑块，叶缘中上部具不整齐的圆凹齿或锯齿，叶缘中下部全缘，基部楔形或近圆形，叶柄中上部膨大不明显，长 5 ~ 17 cm，被棕色或淡灰色短毛；沉水叶小，早落。

花小，单生于叶腋，两性；萼筒 4 深裂，外被淡黄色短毛；花瓣 4，白色；雄蕊 4；雌蕊具半下位子房，2 心皮，2 室，每室具 1 倒生胚珠，仅 1 室胚珠发育；花盘鸡冠状。果实三角状菱形，高 2 cm，宽 2.5 cm，表面具淡灰色长毛，2 肩角直伸或斜举，肩角长约 1.5 cm，刺角基部不明显粗大，腰角处无刺角，丘状突起不明显，果喙不明显，果颈高 1 mm，直径 4 ～ 5 mm，内具 1 白色种子。花期 5 ～ 10 月，果期 7 ～ 11 月。

| **生境分布** | 生于湖湾、河湾、池塘。湖南各地均有分布。

| **资源情况** | 野生资源丰富。栽培资源丰富。药材来源于野生和栽培。

| **采收加工** | **菱、菱壳、菱蒂**：8 ～ 9 月采收，鲜用或晒干。
菱叶：夏季采收，鲜用或晒干。
菱茎：夏季开花时采收，鲜用或晒干。

| **功能主治** | **菱**：甘，凉。健脾益胃，除烦止渴，解毒。用于脾虚泄泻，暑热烦渴，消渴，饮酒过度，痢疾。
菱壳：涩，平。涩肠止泻，止血，敛疮，解毒。用于泄泻，痢疾，胃溃疡，便血，脱肛，痔疮，疔疮。
菱蒂：微苦，平。解毒散结。用于胃溃疡，赘疣。
菱叶：甘，凉。清热解毒。用于马牙疳，疮肿。
菱茎：甘，凉。清热解毒。用于胃溃疡，赘疣，疮毒。

| **用法用量** | **菱**：内服煎汤，9 ～ 15 g，大剂量可用至 60 g；或生食。
菱壳：内服煎汤，15 ～ 30 g，大剂量可用至 60 g。外用适量，烧存性，研末敷；或煎汤洗。
菱蒂：内服煎汤，鲜品 30 ～ 45 g。外用适量，鲜品擦拭；或捣汁涂。
菱叶：内服煎汤，6 ～ 15 g，鲜品加倍。外用适量，研末搽；或鲜品捣敷。
菱茎：内服煎汤，鲜品 30 ～ 45 g。外用适量，捣敷；或搽。

菱科 Trapaceae 菱属 Trapa

四角刻叶菱 *Trapa incisa* Sieb. et Zucc.

| **药 材 名** | 菱（药用部位：果肉）、菱壳（药用部位：果皮）、菱蒂（药用部位：果柄）、菱叶（药用部位：叶）、菱茎（药用部位：茎）。

| **形态特征** | 一年生浮水水生草本。根二型：着泥根细铁丝状，着生于水底泥中；同化根羽状细裂，裂片丝状，淡绿褐色或深绿褐色。叶二型：浮水叶互生，聚生于主茎或分枝茎先端，在水面形成莲座状菱盘，叶片较小，斜方形或三角状菱形，表面深亮绿色，背面绿色，被少量短毛或无毛，有棕色马蹄形斑块，叶缘中上部具缺刻状锐锯齿，叶缘中下部全缘，基部阔楔形，叶柄中上部稍膨大，绿色无毛；沉水叶小，早落。花小，单生于叶腋；花梗细，无毛；萼筒 4 裂，绿色，无毛；花瓣 4，白色或带微紫红色；雄蕊 4，花丝丝状，花药呈"丁"

字形着生，内向；雌蕊具半下位子房，2 室，每室具 1 倒生胚珠，花柱细长，柱头头状；花盘上位，有 8 瘤状物围着子房。果实三角形，高 1.5 cm，表面凹凸不平，4 刺角细长，2 肩角斜上举，2 腰角斜下伸，细锥状；果喙细圆锥形，呈尖头帽状，无果冠。花期 5 ~ 10 月，果期 7 ~ 11 月。

| 生境分布 | 生于湖湾、河湾、池塘。分布于湘中、湘东、湘北等。

| 资源情况 | 野生资源较少。药材来源于野生。

| 采收加工 | **菱、菱壳、菱蒂**：8 ~ 9 月采收，鲜用或晒干。
菱叶：夏季采收，鲜用或晒干。
菱茎：夏季开花时采收，鲜用或晒干。

| 功能主治 | **菱**：甘，凉。健脾益胃，除烦止渴，解毒。用于脾虚泄泻，暑热烦渴，消渴，饮酒过度，痢疾。
菱壳：涩，平。涩肠止泻，止血，敛疮，解毒。用于泄泻，痢疾，胃溃疡，便血，脱肛，痔疮，疔疮。
菱蒂：微苦，平。解毒散结。用于胃溃疡，赘疣。
菱叶：甘，凉。清热解毒。用于马牙疳，疮肿。
菱茎：甘，凉。清热解毒。用于胃溃疡，赘疣，疮毒。

| 用法用量 | **菱**：内服煎汤，9 ~ 15 g，大剂量可用至 60 g；或生食。
菱壳：内服煎汤，15 ~ 30 g，大剂量可用至 60 g。外用适量，烧存性，研末敷；或煎汤洗。
菱蒂：内服煎汤，鲜品 30 ~ 45 g。外用适量，鲜品擦拭；或捣汁涂。
菱叶：内服煎汤，6 ~ 15 g，鲜品加倍。外用适量，研末搽；或鲜品捣敷。
菱茎：内服煎汤，鲜品 30 ~ 45 g。外用适量，捣敷；或搽。

菱科 Trapaceae 菱属 Trapa

细果野菱
Trapa manimowiezii Korsh.

| 药 材 名 | 菱角（药用部位：果实）。

| 形态特征 | 一年生浮水水生草本。根二型：着泥根细铁丝状，着生于水底泥中；同化根羽状细裂，裂片丝状，深灰绿色。茎细，柔弱，分枝，长80～150 cm。叶二型：浮水叶互生，聚生于主茎或分枝茎先端，形成莲座状菱盘，叶片三角状菱圆形，长1.9～2.5 cm，宽2～3 cm，表面深亮绿色，无毛或仅有少量短毛，叶背面绿色带紫色，主侧脉稍明显，疏被少量黄褐色短毛，脉间有茶褐色斑块，叶缘中上部具不整齐的浅圆齿或锯齿，叶缘中下部全缘，基部广楔形；沉水叶小，早落。花小，单生于叶腋；花梗长1～2 cm，疏被淡褐色短毛；萼筒4深裂，萼裂片长约4 mm，基部密被短毛，其中1对萼筒沿脊

被毛，余无毛；花瓣4，白色，长约7 mm；花盘全缘；雄蕊4，花丝纤细，花药呈"丁"字形着生，内向；雌蕊具半下位子房，子房基部膨大，2室，每室具1倒生胚珠，仅1室胚珠发育，花柱钻状，柱头头状。果实三角形，高1～1.2 cm，表面平滑，具4刺角，2肩角细刺状，斜向上，角间端宽2～2.5 cm，2腰角较细短，锐刺状，斜下伸；果喙尖头帽状或细圆锥状，果颈高约3 mm，无果冠；果柄长约2.5 cm，疏被褐色短毛。花期6～7月，果期8～9月。

| **生境分布** | 生于湖湾、河湾、池塘。湖南各地均有分布。

| **资源情况** | 野生资源一般。药材来源于野生。

| **采收加工** | 8～9月采收，鲜用或晒干。

| **药材性状** | 本品扁三角状，有4角，两侧2角斜向上开展，宽1～2 cm，前后2角向下伸长，角较尖锐，表面黄绿色或微带紫色，果壳木质化，坚硬，果肉类白色，富粉性。气微，味甜、微涩。

| **功能主治** | 甘，平。补脾健胃，生津止渴，解毒消肿。用于脾胃虚弱，泄泻，痢疾，暑热烦渴，饮酒过度，疮肿。

| **用法用量** | 内服煎汤，30～60 g。

桃金娘科 Myrtaceae 红千层属 Callistemon

美花红千层 *Callistemon citrinus* (Curtis) Skeels

| 药 材 名 | 美花红千层（药用部位：枝、叶。别名：硬枝红千层）。

| 形态特征 | 灌木，高 1 ~ 2 m。树皮暗灰色，不易剥离。幼枝和幼叶有白色柔毛。叶互生，条形，长 3 ~ 8 cm，宽 2 ~ 5 mm，质坚硬，无毛，有透明腺点，中脉明显，无柄。穗状花序，有多数密生的花；花红色，无梗；萼筒钟形，萼裂片 5，脱落；花瓣 5，脱落；雄蕊多数，红色；子房下位。蒴果。3 ~ 4 月盛花期，11 ~ 12 月零星开放，果期 4 ~ 6 月。

| 生境分布 | 生于山坡灌丛、山沟、道路两旁。分布于湘东等。

| 资源情况 | 野生资源较少。栽培资源一般。药材来源于栽培。

| **功能主治** | 祛风，化痰，消肿。用于感冒，咳喘，风湿痹痛，湿疹，跌打肿痛。 |

| **用法用量** | 内服煎汤，10 ～ 30 g。外用适量，捣敷；或煎汤洗。 |

桃金娘科 Myrtaceae 红千层属 Callistemon

红千层 *Callistemon rigidus* R. Br.

| **药 材 名** | 红千层（药用部位：枝、叶）。

| **形态特征** | 小乔木。树皮坚硬，灰褐色；嫩枝有棱，初时有长丝毛，不久变无毛。叶片坚革质，线形，长 5 ~ 9 cm，宽 3 ~ 6 mm，先端尖锐，初时有丝毛，不久毛脱落，油腺点明显，干后凸起，中脉在两面均凸起，侧脉明显，边脉凸起；叶柄极短。穗状花序生于枝顶；萼管略被毛，萼齿半圆形，近膜质；花瓣绿色，卵形，长 6 mm，宽 4.5 mm，有油腺点；雄蕊长 2.5 cm，鲜红色，花药暗紫色，椭圆形；花柱较雄蕊稍长，先端绿色，余红色。蒴果半球形，长 5 mm，宽 7 mm，先端平截，萼管口圆，果瓣稍下陷，3 爿裂开，果爿脱落；种子条状，长 1 mm。花期 6 ~ 8 月。

生境分布	生于岗地、低山。分布于湖南长沙（望城）、株洲（荷塘）、衡阳（雁峰、石鼓、蒸湘、衡阳）、邵阳（大祥）、岳阳（湘阴）、常德（安乡）、郴州（苏仙、桂阳、临武、桂东）、永州（零陵、东安、道县、蓝山）、怀化（鹤城、中方、会同、芷江）等。
资源情况	野生资源丰富。栽培资源较丰富。药材来源于野生和栽培。
采收加工	全年均可采收，鲜用或晒干。
功能主治	辛，平。归肺经。祛风，化痰，消肿。用于感冒，咳喘，风湿痹痛，湿疹，跌打肿痛。
用法用量	内服煎汤，3～9g。外用适量，捣敷；或研末敷；或煎汤洗。

桃金娘科 Myrtaceae 桉属 *Eucalyptus*

窿缘桉
Eucalyptus exserta F. V. Muell.

| 药 材 名 | 窿缘桉叶（药用部位：叶）。

| 形态特征 | 中等乔木，高 15 ～ 18 m。树皮宿存，质稍坚硬，粗糙，有纵沟，灰褐色；嫩枝有钝棱，纤细，常下垂。幼态叶对生，狭披针形，宽不及 1 cm，有短柄；成熟叶狭披针形，长 8 ～ 15 cm，宽 1 ～ 1.5 cm，稍弯曲，两面多微小黑腺点，侧脉以 35° ～ 40° 急斜向上，边脉近叶缘；叶柄长 1.5 cm，纤细。伞形花序腋生，有 3 ～ 8 花；总梗圆形，长 6 ～ 12 cm；花梗长 3 ～ 4 mm；花蕾长卵形，长 8 ～ 10 mm；萼管半球形，长 2.5 ～ 3 mm，宽 4 mm；帽状体长 5 ～ 7 mm，长锥形，先端渐尖；雄蕊长 6 ～ 7 mm，药室平行，纵裂。蒴果近球形，直径 6 ～ 7 mm，果缘突出萼管 2 ～ 2.5 mm，果瓣 4，长 1 ～ 1.5 mm。

花期 5 ~ 9 月。

| 生境分布 | 生于岗地。分布于湖南株洲（攸县）、永州（江华）等。

| 资源情况 | 野生资源较少。药材来源于野生。

| 采收加工 | 秋季晴天采摘，阴干。

| 药材性状 | 本品叶片呈镰状披针形，表面灰绿色，散有赤褐色或暗褐色的木栓斑点，主脉干缩成 1 沟槽；叶柄棕褐色，多扭转。革质，质脆，易折碎。

| 功能主治 | 辛、苦，温。祛风止痒，燥湿杀虫。用于风湿疹痒，脚气湿痒，风湿痹痛。

| 用法用量 | 外用适量，煎汤洗；或捣敷。

桃金娘科 Myrtaceae 桉属 *Eucalyptus*

桉

Eucalyptus robusta Smith

| 药 材 名 |

大叶桉叶（药用部位：叶。别名：桉叶）、大叶桉果（药用部位：果实）。

| 形态特征 |

密荫大乔木，高 20 m。树皮宿存，深褐色，厚 2 cm，质稍松软，有不规则斜裂沟；嫩枝有棱。幼态叶对生，厚革质，卵形，长 11 cm，宽达 7 cm，有柄；成熟叶卵状披针形，厚革质，不等侧，长 8 ~ 17 cm，宽 3 ~ 7 cm，侧脉多而明显，以 80° 缓斜走向边缘，两面均有腺点，边脉距叶缘 1 ~ 1.5 mm；叶柄长 1.5 ~ 2.5 cm。伞形花序粗大，有 4 ~ 8 花；总梗压扁，长不及 2.5 cm；花梗短，长不及 4 mm，有时较长，粗而扁平；花蕾长 1.4 ~ 2 cm，宽 7 ~ 10 mm；萼管半球形或倒圆锥形，长 7 ~ 9 mm，宽 6 ~ 8 mm；帽状体与萼管近等长，先端收缩成喙；雄蕊长 1 ~ 1.2 cm，花药椭圆形，纵裂。蒴果卵状壶形，长 1 ~ 1.5 cm，上半部略收缩，蒴口稍扩大，果瓣 3 ~ 4，深藏于萼管内。花期 4 ~ 9 月。

| 生境分布 |

生于阳光充足的平原、山坡和路旁。分布于

湘东、湘西南等。

| **资源情况** | 野生资源一般。药材来源于野生。

| **采收加工** | **大叶桉叶**：秋季采摘，阴干或鲜用。
大叶桉果：春、秋季采收，晒干。

| **功能主治** | **大叶桉叶**：辛、苦，凉。疏风发表，祛痰止咳，清热解毒，杀虫止痒。用于感冒，高热头痛，肺热喘咳，泻痢腹痛，疟疾，风湿痹痛，丝虫病，钩端螺旋体病，咽喉肿痛，目赤，翳障，耳痈，丹毒，痈疽，乳痈，麻疹，风疹，湿疹，疥癣，烫伤。
大叶桉果：辛，凉。祛风解表，利湿止痒。用于感冒发热，风湿骨痛，腹痛泄泻，风疹，湿疹。

| **用法用量** | **大叶桉叶**：内服煎汤，6 ~ 9 g，鲜品 15 ~ 30 g。外用适量，煎汤洗；或提取蒸馏液涂；或研末制成软膏外敷；或制成气雾剂吸入。
大叶桉果：内服煎汤，6 ~ 15 g。外用适量，煎汤洗。

桃金娘科 Myrtaceae 桃金娘属 Rhodomyrtus

桃金娘

Rhodomyrtus tomentosa (Ait.) Hassk.

| 药 材 名 |

山稔子（药用部位：果实。别名：岗稔、山稔、多莲）、桃金娘花（药用部位：花。别名：岗稔花）、山稔叶（药用部位：叶）、山稔根（药用部位：根）。

| 形态特征 |

灌木，高 1 ～ 2 m。嫩枝有灰白色柔毛。叶对生，革质，叶片椭圆形或倒卵形，长 3 ～ 8 cm，宽 1 ～ 4 cm，先端圆形或钝，常微凹入，有时稍尖，基部阔楔形，上面初时有毛，后变无毛，发亮，下面有灰色茸毛，离基三出脉，直达先端且相结合，边脉距叶缘 3 ～ 4 mm，侧脉 4 ～ 6 对，网脉明显；叶柄长 4 ～ 7 mm。花常单生，紫红色，直径 2 ～ 4 cm，有长梗；萼管倒卵形，长 6 mm，有灰色茸毛，萼裂片 5，近圆形，长 4 ～ 5 mm，宿存；花瓣 5，倒卵形，长 1.3 ～ 2 cm；雄蕊红色，长 7 ～ 8 mm；子房下位，3 室，花柱长 1 cm。浆果卵状壶形，长 1.5 ～ 2 cm，宽 1 ～ 1.5 cm，成熟时紫黑色；种子每室 2 列。花期 4 ～ 5 月。

| 生境分布 |

生于丘陵坡地。分布于湖南郴州（汝城）等。

| 资源情况 | 野生资源较少。栽培资源较少。药材来源于野生和栽培。

| 采收加工 | 山稔子：秋季果实成熟时采收，鲜用或晒干。

桃金娘花：4～5月采收，鲜用或阴干。

山稔叶：全年均可采收，鲜用或晒干。

山稔根：全年均可采收，鲜用或晒干。

| 功能主治 | 山稔子：甘、涩，平。归肝、脾经。养血止血，涩肠固精。用于血虚体弱，吐血，鼻衄，劳伤咯血，便血，崩漏，遗精，带下，痢疾，脱肛，烫伤，外伤出血。

桃金娘花：甘、涩，平。归肺经。收敛止血。用于咯血，鼻衄。

山稔叶：甘，平。利湿止泻，生肌止血。用于泄泻，痢疾，黄疸，头痛，胃痛，疳积，崩漏，乳痈，疮肿，痔疮，疥癣，烫伤，外伤出血，毒蛇咬伤。

山稔根：辛、甘，平。理气止痛，利湿止泻，祛瘀止血，益肾养血。用于脘腹疼痛，消化不良，呕吐泻痢，胁痛，黄疸，癥瘕痞块，崩漏，劳伤出血，跌打伤痛，风湿痹痛，血虚体弱，肾虚腰痛，膝软，尿频，白浊，浮肿，疝气，痈肿瘰疬，痔疮，烫伤。

| 用法用量 | 山稔子：内服煎汤，6～15 g，鲜品15～30 g；或浸酒。外用适量，烧存性，研末调敷。大便秘结者禁服。

桃金娘花：内服煎汤，6～15 g。

山稔叶：内服煎汤，10～20 g。外用适量，煎汤洗；或捣敷。

山稔根：内服煎汤，15～60 g；或酒水各半煎；或炖肉。外用适量，烧炭存性，研末涂抹。

桃金娘科 Myrtaceae 蒲桃属 Syzygium

华南蒲桃

Syzygium austrosinense (Merr. et Perry) Chang et Miau

| 药 材 名 | 小山稔（药用部位：全株）。

| 形态特征 | 灌木至小乔木，高达 10 m。嫩枝有 4 棱，干后褐色。叶片革质，椭圆形，长 4 ~ 7 cm，宽 2 ~ 3 cm，先端尖锐或稍钝，基部阔楔形，上面干后绿褐色，有腺点，下面绿褐色，腺点凸起，侧脉相距 1.5 ~ 2 mm，以 70° 角斜出，在上面不明显，在下面稍明显，边脉距叶缘不及 1 mm；叶柄长 3 ~ 5 mm。聚伞花序顶生或近顶生，长 1.5 ~ 2.5 cm；花梗长 2 ~ 5 mm；花蕾倒卵形，长 4 mm；萼管倒圆锥形，长 2.5 ~ 3 mm，萼片 4，短三角形；花瓣分离，倒卵圆形，长 2.5 mm；雄蕊长 3 ~ 4 mm；花柱长 3 ~ 4 mm。果实球形，宽 6 ~ 7 mm。花期 6 ~ 8 月。

| 生境分布 | 生于中海拔地区的常绿林中。分布于湖南永州（江永）等。

| 资源情况 | 野生资源较少。药材来源于野生。

| 采收加工 | 全年均可采收，切碎，晒干。

| 功能主治 | 涩肠止泻。用于久泻，久痢。

| 用法用量 | 内服煎汤，6 ~ 15 g。

桃金娘科 Myrtaceae **蒲桃属** Syzygium

赤楠
Syzygium buxifolium Hook. et Arn.

| **药 材 名** | 赤楠根（药用部位：根或根皮。别名：耳蒙根）、赤楠蒲桃叶（药用部位：叶）。

| **形态特征** | 灌木或小乔木。嫩枝有棱，干后黑褐色。叶片革质，阔椭圆形至椭圆形，有时阔倒卵形，长 1.5 ~ 3 cm，宽 1 ~ 2 cm，先端圆形或钝，有时有钝尖头，基部阔楔形或钝，上面干后暗褐色，无光泽，下面色稍浅，有腺点，侧脉多而密，脉间相距 1 ~ 1.5 mm，斜行向上，距边缘 1 ~ 1.5 mm 处结合成边脉，在上面不明显，在下面稍凸起；叶柄长 2 mm。聚伞花序顶生，长约 1 cm，有花数朵；花梗长 1 ~ 2 mm；花蕾长 3 mm；萼管倒圆锥形，长约 2 mm，萼齿浅波状；花瓣 4，分离，长 2 mm；雄蕊长 2.5 mm；花柱与雄蕊等长。果实球形，直

径 5 ~ 7 mm。花期 6 ~ 8 月。

| 生境分布 | 生于低山疏林或灌丛中。湖南各地均有分布。

| 资源情况 | 野生资源丰富。药材来源于野生。

| 功能主治 | **赤楠根：** 甘、微苦、辛，平。归肾、脾、肝经。益肾定喘，健脾利湿，祛风活血，解毒消肿。用于喘咳，浮肿，淋浊，尿路结石，痢疾，肝炎，子宫脱垂，风湿痛，疝气，睾丸炎，痔疮，痈肿，烫火伤，跌打肿痛。

赤楠蒲桃叶： 苦，寒。清热解毒。用于痈疽疔疮，漆疮，烫火伤。

| 用法用量 | **赤楠根：** 内服煎汤，15 ~ 30 g。外用适量，捣敷；或研末撒。

赤楠蒲桃叶： 外用适量，捣敷；或煎汤洗；或研末调涂。

桃金娘科 Myrtaceae 蒲桃属 Syzygium

轮叶蒲桃
Syzygium grijsii (Hance) Merr. et Perry

| 药 材 名 | 山乌珠根（药用部位：根）、山乌珠叶（药用部位：叶）。

| 形态特征 | 灌木，高不及 1.5 m。嫩枝纤细，有 4 棱，干后黑褐色。叶片革质，细小，常 3 叶轮生，狭长圆形或狭披针形，长 1.5 ~ 2 cm，宽 5 ~ 7 mm，先端钝或略尖，基部楔形，上面干后暗褐色，无光泽，下面色稍浅，多腺点，侧脉密，以 50° 开角斜行，脉间相距 1 ~ 1.5 mm，下面较上面明显，边脉极接近边缘；叶柄长 1 ~ 2 mm。聚伞花序顶生，长 1 ~ 1.5 cm，少花；花梗长 3 ~ 4 mm；花白色；萼管长 2 mm，萼齿极短；花瓣 4，分离，近圆形，长约 2 mm；雄蕊长约 5 mm；花柱与雄蕊等长。果实球形，直径 4 ~ 5 mm。花期 5 ~ 6 月。

| **生境分布** | 生于山林或灌丛中。湖南各地均有分布。

| **资源情况** | 野生资源丰富。药材来源于野生。

| **采收加工** | **山乌珠根：**全年均可采收，洗净，切片，鲜用或晒干。
山乌珠叶：全年均可采收，鲜用。

| **功能主治** | **山乌珠根：**辛、微苦，温。散风祛寒，活血止痛。用于风寒感冒，头痛，风湿痹痛，跌打肿痛。
山乌珠叶：苦、微涩，平。解毒敛疮，止汗。用于烫伤，盗汗。

| **用法用量** | **山乌珠根：**内服煎汤，15 ~ 30 g。外用适量，捣敷。
山乌珠叶：内服煎汤，6 ~ 15 g。外用适量，煎汤洗；或捣敷。

石榴科 Punicaceae 石榴属 Punica

石榴
Punica granatum L.

| 药 材 名 | 石榴皮（药用部位：果皮）、甜石榴（药用部位：味甜果实）、酸石榴（药用部位：味酸果实）、石榴花（药用部位：花）、石榴叶（药用部位：叶）、石榴根（药用部位：根皮）。

| 形态特征 | 落叶灌木或乔木，高通常 3 ～ 5 m，稀达 10 m。枝顶常成尖锐长刺，幼枝具棱角，无毛，老枝近圆柱形。叶通常对生，纸质，矩圆状披针形，长 2 ～ 9 cm，先端短尖、钝尖或微凹，基部短尖至稍钝，上面光亮，侧脉稍细密；叶柄短。花大，1 ～ 5 花生于枝顶；萼筒长 2 ～ 3 cm，通常红色或淡黄色，萼裂片略外展，卵状三角形，长 8 ～ 13 mm，外面近先端处有 1 黄绿色腺体，边缘有小乳突；花瓣通常大，红色、黄色或白色，长 1.5 ～ 3 cm，宽 1 ～ 2 cm，先端圆形；花丝无毛，

长达 13 mm；花柱长于雄蕊。浆果近球形，直径 5 ～ 12 cm，通常淡黄褐色或淡黄绿色，有时白色，稀暗紫色；种子多数，钝角形，红色至乳白色，外种皮肉质。

| **生境分布** | 生于山坡向阳处。栽培于庭园中。湖南各地均有分布。

| **资源情况** | 野生资源丰富。栽培资源丰富。药材来源于栽培。

| **采收加工** | **石榴皮**：秋季果实成熟后采收，晒干。

甜石榴、酸石榴：9 ～ 10 月果实成熟时采收，鲜用。

石榴花、石榴叶：夏、秋季采收，晒干。

石榴根：秋季采挖根，剥取根皮。

| **功能主治** | **石榴皮**：酸、涩，温；有小毒。归大肠经。涩肠止泻，止血，驱虫。用于泄泻，痢疾，肠风下血，崩漏，带下，虫积腹痛，痈疮，疥癣，烫伤。

甜石榴：甘、酸、涩，温。生津止渴，杀虫。用于咽燥口渴，虫积，久痢。

酸石榴：酸，温。止渴，涩肠，止血。用于津伤燥渴，滑泄，久痢，崩漏，带下。

石榴花：酸、涩，平。凉血，止血。用于衄血，吐血，外伤出血，月经不调，崩中带下，中耳炎。

石榴叶：酸、涩，温。收敛止泻，解毒杀虫。用于泄泻，痘风疮，癞疮，跌打损伤。

石榴根：酸、涩，温。驱虫，涩肠，止带。用于蛔虫病，绦虫病，久泻，久痢，赤白带下。

| **用法用量** | **石榴皮**：内服煎汤，3 ～ 10 g；或入丸、散剂。外用适量，煎汤熏洗；或研末撒或调敷。

甜石榴：内服煎汤，3 ～ 9 g；或捣汁。不宜过量服用。

酸石榴：内服煎汤，6 ～ 9 g；或捣汁；或烧存性，研末。外用适量，烧灰存性，撒。不宜过量服用。

石榴花：内服煎汤，3 ～ 6 g；或入散剂。外用适量，研末撒或调敷。

石榴叶：内服煎汤，15 ～ 30 g。外用适量，煎汤洗；或捣敷。

石榴根：内服煎汤，6 ～ 12 g。

野牡丹科 Melastomataceae 棱果花属 Barthea

棱果花
Barthea barthei (Hance) Krass.

| 药 材 名 | 棱果木（药用部位：根、叶）。

| 形态特征 | 灌木，高 70 ~ 150 cm，有时达 3 m。茎圆柱形。树皮灰白色，木栓化，分枝多；小枝略呈四棱形，幼时被微柔毛及腺状糠秕。叶片坚纸质或近革质，椭圆形、近圆形、卵形或卵状披针形，先端渐尖，基部楔形或广楔形，长（3.5 ~ ）6 ~ 11 cm，宽（1.8 ~ ）2.5 ~ 5.5 cm，稀长 15 cm、宽 5 cm，全缘或具细锯齿，基出脉 5，最外侧的 2 基出脉近边缘，两面无毛，表面基出脉微凹，侧脉不明显，背面密被糠秕，尤以侧脉及细脉上为密，基出脉隆起，侧脉微隆起，细脉明显或不明显；叶柄长 5 ~ 15 mm，密被糠秕或无。聚伞花序顶生，有 3 花，常仅 1 花成熟；花梗四棱形，长约 7 mm，被糠秕；花萼

钟形、四棱形，密被糠秕，萼裂片短三角形，先端细尖，长约
3 mm，边缘膜质，萼管长约 6 mm；花瓣白色至粉红色或紫红
形或近倒卵形，上部偏斜，长 11 ~ 18 mm，宽 9.5 ~ 16 mm；雄蕊长者花药长
约 1 cm，距长约 2 mm，上弯，基部刺毛长约 3.5 mm，花丝长约 8 mm，短者花
药长约 3 mm，距不明显，基部刺毛长约 2.5 mm，花丝长约 7 mm；子房梨形、
四棱形，无毛，先端无冠。蒴果长圆形，先端平截，为宿存萼所包；宿存萼四
棱形，棱上有狭翅，先端常冠以宿存萼片，长约 1 cm，直径约 6 mm，被糠秕。
花期 1 ~ 4 月或 10 ~ 12 月，果期 10 ~ 12 月或翌年 1 ~ 5 月。

| **生境分布** | 生于海拔 400 ~ 1 300 m 的山坡、山谷、山顶林中或水旁。分布于湖南郴州（宜章）等。

| **资源情况** | 野生资源较少。药材来源于野生。

| **采收加工** | 根，全年均可采挖，洗净，切片，鲜用或晒干。叶，春、夏季采收，鲜用或晒干。

| **功能主治** | 止痛。用于风湿痹痛，跌打损伤。

| **用法用量** | 内服煎汤，10 ~ 15 g。

野牡丹科 Melastomataceae 柏拉木属 *Blastus*

少花柏拉木 *Blastus pauciflorus* (Benth.) guillaum.

| 药 材 名 | 少花柏拉木（药用部位：茎、叶）。

| 形态特征 | 灌木，高约 70 cm。茎圆柱形，多分枝，被微柔毛及黄色小腺点，幼时更密。叶片纸质，卵状披针形至卵形，先端短渐尖，基部钝至圆形，有时略偏斜，长 3.5 ～ 6 cm，宽 1.3 ～ 2.3 cm，近全缘或具极细的小齿，基出脉 3 ～ 5，表面基出脉微凹，被微柔毛，侧脉不明显，背面基出脉、侧脉隆起，密被微柔毛及疏腺点，其余密被黄色小腺点；叶柄长 4 ～ 10 mm，密被微柔毛及疏小腺点。聚伞花序组成小圆锥花序，顶生，长约 5 mm，宽约 3 mm，密被微柔毛及疏小腺点；苞片不明显；花梗长约 1 mm，与花萼均被黄色小腺点；花萼漏斗形，具 4 棱，长约 3 mm，萼裂片短三角形，长不及 1 mm；

花瓣粉红色至紫红色，卵形，先端急尖，偏斜，长约 2.5 mm，外面先端有时多少被小腺点；雄蕊 4，花丝长约 3 mm，多少被微柔毛，花药披针形，微弯，长约 3 mm，基部微分开，具不明显的小瘤，药隔微膨大，微下延至基部分开；子房半下位，先端具 4 小突起，多少被小腺点。蒴果椭圆形，为宿存萼所包；宿存萼漏斗形，具 4 棱，长约 3 mm，直径约 2 mm，被黄色小腺点。花期 7 月，果期 10 月。

| 生境分布 | 生于低海拔的山坡、林下。分布于湘中、湘东、湘南、湘西南等。

| 资源情况 | 野生资源一般。药材来源于野生。

| 采收加工 | 夏、秋季采收，鲜用或切段晒干。

| 功能主治 | 涩、微苦，平。拔毒生肌，杀虫。用于疮疖肿毒，疥疮。

| 用法用量 | 外用适量，捣敷；或煎汤洗；或研末敷。

野牡丹科 Melastomataceae 野海棠属 Bredia

长萼野海棠
Bredia longiloba (Hand.-Mazz.) Diels

| 药 材 名 | 血经草（药用部位：全株。别名：女儿红、紫背红、叶底红）。

| 形态特征 | 亚灌木，高 20 ~ 40 cm。茎四棱形，具匍匐茎，逐节生根，基部木质化，不分枝或少数分枝，密被柔毛及平展的腺毛，后腺毛成刺毛。叶片纸质或坚纸质，卵形或椭圆状卵形，先端急尖或短渐尖，基部钝至浅心形，长 5 ~ 8 cm，宽 2.2 ~ 4.5 cm，边缘具细锯齿，齿尖具刺毛，基出脉 7，最靠近边缘的 2 基出脉常不明显，表面被微柔毛及疏糙伏毛或长柔毛，基出脉微凹，侧脉平整，背面密被微柔毛，基出脉、侧脉隆起，明显，有时杂有平展的长柔毛，细脉网状；叶柄长 1 ~ 4.5 cm，被柔毛及平展的疏刺毛。伞形花序组成聚伞花序或复伞形花序，顶生或生于小枝先端，长 3 ~ 7 cm，与花梗、花萼

均被微柔毛及疏腺毛；花梗长约 1 cm；花萼漏斗形，萼筒长约 5 mm，萼裂片线状披针形，长约 1 mm；花瓣紫红色，长圆状卵形，先端渐尖，微偏斜，长约 1 cm，宽约 5 mm；雄蕊近等长，长 1 ～ 1.2 cm，花药长 5 ～ 6 mm，略长者基部具极短的柄，略短者基部具刺状小瘤，后面成短距，整体连成盘状；子房卵形，先端具膜质冠，冠缘具腺毛。蒴果杯形，先端具膜质冠，冠缘具疏腺毛，为宿存萼所包；宿存萼杯形，具 4 棱，长约 5 mm，直径 4 ～ 6 mm，被微柔毛及疏腺毛，先端冠以宿存萼片。花期 8 ～ 10 月，果期约 10 月。

| **生境分布** | 生于海拔 600 ～ 900 m 的山坡、山谷疏林下、路边、水边、湿地上。分布于湘南、湘西南等。

| **资源情况** | 野生资源较少。药材来源于野生。

| **采收加工** | 夏、秋季采挖，洗净，鲜用或晒干。

| **功能主治** | 微苦，凉。清热利湿，活血调经。用于淋证，月经不调，痛经，化脓性指头炎。

| **用法用量** | 内服煎汤，9 ～ 15 g，大剂量可用至 60 g。外用适量，煎汤洗；或鲜品捣敷。

野牡丹科 Melastomataceae 野海棠属 Bredia

过路惊 Bredia quadrangularis Cogn.

| 药 材 名 | 过路惊（药用部位：全株）。

| 形态特征 | 小灌木，高 30 ~ 120 cm。茎圆柱形或略呈四棱形，分枝多。小枝四棱形，棱上多少具狭翅，无毛。叶片坚纸质，卵形至椭圆形，先端短渐尖或钝圆，基部楔形，长 2.5 ~ 5 cm，宽 1.5 ~ 2.5 cm，稀长 6.5 cm、宽 3 cm，具疏浅锯齿或近全缘，基出脉 3，两面无毛，表面基出脉微凹，侧脉不明显，背面基出脉隆起，侧脉不甚明显，细脉不明显；叶柄长 5 ~ 12（~ 15）mm，无毛。聚伞花序腋生于枝条先端，有 3 ~ 9 花或更多，长 3 ~ 7 cm，宽约 2 cm，无毛；总梗纤细，直径不及 0.5 mm；苞片小，钻形，长不及 1 mm；花梗长约 5 mm，下弯；花萼短钟形，具 4 棱，长约 2.5 mm，萼裂片呈浅

波状，先端具小短尖头；花瓣玫瑰色至紫色，卵形，先端急尖，略偏斜，长约5 mm，宽 3 mm；雄蕊 4 长 4 短，长者长约 8.5 mm，其花药披针形，呈镰状弯曲，长约 3.5 mm，药隔下延成短柄，短者长约 7 mm，其花药长约 3 mm，基部具小瘤，药隔下延成短距；子房半下位，扁球形，先端具 4 有浅裂的突起，无毛。蒴果杯形、四棱形，先端平截，露出宿存萼外；宿存萼浅杯形，具 4 棱，先端冠以浅波状宿存萼片，长约 3 mm，直径约 4 mm。花期 6 ~ 8 月，果期 8 ~ 10 月。

| 生境分布 | 生于海拔 300 ~ 1 400 m 的山坡、山谷林下、阴湿处或路旁。分布于湘中、湘东、湘南等。

| 资源情况 | 野生资源较少。药材来源于野生。

| 采收加工 | 夏、秋季采收，洗净，切段，晒干。

| 功能主治 | 苦，微寒。息风定惊。用于惊风，夜啼。

| 用法用量 | 内服煎汤，6 ~ 15 g。

野牡丹科 Melastomataceae 野海棠属 Bredia

鸭脚茶
Bredia sinensis (Diels) H. L. Li

| 药 材 名 |　鸭脚茶（药用部位：全株或叶）。

| 形态特征 |　灌木，高 60 ~ 100 cm。茎圆柱形，分枝多。小枝略呈四棱形，幼时被星状毛，后无毛或疏被微柔毛。叶片坚纸质，披针形至卵形或椭圆形，先端渐尖或钝，基部楔形或极钝，长 5 ~ 11 cm，宽 2 ~ 5 cm，稀长 13 cm，宽 6 cm，近全缘或具疏浅锯齿，基出脉 5，幼时两面被星状毛，后近无毛，表面基出脉微凹，侧脉不明显，背面基出脉隆起，侧脉、细脉均不明显；叶柄长 5 ~ 16（ ~ 20）mm，近无毛。聚伞花序顶生，有（5 ~）20 花，长和宽均 4 ~ 6 cm，近无毛或节上被星状毛；苞片早落；花梗长 5 ~ 8 mm，多少被微柔毛；花萼钟状漏斗形，长约 6 mm，具 4 棱，有时多少被星状毛，萼裂片极

浅，圆齿状，先端点尖；花瓣粉红色至紫色，长圆形，先端急尖，一侧偏斜，长约 1 cm，宽 6 mm；雄蕊 4 长 4 短，长者长约 16 mm，其花药披针形，长约 1 cm，药隔下延成短柄，短者长约 1 cm，其花药长约 7 mm，基部具小瘤，药隔下延成短距；子房半下位，卵状球形，先端被微柔毛。蒴果近球形，为宿存萼所包；宿存萼钟状漏斗形，具 4 棱，先端平截，冠以宿存萼片；宿存萼片有时被星状毛，长和直径均约 7 mm。花期 6 ～ 7 月，果期 8 ～ 10 月。

| 生境分布 | 生于海拔 400 ～ 1 200 m 的山谷、山坡林下、阴湿的路边、沟旁草丛中或岩石积土上。分布于湘南，以及郴州（宜章）等。

| 资源情况 | 野生资源较少。药材来源于野生。

| 采收加工 | 夏、秋季采收，鲜用或晒干。

| 药材性状 | 本品多皱缩，长 60 ～ 100 cm，无毛。茎细长，圆柱形，直径 1 ～ 1.8 cm，红棕色，表皮有纵皱纹。叶对生，多皱缩破碎，展开后呈椭圆形或卵状椭圆形，略斜歪，长 5 ～ 10 cm，宽 2 ～ 5 cm，边缘呈浅波状，少有细锯齿，主脉 3 ～ 5；叶柄长 5 ～ 20 mm，叶柄端膨大。聚伞花序顶生，有时排成圆锥状花序；萼筒近钟形，萼裂片 4，宽而短；花瓣 4，近椭圆形，紫褐色。

| 功能主治 | 辛，平。发表。用于感冒。

| 用法用量 | 内服煎汤，6 ～ 15 g。外用适量，煎汤洗。

野牡丹科 Melastomataceae 异药花属 Fordiophyton

异药花
Fordiophyton faberi Stapf

| **药 材 名** | 酸猴儿（药用部位：叶）。

| **形态特征** | 草本或亚灌木，高 30 ~ 80 cm。茎四棱形，有槽，无毛，不分枝。叶片膜质，通常在同一节上的叶大小差别较大，广披针形至卵形，稀披针形，先端渐尖，基部浅心形，稀近楔形，长 5 ~ 14.5 cm，宽 2 ~ 5 cm，边缘具不甚明显的细锯齿，基出脉 5，表面被紧贴的微柔毛，基出脉微凸，侧脉不明显，背面近无毛或被极不明显的微柔毛及白色小腺点，基出脉明显隆起，侧脉及细脉不明显；叶柄长 1.5 ~ 4.3 cm，常被白色小腺点，先端与叶片连接处具短刺毛。不明显的聚伞花序或伞形花序顶生；总梗长 1 ~ 3 cm，无毛，基部有 1 对叶，常早落；花梗基部具 1 圈覆瓦状排列的苞片，苞片广

卵形或近圆形，通常带紫红色，透明，长约 1 cm；花萼长漏斗形，具 4 棱，长 1.4 ～ 1.5 cm，被腺毛及白色小腺点，具 8 脉，其中 4 脉明显，萼裂片长三角形或卵状三角形，先端钝，长约 4.5 mm，疏被腺毛及白色小腺点，具腺毛状缘毛；花瓣红色或紫红色，长圆形，先端偏斜，具腺毛状小尖头，长约 1.1 cm，外面被紧贴的疏糙伏毛及白色小腺点；雄蕊长者花丝长约 1.1 cm，花药线形，长约 1.5 cm，弯曲，基部呈羊角状伸长，短者花丝长约 7 mm，花药长圆形，长约 3 mm，基部不呈羊角状；子房先端具膜质冠，冠檐具缘毛。蒴果倒圆锥形，顶孔 4 裂，最大处直径约 5 mm；宿存萼与蒴果同形，具不明显的 8 纵肋，无毛，膜质冠伸出宿存萼外，4 裂。花期 8 ～ 9 月，果期约翌年 6 月。

| 生境分布 | 生于海拔 600 ～ 1 100（～ 1 800）m 的林下、沟边、路边灌丛中或岩石上潮湿处。分布于湘中、湘东、湘西南、湘北、湘南等。

| 资源情况 | 野生资源丰富。药材来源于野生。

| 采收加工 | 夏季采收，鲜用或晒干。

| 药材性状 | 本品多皱缩破碎，展开后呈卵形至椭圆状披针形，长 7 ～ 14 cm，宽 2.5 ～ 5 cm，边缘有细锯齿，主脉 5 ～ 7，横支脉不明显，上面疏生短糙伏毛，下面无毛，有长柄。外面呈黄绿色，内面呈深绿色。

| 功能主治 | 苦、辛，凉。祛风除湿，清肺解毒。用于风湿热痹，肺热咳嗽，漆疮。

| 用法用量 | 内服煎汤，6 ～ 15 g。外用适量，煎汤洗；或捣敷。

野牡丹科 Melastomataceae 野牡丹属 Melastoma

地菍

Melastoma dodecandrum Lour.

| 药 材 名 | 地菍（药用部位：地上部分）、地菍果（药用部位：果实）、地菍根（药用部位：根）。

| 形态特征 | 小灌木，长 10 ~ 30 cm。茎匍匐上升，逐节生根，分枝多，披散，幼时被糙伏毛，后无毛。叶片坚纸质，卵形或椭圆形，先端急尖，基部广楔形，长 1 ~ 4 cm，宽 0.8 ~ 2（~ 3）cm，全缘或具密浅细锯齿，基出脉 3 ~ 5，表面通常仅边缘被糙伏毛，有时基出脉行间疏被 1 ~ 2 行糙伏毛，背面沿基出脉上被极疏糙伏毛，侧脉互相平行；叶柄长 2 ~ 6 mm，有时长达 15 mm，被糙伏毛。聚伞花序顶生，有（1 ~）3 花，基部有叶状总苞 2，通常较叶小；花梗长 2 ~ 10 mm，被糙伏毛，上部具苞片 2；苞片卵形，长 2 ~ 3 mm，

宽约 1.5 mm，具缘毛，背面被糙伏毛；萼管长约 5 mm，被糙伏毛，毛基部膨大成圆锥状，有时 2 ~ 3 簇生，萼裂片披针形，长 2 ~ 3 mm，疏被糙伏毛，边缘具刺毛状缘毛，萼裂片间具 1 小裂片，较萼裂片小且短；花瓣淡紫红色至紫红色，菱状倒卵形，上部略偏斜，长 1.2 ~ 2 cm，宽 1 ~ 1.5 cm，先端有 1 束刺毛，疏被缘毛；雄蕊长者药隔基部延伸，弯曲，末端具 2 小瘤，花丝较延伸的药隔略短，短者药隔不延伸，药隔基部具 2 小瘤；子房下位，先端具刺毛。果实坛状球形，平截，近先端略缢缩，肉质，不开裂，长 7 ~ 9 mm，直径约 7 mm；宿存萼疏被糙伏毛。花期 5 ~ 7 月，果期 7 ~ 9 月。

| **生境分布** | 生于海拔 1 250 m 以下的山坡矮草丛中，为酸性土壤常见植物。湖南有广泛分布。

| **资源情况** | 野生资源丰富。药材来源于野生。

| **采收加工** | **地菍**：5 ~ 6 月采收，洗净，除去杂质，晒干、烘干或鲜用。
地菍果：7 ~ 9 月果实成熟时分批采收，晒干。
地菍根：8 ~ 12 月采挖，洗净，切碎，晒干或鲜用。

| **功能主治** | **地菍**：甘、涩，凉。清热解毒，活血止血。用于高热，肺痈，咽肿，牙痛，赤白痢，黄疸，水肿，痛经，崩漏，带下，产后腹痛，瘰疬，痈肿，疔疮，痔疮，毒蛇咬伤。
地菍果：甘，温。补肾养血，止血安胎。用于肾虚精亏，腰膝酸软，血虚萎黄，气虚乏力，月经过多，崩漏，胎动不安，阴挺，脱肛。
地菍根：苦、微甘，平。活血，止血，利湿，解毒。用于痛经，难产，产后腹痛，胞衣不下，崩漏，带下，咳嗽，吐血，痢疾，黄疸，小便淋痛，久疟，风湿痛，牙痛，瘰疬，疝气，跌打劳伤，毒蛇咬伤。

| **用法用量** | **地菍**：内服煎汤，15 ~ 30 g，鲜品加倍；或鲜品捣汁。外用适量，捣敷；或煎汤洗。
地菍果：内服煎汤，10 ~ 30 g；或浸酒。
地菍根：内服煎汤，9 ~ 15 g，鲜品加倍；或捣汁。外用适量，捣敷；或煎汤洗。

野牡丹科 Melastomataceae 金锦香属 Osbeckia

金锦香 *Osbeckia chinensis* L.

| 药 材 名 |

天香炉（药用部位：全草或根）。

| 形态特征 |

直立草本或亚灌木，高 20 ~ 60 cm。茎四棱形，具紧贴的糙伏毛。叶片坚纸质、线形或线状披针形，极稀卵状披针形，先端急尖，基部钝或近圆形，长 2 ~ 4（~ 5）cm，宽 3 ~ 8（~ 15）mm，全缘，两面被糙伏毛，基出脉 3 ~ 5，于背面隆起，细脉不明显；叶柄短或近无，被糙伏毛。头状花序顶生，有 2 ~ 8（~ 10）花，基部具叶状总苞 2 ~ 6；苞片卵形，被毛或背面无毛；无花梗；萼管长约 6 mm，通常带红色，无毛或具 1 ~ 5 刺毛状突起，萼裂片 4，三角状披针形，与萼管等长，具缘毛，各萼裂片间外缘具 1 刺毛状突起，果时随萼片脱落；花瓣 4，淡紫红色或粉红色，倒卵形，长约 1 cm，具缘毛；雄蕊常偏向一侧，花丝与花药等长，花药顶部具长喙，喙长为花药的 1/2，药隔基部微膨大成盘状；子房近球形，先端有刚毛16。蒴果紫红色，卵状球形，4 纵裂；宿存萼坛状，长约 6 mm，直径约 4 mm，外面无毛或具少数刺毛状突起。花期 7 ~ 9 月，果期 9 ~ 11 月。

| 生境分布 | 生于海拔 1 100 m 以下的荒山草坡、路旁、田边或疏林向阳处。湖南有广泛分布。

| 资源情况 | 野生资源丰富。药材来源于野生。

| 采收加工 | 夏、秋季采收，洗净，鲜用或晒干。

| 药材性状 | 本品长约 60 cm。根圆柱形，灰褐色，木质，质较硬而脆。茎方柱形，老茎略呈圆柱形，直径 2 ～ 4 mm，黄绿色或紫褐色，被紧密的黄色粗伏毛，质脆，易断，髓白色或中空。叶对生，有短柄；叶片线形至线状披针形，长 2 ～ 5 cm，宽 2 ～ 6 mm，先端尖，基部钝圆，上表面黄绿色，下表面色较浅，两面均被金黄色毛，基出脉 3 ～ 5，侧脉不明显。头状花序球状；花萼黄棕色；花冠暗紫红色，皱缩，易脱落。蒴果卵状，具坛状宿存萼，浅棕色或棕黄色，先端平截。气微，味涩、微甘。

| 功能主治 | 辛、淡、平。化痰利湿，祛瘀止血，解毒消肿。用于咳嗽，哮喘，疳积，泄泻，痢疾，风湿痹痛，咯血，衄血，吐血，便血，崩漏，痛经，经闭，产后瘀滞腹痛，牙痛，脱肛，跌打伤肿，毒蛇咬伤。

| 用法用量 | 内服煎汤，10 ～ 30 g；或捣汁；或浸酒；或研末。外用适量，研末调敷；或煎汤洗或漱口。

野牡丹科 Melastomataceae 金锦香属 Osbeckia

星毛金锦香 Osbeckia sikkimensis Craib

| 药 材 名 | 星毛金锦香（药用部位：根、果实）。

| 形态特征 | 灌木，高 1 ～ 1.5 m。茎四棱形，被密或疏平贴的糙伏毛，分枝多。叶片纸质，披针形至卵状披针形，稀卵形，先端渐尖，基部钝或近圆形，长 6 ～ 10 cm，宽 1.8 ～ 3.4 cm，有时长 6 ～ 9.2 cm，宽 2.5 ～ 4 cm，全缘或具微细的不明显的细锯齿，具缘毛，两面被糙伏毛，基出脉 5，表面基出脉下凹，脉上无毛，侧脉不明显，背面基出脉、侧脉明显隆起，脉上被毛；叶柄长 5 ～ 11 (～ 18) mm，密被糙伏毛。聚伞花序生于小枝先端，近头状或圆锥状，长可达 7 cm；苞片广卵形，长 8 ～ 10 mm，具刺毛状缘毛，背面被糙伏毛；花梗极短，被糙伏毛；花萼长约 2 cm，被刺毛状篦状毛及少数具柄星状毛，毛常平贴，

萼裂片广披针形或狭三角形，先端长渐尖，长约 8 mm，背面被糙伏毛及疏缘毛；花瓣紫红色或粉红色，卵形，先端急尖，长 1 ~ 1.3 cm，全缘，无缘毛；雄蕊常偏向一侧，花丝较花药短，花药先端具喙，喙长约为花药的 1/3，药隔基部膨大，后方下延成短距；子房卵形，先端具 1 圈刚毛，余被糙伏毛。蒴果卵形，4 纵裂，长约 1 cm，直径约 5 mm，先端具刚毛，余被糙伏毛；宿存萼坛状，长 1.2 ~ 1.5 cm，先端平截，具纵肋，近上部缢缩成颈，毛常脱落，中部以下具向上平贴的刺毛状篦状毛。花期 8 ~ 9 月，果期 9 ~ 10 月。

| 生境分布 | 生于低山、岗地。分布于湘北，以及邵阳（新宁）、常德（汉寿）、益阳（资阳、赫山）、郴州（汝城）、永州（道县、蓝山）等。

| 资源情况 | 野生资源较丰富。药材来源于野生。

| 采收加工 | 根，秋后采收，洗净，切片，晒干。果实，成熟后采收，晒干。

| 功能主治 | 甘、微苦，凉。归脾、胃、肺经。清热利湿，调经止血。用于湿热泻痢，痰热咳喘，吐血，月经不调。

| 用法用量 | 内服煎汤，9 ~ 10 g。

野牡丹科 Melastomataceae 锦香草属 *Phyllagathis*

短毛熊巴掌

Phyllagathis cavaleriei (Lévl. et Van.) Guillaum. var. *tankahkeei* (Merr.) C. Y. Wu ex C. Chen

| 药 材 名 | 短毛熊巴掌（药用部位：全草）。

| 形态特征 | 草本，高 10 ~ 15 cm。茎直立或匍匐，逐节生根，近肉质，密被长粗毛，四棱形，通常无分枝。叶片纸质或近膜质，广卵形、广椭圆形或圆形，先端广急尖至近圆形，有时微凹，基部心形，长 6 ~ 12.5（~ 16）cm，宽 4.5 ~ 11（~ 14）cm，边缘具不明显的细浅波状齿及缘毛，基出脉 7 ~ 9，两面绿色或有时背面紫红色，表面具疏糙伏毛状长粗毛，脉平整，背面基出脉及侧脉上被平展的长粗毛和短刺毛，有时毛脱落，脉隆起；叶柄长 1.5 ~ 9 cm，密被长粗毛。伞形花序顶生；总花梗长 4 ~ 17 cm，被长粗毛，稀近无毛或无毛；苞片倒卵形或近倒披针形，有时呈突尖三角形，被粗毛，通常 4，

长约 1 cm 或更大，有时超过 4，极小；花梗长 3 ~ 8 mm，与花萼均被糠秕；花萼漏斗形、四棱形，长约 5 mm，有时疏被长刺毛，萼裂片广卵形，先端点尖，长约 1 mm；花瓣粉红色至紫色，广倒卵形，上部略偏斜，先端急尖，长约 5 mm；雄蕊近等长，长 8 ~ 10 mm，花药长 4 ~ 5 mm，基部具小瘤或瘤不甚明显，药隔下延成短距；子房杯形，先端具冠。蒴果杯形，先端冠 4 裂，伸出宿存萼外约 2 mm，直径约 6 mm；宿存萼具 8 纵肋；果柄伸长，被糠秕。花期 5 ~ 8 月，果期 8 ~ 10 月。

| **生境分布** | 生于海拔 300 ~ 1 400 m 的山谷、山坡密林下阴湿处及水边。分布于湘西北、湘南等。

| **资源情况** | 野生资源较少。药材来源于野生。

| **采收加工** | 夏、秋季采收，鲜用或切段晒干。

| **功能主治** | 苦，寒。清热燥湿，解毒消肿。用于湿热泻痢，带下，阴囊肿大，中耳炎，月经不调，崩漏。

| **用法用量** | 内服煎汤，6 ~ 15 g。外用适量，捣敷；或绞汁涂，或滴耳。

野牡丹科 Melastomataceae 锦香草属 Phyllagathis

锦香草

Phyllagathis cavaleriei (Lévl. et Van.) Guillaum.

| 药 材 名 | 锦香草（药用部位：全草或根）、锦香草叶（药用部位：叶）。

| 形态特征 | 草本，高 10 ～ 15 cm。茎直立或匍匐，逐节生根，近肉质，密被长粗毛，四棱形，通常无分枝。叶片纸质或近膜质，广卵形、广椭圆形或圆形，先端广急尖至近圆形，有时微凹，基部心形，长 6 ～ 12.5（～ 16）cm，宽 4.5 ～ 11（～ 14）cm，边缘具不明显的细浅波状齿及缘毛，基出脉 7 ～ 9，两面绿色，有时背面紫红色，表面疏被糙伏毛状长粗毛，脉平整，背面仅基出脉及侧脉被平展的长粗毛，有时毛脱落，脉隆起；叶柄长 1.5 ～ 9 cm，密被长粗毛。伞形花序顶生；总花梗长 4 ～ 17 cm，被长粗毛，稀近无毛或无毛；苞片倒卵形或近倒披针形，有时呈突尖三角形，被粗毛，通常 4 苞片，长

约 1 cm 或更长，有时多于 4 苞片，极小；花梗长 3 ～ 8 mm，与花萼均被糠秕；花萼漏斗形、四棱形，长约 5 mm，萼裂片广卵形，先端点尖，长约 1 mm；花瓣粉红色至紫色，广倒卵形，上部略偏斜，先端急尖，长约 5 mm；雄蕊近等长，长 8 ～ 10 mm，花药长 4 ～ 5 mm，基部具小瘤或瘤不甚明显，药隔下延成短距；子房杯形，先端具冠。蒴果杯形，先端冠 4 裂，伸出宿存萼外约 2 mm，直径约 6 mm；宿存萼具 8 纵肋；果柄伸长，被糠秕。花期 6 ～ 8 月，果期 7 ～ 9 月。

| 生境分布 | 生于海拔 400 ～ 1 500 m 的山谷、山坡林下阴湿处及水边。分布于湘中、湘东、湘西南、湘南等。

| 资源情况 | 野生资源丰富。药材来源于野生。

| 采收加工 | **锦香草**：春、夏季采收全草，全年均可采挖根，洗净，鲜用或切碎晒干。
锦香草叶：春、夏季采收，鲜用或晒干。

| 功能主治 | **锦香草**：苦、辛，寒。清热，凉血，利湿。用于热毒血痢，湿热带下，月经不调，血热崩漏，肠热痔血，小儿阴囊肿大。
锦香草叶：解毒敛疮。用于疮疡溃烂，刀伤。

| 用法用量 | **锦香草**：内服煎汤，15 ～ 30 g；或浸酒。外用适量，捣敷；或煎汤洗。
锦香草叶：外用适量，捣敷；或研末调敷。

野牡丹科 Melastomataceae 锦香草属 Phyllagathis

叶底红
Phyllagathis fordii (Hance) C. Chen

| 药 材 名 | 野海棠（药用部位：全株。别名：叶底红、叶下红）。

| 形态特征 | 小灌木、半灌木或近草本，高 20 ~ 50 cm 或达 1 m。茎幼时四棱形，不分枝或极少分枝，上部与叶柄、花序、花梗及花萼均密被柔毛及长腺毛。叶片坚纸质，心形、椭圆状心形至卵状心形，先端短渐尖或钝急尖，基部圆形至心形，长（4.5 ~ ）7 ~ 10 (~ 13.5) cm，宽（3 ~ ）5 ~ 5.5 (~ 10) cm，边缘具细重牙齿及缘毛和短柔毛，基出脉 7 ~ 9，近边缘的 2 脉不甚明显，两面被疏长柔毛及柔毛，背面脉上毛较多，表面中脉微凹，背面基出脉及侧脉隆起或微隆起；叶柄长 2.5 ~ 5 cm。伞形花序或聚伞花序或由聚伞花序组成的圆锥花序，顶生；总梗长 1 ~ 5.5 cm，花梗长 0.8 ~ 2 cm；花萼钟状漏

斗形，萼管长 5 ~ 7 mm，萼裂片线状披针形至狭三角形，长 4 ~ 5 mm，两面均被毛；花瓣紫色或紫红色，卵形至广卵形，先端渐尖，有时顶尖具 1 腺毛，微偏斜，仅外面上部及边缘被微柔毛，长 10 ~ 14 mm，宽 6 ~ 8 mm；雄蕊等长，长 1.6 ~ 1.8 cm，花药披针形，通常近 90° 膝曲，长 9 ~ 11 mm，药隔膨大，下延，前后连成盘状；子房卵形，先端具膜质冠，冠缘具啮蚀状细齿。蒴果杯形，为宿存萼所包；宿存萼先端平截，冠以宿存萼片，被刺毛，毛基部略膨大，长 6 ~ 10 mm，直径 8 ~ 12 mm。花期 6 ~ 8 月，果期 8 ~ 10 月。

| 生境分布 | 生于海拔 100 ~ 1 350 m 的山间林下、溪边、水旁或路边土层肥厚的地方。分布于湘中、湘东、湘西北、湘西南、湘南等。

| 资源情况 | 野生资源一般。药材来源于野生。

| 采收加工 | 夏、秋季采收，鲜用或晒干。

| 功能主治 | 微苦、甘，凉。养血调经。用于血虚萎黄，月经不调，闭经，痛经，带下。

| 用法用量 | 内服煎汤，15 ~ 30 g。外用适量，捣敷；或煎汤洗。

野牡丹科 Melastomataceae 肉穗草属 *Sarcopyramis*

肉穗草
Sarcopyramis bodinieri Lévl. et. Van.

| 药 材 名 | 肉穗草（药用部位：全草）。

| 形态特征 | 小草本，纤细，高 5 ~ 12 cm，具匍匐茎，无毛。叶片纸质，卵形或椭圆形，先端钝或急尖，基部钝、圆形或近楔形，长 1.2 ~ 3 cm，宽 0.8 ~ 2 cm，边缘具疏浅波状齿，齿间具小尖头，基出脉 3 ~ 5，表面疏被糙伏毛，基出脉微隆起，侧脉不明显，绿色或紫绿色，有时沿基出脉及侧脉呈黄白色，背面通常无毛，有时沿侧脉具极少的糙伏毛，通常呈紫红色，极稀呈绿色，基出脉与侧脉隆起；叶柄长 3 ~ 11 mm，无毛，具狭翅。聚伞花序顶生，有 1 ~ 3 花，稀 5 花，基部具 2 叶状苞片；苞片通常倒卵形，被毛；总梗长 0.5 ~ 3（~ 4）cm，花梗长 1 ~ 3 mm，常四棱形，棱上具狭翅；花萼长

约 3 mm，具 4 棱，棱上有狭翅，先端增宽而成垂直的长方形裂片，裂片背部具刺状尖头，有时边缘微羽状分裂；花瓣紫红色至红色，宽卵形，略偏斜，长 3 ~ 4 mm，先端急尖；雄蕊内向，花药黄色，近顶孔开裂，药隔基部延伸成短距，距上弯，长约为药室的 1/2；子房坛状，先端具膜质冠，冠檐具波状齿。蒴果通常白绿色，杯形，具 4 棱，膜质冠长于宿存萼的 1 倍；宿存萼与花时无异。花期 5 ~ 7 月，果期 10 ~ 12 月或翌年 1 月。

| **生境分布** | 生于山谷密林下、阴湿处或石缝间。分布于湘中、湘东、湘北、湘西北、湘西南等。

| **资源情况** | 野生资源较少。药材来源于野生。

| **采收加工** | 夏、秋季采收，洗净，切碎，晒干。

| **功能主治** | 甘、涩，凉。清热利湿，消肿解毒。用于热毒血痢，暑湿泄泻，肺热咳嗽，目赤肿痛，吐血，疔疮肿毒，外伤红肿，毒蛇咬伤。

| **用法用量** | 内服煎汤，15 ~ 30 g；或浸酒。

野牡丹科 Melastomataceae 肉穗草属 Sarcopyramis

楮头红 *Sarcopyramis nepalensis* Wall.

| 药 材 名 |

楮头红（药用部位：全草）。

| 形态特征 |

直立草本，高 10 ~ 30 cm。茎四棱形，肉质，无毛，上部分枝。叶膜质，广卵形或卵形，稀近披针形，先端渐尖，基部楔形或近圆形，微下延，长（2 ~ ）5 ~ 10 cm，宽（1 ~ ）2.5 ~ 4.5 cm，边缘具细锯齿，基出脉 3 ~ 5，表面疏被糙伏毛，基出脉微凹，侧脉微隆起，背面被微柔毛或近无毛，基出脉、侧脉隆起；叶柄长（0.8 ~ ）1.2 ~ 2.8 cm，具狭翅。聚伞花序生于分枝先端，有 1 ~ 3 花，基部具叶状苞片 2；苞片卵形，近无柄；花梗长 2 ~ 6 mm，四棱形，棱上有狭翅；花萼长约 5 mm，四棱形，棱上有狭翅，萼裂片先端平截，具流苏状长缘毛膜质的盘；花瓣粉红色，倒卵形，先端平截，偏斜，另一端具小尖头，长约 7 mm；雄蕊等长，花丝向下渐宽，花药长为花丝的 1/2，药隔基部下延成极短的距或微凸起，距长为药室的 1/4 ~ 1/3，上弯；子房先端具膜质冠，冠缘浅波状，4 微裂。蒴果杯形，具 4 棱，膜质冠长于宿存萼的 1 倍；宿存萼及萼裂片与花时无异。花期 8 ~ 10 月，果期 9 ~ 12 月。

| **生境分布** | 生于密林下阴湿处或溪边。湖南有广泛分布。

| **资源情况** | 野生资源丰富。药材来源于野生。

| **采收加工** | 夏、秋季采收，鲜用或切碎晒干。

| **药材性状** | 本品多干燥皱缩，长约 15 cm。茎四棱形，直径 1 ~ 2 mm，无毛，表皮红色或棕色，偶有白色斑点。叶多皱缩破碎，黄色或黄绿色，椭圆形或狭卵形，长 2 ~ 6.1 cm，宽 1 ~ 3.3 cm，基部浅心形，边缘有细齿及缘毛。聚伞花序顶生，直径约 1.5 cm；花紫色；萼筒杯状，萼裂片 4。气微，味酸。

| **功能主治** | 苦、甘，微寒。清热平肝，利湿解毒。用于肺热咳嗽，头目眩晕，耳鸣，耳聋，目赤羞明，肝炎，风湿痹痛，跌打伤肿，蛇头疔，无名肿毒。

| **用法用量** | 内服煎汤，6 ~ 15 g。外用适量，捣敷。

风车子

Combretum alfredii Hance

| 药 材 名 | 华风车子叶（药用部位：叶）、华风车子根（药用部位：根）。

| 形态特征 | 多枝直立或攀缘灌木，高约5 m。树皮浅灰色，幼嫩部分具鳞片；小枝近方形，灰褐色，有纵槽，密被棕黄色绒毛和橙黄色鳞片；老枝无毛。叶对生或近对生；叶片长椭圆形至阔披针形，稀椭圆状倒卵形或卵形，长 12 ~ 16（~ 20）cm，宽 4.8 ~ 7.3 cm，先端渐尖，基部楔尖，稀钝圆，全缘，两面无毛而稍粗糙，稀背面脉上有粗毛，背面具黄褐色或橙黄色鳞片，中脉在背面凸起，侧脉 6 ~ 10 对，稍广展，伸至叶缘处弯拱而联结，脉腋内有丛生的粗毛，小脉显著，横生，平行，网脉疏生；叶柄长 1 ~ 1.5 cm，有槽，具鳞片或被毛。穗状花序腋生和顶生或组成圆锥花序，总轴被棕黄色绒毛和金黄色

与橙色鳞片；小苞片线状，长约 1 mm；花长约 9 mm；花萼钟状，外面有黄色而有光泽的鳞片和粗毛，长约 3.5 mm，长约为子房的 2 倍，萼齿 4 ~ 5，三角形，直立，先端渐尖，长 1.5 mm，内面具一柠檬黄色而有光泽的大粗毛环，毛生于广展的环带上，稀突出萼喉之上；花瓣长约 2 mm，黄白色，长倒卵形，基部渐狭成柄，先端钝圆或稍短尖；雄蕊 8，花丝长，伸出花萼外甚长，生于萼管基部，花丝基部扁宽，向上渐狭，大部分与萼管合生，高出萼齿 4.5 mm，花药椭圆形，药隔不突出；子房圆柱状，长约 1.5 mm，基部略狭而平截，略呈四棱形，有鳞片，花柱圆柱状，胚珠 2，倒垂。果实椭圆形、圆形、近圆形或梨形，长 1.7 ~ 2.5 cm，被黄色或橙黄色鳞片，有 4 翅，翅纸质，等大，成熟时红色或紫红色，宽 0.7 ~ 1.2 cm，两端钝圆或基部渐狭而呈楔尖，果柄长 2 ~ 4 mm；种子 1，纺锤形，有 8 纵沟，通常长 1.5 cm，直径约 4 mm。花期 5 ~ 8 月，果期 9 月开始。

| **生境分布** | 生于海拔 200 ~ 800 m 的河边、谷地。分布于湘南等。

| **资源情况** | 野生资源一般。药材来源于野生。

| **采收加工** | **华风车子叶**：夏、秋季采收，鲜用或晒干。
华风车子根：秋后采收，切片，晒干。

| **功能主治** | **华风车子叶**：甘、微苦，平。驱虫，健胃，解毒。用于蛔虫病，鞭虫病，烫火伤。
华风车子根：甘、微苦，微寒。清热利湿。用于黄疸性肝炎。

| **用法用量** | **华风车子叶**：内服煎汤，9 ~ 18 g。外用适量，研末调敷；或鲜品捣汁涂。
华风车子根：内服煎汤，6 ~ 15 g。

使君子科 Combretaceae 使君子属 Quisqualis

使君子
Quisqualis indica L.

| 药 材 名 | 使君子（药用部位：果实）。

| 形态特征 | 攀缘灌木，高 2 ~ 8 m。小枝被棕黄色短柔毛。叶对生或近对生；叶片膜质，卵形或椭圆形，长 5 ~ 11 cm，宽 2.5 ~ 5.5 cm，先端短渐尖，基部钝圆，表面无毛，背面有时疏被棕色柔毛，侧脉 7 ~ 8 对；叶柄长 5 ~ 8 mm，无关节，幼时密生锈色柔毛。顶生穗状花序呈伞房状；苞片卵形至线状披针形，被毛；萼管长 5 ~ 9 cm，被黄色柔毛，先端具广展、外弯、小型的萼齿 5；花瓣 5，长 1.8 ~ 2.4 cm，宽 4 ~ 10 mm，先端钝圆，初为白色，后变淡红色；雄蕊 10，不突出花冠外，外轮雄蕊着生于花冠基部，内轮雄蕊着生于萼管中部，花药长约 1.5 mm；子房下位，胚珠 3。果实卵形，短尖，长 2.7 ~ 4 cm，

直径 1.2 ～ 2.3 cm，无毛，具明显的锐棱角 5，成熟时外果皮脆薄，呈青黑色或栗色；种子 1，白色，长 2.5 cm，直径约 1 cm，圆柱状纺锤形。花期初夏，果期秋末。

| 生境分布 | 生于平地、山坡、路旁等向阳灌丛中，喜光，耐半阴，喜高温多湿气候，不耐寒，不耐干旱，在肥沃、富含有机质的砂壤土中生长最佳。分布于湘中、湘东、湘南等。

| 资源情况 | 野生资源丰富。栽培资源丰富。药材来源于野生和栽培。

| 采收加工 | 8 月后果壳由绿色变棕褐色或黑褐色时采收，晒干或烘干。

| 药材性状 | 本品呈椭圆形或卵圆形，具 5 纵棱，稀具 4 ～ 9 棱，长 2.5 ～ 4 cm，直径约 2 cm，表面黑褐色至紫褐色，平滑，微具光泽，先端狭尖，基部钝圆，有明显的圆形果柄痕；质坚硬，横截面多呈五角星形，棱角外壳较厚，中间为类圆形空腔。种子长椭圆形或纺锤形，长约 2 cm，直径约 1 cm，表面棕褐色或黑褐色，有多数纵裂纹，种皮薄，易剥离，子叶 2，黄白色，有油性，断面有裂纹。气微香，味微甜。以个大、表面具紫褐色光泽、种仁饱满、色黄白者为佳。

| 功能主治 | 甘，温；有小毒。杀虫，消积，健脾。用于虫积腹痛，疳积，乳食积滞，腹胀，泻痢。

| 用法用量 | 内服煎汤，6 ～ 15 g，捣碎；或入丸、散剂；或去壳炒香，嚼服。小儿每岁每日 1 ～ 1.5 粒，总量不超过 20 粒。

柳叶菜科 Onagraceae 露珠草属 Circaea

露珠草 *Circaea cordata* Royle

药材名

牛泷草（药用部位：全草）。

形态特征

粗壮草本，高 20 ～ 150 cm，被平伸的长柔毛、镰状外弯的曲柔毛和先端头状或棒状的腺毛，毛通常较密。根茎不具块茎。叶狭卵形至宽卵形，中部叶片长 4 ～ 11（～ 13）cm，宽 2.3 ～ 7（～ 11）cm，基部常心形，有时阔楔形至阔圆形或截形，先端短渐尖，边缘具锯齿至近全缘。单总状花序顶生，或基部具分枝，长 2 ～ 20 cm；花梗长 0.7 ～ 2 mm，与花序轴垂直或于花序先端簇生，被毛，基部有一极小的刚毛状小苞片；花芽多少被直或微弯、稀具钩的长毛；花管长 0.6 ～ 1 mm；萼片卵形至阔卵形，长 2 ～ 3.7 mm，宽 1.4 ～ 2 mm，白色或淡绿色，开花时反曲，先端钝圆；花瓣白色，倒卵形至阔倒卵形，长 1 ～ 2.4 mm，宽 1.2 ～ 3.1 mm，先端倒心形，凹缺深至花瓣的 1/2 ～ 2/3，花瓣裂片阔圆形；雄蕊伸展，略短于花柱或与花柱近等长；蜜腺不明显，全部藏于花管内。果实斜倒卵形至透镜形，长 3 ～ 3.9 mm，直径 1.8 ～ 3.3 mm，2 室，背面压扁，基部斜圆形或斜截形，边缘及子房室之间略呈木栓质增厚，不具明显的纵沟，具 2 种子；成熟果实连果柄长 4.4 ～ 7 mm。花期 6 ～ 8 月，果期 7 ～ 9 月。

| 生境分布 | 生于排水良好的落叶林中。分布于湘中、湘东、湘西北、湘西南、湘南等。

| 资源情况 | 野生资源一般。药材来源于野生。

| 采收加工 | 秋季采收，鲜用或晒干。

| 功能主治 | 苦、辛，微寒。清热解毒，止血生肌。用于疮痈肿毒，疥疮，外伤出血。

| 用法用量 | 内服煎汤，6 ～ 12 g。外用适量，捣敷；或研末调敷。

柳叶菜科 Onagraceae 露珠草属 *Circaea*

谷蓼
Circaea erubescens Franch. et Sav.

| 药 材 名 | 谷蓼（药用部位：全草）。

| 形态特征 | 植株高 10 ~ 120 cm，无毛。根茎上无块茎。叶披针形至卵形，稀阔卵形，长 2.5 ~ 10 cm，宽 1 ~ 6 cm，基部阔楔形至圆形或截形，稀近心形，先端短渐尖，边缘具锯齿。顶生总状花序不分枝或基部分枝，长 2 ~ 20 cm；花梗与花序轴垂直，基部通常无刚毛状小苞片，如有小苞片，则通常于果实成熟前脱落；花芽无毛；花管长 0.5 ~ 0.8 mm；萼片矩圆状椭圆形至披针形，长 0.6 ~ 2.5 mm，宽 0.8 ~ 1.2 mm，红色至紫红色，先端渐尖，开花时反曲；花瓣狭倒卵状菱形至阔倒卵状菱形或倒卵形，长 0.8 ~ 1.7 mm，宽 0.7 ~ 1 mm，粉红色，先端凹缺至花瓣的 1/10 ~ 1/5，花瓣裂片具

细圆齿或小的二级裂片；雄蕊短于花柱；蜜腺伸出花管外。果实长 1.7 ~ 3.2 mm，直径 1.2 ~ 2.1 mm，2 室，倒卵形至阔卵形，略呈背向压扁，基部平滑，渐狭至果柄，纵沟不明显，有 1 狭槽至果柄延伸部分，具 2 种子；成熟果实连果柄长 6 ~ 12 mm。花期 6 ~ 9 月，果期 7 ~ 9 月。

| 生境分布 | 生于砾石河谷和渗水隙缝、山涧路边和土层深厚肥沃的温带落叶林中。湖南有广泛分布。

| 资源情况 | 野生资源丰富。药材来源于野生。

| 采收加工 | 秋季采收，鲜用或晒干。

| 功能主治 | 辛，凉。清热解毒，化瘀止血。用于无名肿毒，疔疮，刀伤出血，疥癣。

南方露珠草
Circaea mollis Sieb. et Zucc.

| 药 材 名 |

南方露珠草（药用部位：全草或根）。

| 形态特征 |

植株高 25 ~ 150 cm，被镰状弯曲的毛。根茎不具块茎。叶狭披针形、阔披针形至狭卵形，长 3 ~ 16 cm，宽 2 ~ 5.5 cm，基部楔形，稀圆形，先端狭渐尖至近渐尖，近全缘至具锯齿。顶生总状花序常于基部分枝，稀为单总状花序，长 1.5 ~ 4 cm，最长达 20 cm，生于侧枝先端的总状花序通常不分枝；花梗与花序轴垂直，常被毛，基部不具或稀具 1 极小的刚毛状小苞片；花芽无毛或被腺毛；花管长 0.5 ~ 1 mm；萼片长 1.6 ~ 2.9 mm，宽 1 ~ 1.5 mm，淡绿色或带白色，开花时伸展或略反曲，先端短渐尖至钝圆或微呈乳突状；花瓣白色，阔倒卵形，长 0.7 ~ 1.8 mm，宽 1 ~ 2.6 mm，先端下凹至花瓣的 1/4 ~ 1/2；雄蕊开花时通常直伸，短于或偶尔等长于花柱，稀长于花柱；蜜腺明显，突出花管外。果实狭梨形至阔梨形或球形，长 2.6 ~ 3.5 mm，直径 2 ~ 3.2 mm，基部凹凸不平、不对称地渐狭至果柄，2 室，纵沟极明显，具 2 种子；果柄常明显反曲，成熟果实连果柄长 5 ~ 7 mm。花期 7 ~

9 月，果期 8 ~ 10 月。

| 生境分布 | 生于落叶阔叶林中。湖南各地均有分布。

| 资源情况 | 野生资源丰富。药材来源于野生。

| 采收加工 | 全草，夏、秋季采收，鲜用或晒干。根，秋季采挖，除去地上部分，洗净，鲜用或晒干。

| 功能主治 | 辛、苦，平。祛风除湿，活血消肿，清热解毒。用于风湿痹痛，跌打瘀肿，乳痈，瘰疬，疮肿，无名肿毒，毒蛇咬伤。

| 用法用量 | 内服煎汤，3 ~ 9 g；或绞汁。外用适量，捣敷。

柳叶菜科 Onagraceae 柳叶菜属 Epilobium

毛脉柳叶菜

Epilobium amurense Hausskn.

| 药 材 名 |

毛脉柳叶菜（药用部位：全草）。

| 形态特征 |

多年生直立草本。秋季自茎基部生出短的肉质多叶的根出条，伸长后有时成莲座状芽，稀成匍匐枝条。茎高（10 ~）20 ~ 50（~ 80）cm，直径 1.5 ~ 4 mm，不分枝或少数分枝，上部有曲柔毛与腺毛，中下部有时上部常有明显的毛棱线，其余无毛，稀全草无毛。叶对生，花序上的叶互生；近无柄或茎下部的叶有很短的柄；叶片卵形，有时长圆状披针形，长 2 ~ 7 cm，宽 0.5 ~ 2.5 cm，先端锐尖，有时近渐尖或钝，基部圆形或宽楔形，边缘每边有 6 ~ 25 锐齿，侧脉每侧 4 ~ 6，在下面常隆起，脉上与边缘有曲柔毛，其余无毛。花序直立，有时初期稍下垂，常被曲柔毛与腺毛；花在芽时近直立；花蕾椭圆状卵形，长 1.5 ~ 2.4 mm，常疏被曲柔毛与腺毛；花管长 0.6 ~ 0.9 mm，直径 1.5 ~ 1.8 mm，喉部有一环长柔毛；萼片披针状长圆形，长 3.5 ~ 5 mm，宽 0.8 ~ 1.9 mm，疏被曲柔毛，基部接合处腋间有一束毛；花瓣白色、粉红色或玫瑰紫色，倒卵形，长 5 ~ 10 mm，宽 2.4 ~ 4.5 mm，先端凹缺深

0.8 ~ 1.5 mm；花药卵状，长 0.4 ~ 0.7 mm，宽 0.3 ~ 0.4 mm，外轮花丝长 2.8 ~ 4 mm，内轮花丝长 1.2 ~ 2.8 mm；子房长 1.5 ~ 2.8 mm，被曲柔毛与腺毛，花柱长 2 ~ 4.7 mm，有时近基部疏生长毛，柱头近头状，长 1 ~ 1.5 mm，直径 1 ~ 1.3 mm，先端近平，开花时围以外轮花药或稍伸出。蒴果长 1.5 ~ 7 cm，疏被柔毛至无毛，果柄长 0.3 ~ 1.2 cm；种子长圆状倒卵形，长 0.8 ~ 1 mm，宽 0.3 ~ 0.4 mm，深褐色，先端近圆形，具不明显的短喙，表面具粗乳突，种缨污白色，长 6 ~ 9 mm，易脱落。花期（5 ~）7 ~ 8 月，果期（6 ~）8 ~ 10（~ 12）月。

| **生境分布** | 生于林缘、灌丛、草地、沟边沼泽地。分布于湘西南等。

| **资源情况** | 野生资源丰富。药材来源于野生。

| **采收加工** | 7 ~ 8 月采收，鲜用或晒干。

| **功能主治** | 苦、涩，平。收敛固脱。用于月经过多，赤白带下，久痢，久泻。

| **用法用量** | 内服煎汤，6 ~ 15 g。

柳叶菜科 Onagraceae 柳叶菜属 Epilobium

光滑柳叶菜

Epilobium amurense Hausskn. subsp. *cephalostigma* (Hausskn.) C. J. Chen

药材名

柳叶菜（药用部位：全草）。

形态特征

多年生直立草本。茎高（10～）20～50（～80）cm，直径 1.5～4 mm，常多分枝，上部周围被曲柔毛，无腺毛，中下部具不明显的棱线，棱线不贯穿节间，近无毛。叶对生，花序上的叶互生；叶柄长 1.5～6 mm；叶长圆状披针形至狭卵形，基部楔形。花序直立，有时初期稍下垂，常被曲柔毛与腺毛；花在芽时近直立；花蕾椭圆状卵形，长 1.5～2.4 mm，常疏被曲柔毛与腺毛；花管长 0.6～0.9 mm，直径 1.5～1.8 mm，喉部有一环长柔毛；萼片披针状长圆形，长 3.5～5 mm，宽 0.8～1.9 mm，疏被曲柔毛，基部接合处腋间有一束毛；花瓣白色、粉红色或玫瑰紫色，倒卵形；花药卵状，长 0.4～0.7 mm，宽 0.3～0.4 mm；子房长 1.5～2.8 mm，被曲柔毛与腺毛，柱头近头状，长 1～1.5 mm，直径 1～1.3 mm，先端近平，开花时围以外轮花药或稍伸出。蒴果长 1.5～7 cm，疏被柔毛至无毛，果柄长 0.3～1.2 cm；种子长圆状倒卵形，长 0.8～1 mm，宽 0.3～0.4 mm，深褐色，先端近圆形，具不明显的短喙，表面具粗乳突，种缨污白色，长 6 ~ 9 mm，易脱落。花期 6 ~ 8（~ 9）月，果期 8 ~ 9（~ 10）月。

| **生境分布** | 生于丘陵岗地、低山。分布于湘西北，以及湘西州（古丈、凤凰、永顺）等。

| **资源情况** | 野生资源较少。药材来源于野生。

| **采收加工** | 全年均可采收，鲜用或晒干。

| **功能主治** | 苦、淡，寒。清热解毒，利湿止泻，消食理气，活血接骨。用于湿热泻痢，食积，脘腹胀痛，牙痛，月经不调，经闭，带下，跌打骨折，疮肿，烫火伤，疔疮。

| **用法用量** | 内服煎汤，6 ~ 15 g；或鲜品捣汁。外用捣敷；或捣汁涂。

柳叶菜科 Onagraceae 柳叶菜属 Epilobium

腺茎柳叶菜

Epilobium brevifolium D. Don subsp. *trichoneurum* (Hausskn.) Raven.

| 药 材 名 | 广布柳叶菜（药用部位：全草）。

| 形态特征 | 多年生草本，直立。茎常上升，周围尤上部被腺毛与曲柔毛。叶对生，花序上的互生，狭卵形至披针形，基部圆形或楔形，下面常变紫红色，脉上被较密的毛。花序直立至稍下垂；花直立或开花时稍下垂；花蕾狭卵状，子房长 2 ~ 3 cm，被曲柔毛，有时混生腺毛；花梗长不及 1 cm；花管喉部有少数长毛；萼片披针状长圆形，龙骨状，长 4.5 ~ 6.5 cm，宽 1 ~ 1.2 cm，被曲柔毛和腺毛；花瓣粉红色至玫瑰紫色，倒心形，长 9 ~ 11 cm，宽 4 ~ 5 cm，先端的凹缺深 1.2 ~ 2 cm；花柱直立，柱头宽棍棒状或棍棒状，开花时与外轮雄蕊近等高或稍高出。蒴果被曲柔毛，有时混生腺毛；种子长圆状倒卵形，先端具短喙，暗褐色，表面具乳突；种缨灰白色，长

5 ～ 10 mm，易脱落。花期 7 ～ 10 月，果期 9 ～ 10 月。

| **生境分布** | 生于海拔 600 ～ 1 800 m 的山区开旷草坡、河谷与溪沟、池塘边湿润处。分布于湖南邵阳（新宁、洞口）、张家界（桑植）、常德（石门）、郴州（宜章）、株洲（炎陵）等。

| **资源情况** | 野生资源稀少。药材来源于野生。

| **采收加工** | 8 ～ 9 月采收，晒干或鲜用。

| **功能主治** | 苦，平。化瘀，利水，降血压，通便。用于静脉曲张，肾炎性水肿，高血压，习惯性便秘。

| **用法用量** | 内服煎汤，6 ～ 15 g。

柳叶菜科 Onagraceae 柳叶菜属 Epilobium

柳叶菜 *Epilobium hirsutum* L.

药材名

柳叶菜（药用部位：全草）、柳叶菜花（药用部位：花）、柳叶菜根（药用部位：根）。

形态特征

多年生粗壮草本，有时近基部木质化。秋季自根颈处常平卧生出长超过 1 m 的粗壮地下匍匐根茎。茎上疏生鳞片状叶，先端常生莲座状叶芽，茎高 25 ~ 120（~ 250）cm，直径 3 ~ 12（~ 22）mm，常在中上部多分枝，周围密被伸展的长柔毛，常混生较短而直的腺毛，稀密被白色绵毛。叶草质，对生，茎上部的叶互生，无柄，多少抱茎；茎生叶披针状椭圆形至狭倒卵形或椭圆形，稀狭披针形，长 4 ~ 12（~ 20）cm，宽 0.3 ~ 3.5（~ 5）cm，先端锐尖至渐尖，基部近楔形，边缘每侧具 20 ~ 50 细锯齿，两面被长柔毛，有时在背面混生短腺毛，稀背面密被绵毛或近无毛，侧脉常不明显，每侧 7 ~ 9。总状花序直立；苞片叶状；花直立，花蕾卵状长圆形，长 4.5 ~ 9 mm，直径 2.5 ~ 5 mm；子房灰绿色至紫色，长 2 ~ 5 cm，密被长柔毛与短腺毛，稀被绵毛并无腺毛；花梗长 0.3 ~ 1.5 cm；花管长 1.3 ~ 2 mm，直径 2 ~ 3 mm，喉部有一圈长白毛；萼片长圆状线形，长 6 ～ 12 mm，宽 1 ～ 2 mm，背面隆起成龙骨状，被毛同子房；花瓣常玫瑰红色或粉红色、紫红色，宽倒心形，长 9 ～ 20 mm，宽 7 ～ 15 mm，先端凹缺深 1 ～ 2 mm；花药乳黄色，长圆形，长 1.5 ～ 2.5 mm，宽 0.6 ～ 1 mm，外轮花丝长 5 ～ 10 mm，内轮花丝长 3 ～ 6 mm；花柱直立，长 5 ～ 12 mm，白色或粉红色，无毛，稀疏生长柔毛，柱头白色，4 深裂，裂片长圆形，长 2 ～ 3.5 mm，初时直立，彼此合生，开放时展开，不久下弯，外面无毛或有稀疏的毛，稍长于雄蕊。蒴果长 2.5 ～ 9 cm，被毛同子房，果柄长 0.5 ～ 2 cm；种子倒卵状，长 0.8 ～ 1.2 mm，直径 0.35 ～ 0.6 mm，先端具很短的喙，深褐色，表面具粗乳突，种缨长 7 ～ 10 mm，黄褐色或灰白色，易脱落。花期 6 ～ 8 月，果期 7 ～ 9 月。

| 生境分布 | 生于林下湿处、沟边或沼泽地。湖南有广泛分布。

| 资源情况 | 野生资源丰富。药材来源于野生。

| 采收加工 | **柳叶菜**：全年均可采收，鲜用或晒干。
柳叶菜花：夏、秋季采收，阴干。
柳叶菜根：秋季采挖，洗净，切段，晒干。

| 功能主治 | **柳叶菜**：苦、淡、寒。清热解毒，利湿止泻，消食理气，活血接骨。用于湿热泻痢，食积，脘腹胀痛，牙痛，月经不调，经闭，带下，跌打骨折，疮肿，烫火伤，疥疮。
柳叶菜花：苦、甘，凉。清热止痛，调经涩带。用于牙痛，咽喉肿痛，目赤肿痛，月经不调，带下过多。
柳叶菜根：苦，平。理气消积，活血止痛，解毒消肿。用于食积，脘腹疼痛，经闭，痛经，带下，咽肿，牙痛，口疮，目赤肿痛，疮肿，跌打瘀肿，骨折，外伤出血。

| 用法用量 | **柳叶菜**：内服煎汤，6 ～ 15 g；或鲜品捣汁。外用适量，捣敷；或捣汁涂。
柳叶菜花：内服煎汤，9 ～ 15 g。
柳叶菜根：内服煎汤，6 ～ 15 g。外用适量，捣敷；或研末敷。

柳叶菜科 Onagraceae 柳叶菜属 Epilobium

小花柳叶菜

Epilobium parviflorum Schreber

| 药材名 |

水虾草（药用部位：全草）、水虾草根（药用部位：根）。

| 形态特征 |

多年生粗壮草本，直立。秋季自茎基部生出地上生的越冬莲座状叶芽。茎长 18 ~ 100（~ 160）cm，直径 3 ~ 10 mm，上部常分枝，周围混生长柔毛与短腺毛，下部被伸展的灰色长柔毛，叶柄下延的棱线多少明显。叶对生，茎上部的叶互生；叶片狭披针形或长圆状披针形，长 3 ~ 12 cm，宽 0.5 ~ 2.5 cm，先端近锐尖，基部圆形，边缘每侧具 15 ~ 60 不等距的细牙齿，两面被长柔毛，侧脉每侧 4 ~ 8；叶柄近无或长 1 ~ 3 mm。总状花序直立，常分枝；苞片叶状；花直立，花蕾长圆状倒卵球形，长 3 ~ 5 mm，直径 2 ~ 3 mm；花梗长 0.3 ~ 1 cm；花管长 1 ~ 1.9 mm，直径 1.3 ~ 2.5 mm，喉部有一圈长毛；萼片狭披针形，长 2.5 ~ 6 mm，背面隆起成龙骨状，被腺毛与长柔毛；花瓣粉红色至鲜玫瑰紫红色，稀白色，宽倒卵形，长 4 ~ 8.5 mm，宽 3 ~ 4.5 mm，先端凹缺深 1 ~ 3.5 mm；雄蕊长圆形，长 0.5 ~ 1.3 mm，直径 0.35 ～ 0.6 mm，外轮花丝长 2.6 ～ 6 mm，内轮花丝长 1.2 ～ 3.5 mm；子房长 1 ～ 4 cm，密被直立短腺毛，有时混生少数长柔毛，花柱直立长 2.6 ～ 6 mm，白色至粉红色，无毛，柱头 4 深裂，裂片长圆形，长 1 ～ 1.8 mm，初时直立，后下弯，与雄蕊近等长。蒴果长 3 ～ 7 cm，被毛同子房，果柄长 0.5 ～ 1.8 cm；种子倒卵球状，长 0.8 ～ 1.1 mm，直径 0.4 ～ 0.5 mm，先端圆形，具不明显的喙，褐色，表面具粗乳突，种缨长 5 ～ 9 mm，深灰色或灰白色，易脱落。花期 6 ～ 9 月，果期 7 ～ 10 月。

| **生境分布** | 生于山区河谷、溪流、湖泊等湿润处及向阳的荒坡草地。分布于湖南娄底（涟源）、湘西州（吉首、泸溪、花垣、凤凰）、张家界（慈利）、怀化（鹤城、洪江）、永州（道县）等。

| **资源情况** | 野生资源较少。药材来源于野生。

| **采收加工** | **水虾草**：秋季采收，鲜用或晒干。
水虾草根：秋季采挖，洗净，切片，晒干或鲜用。

| **功能主治** | **水虾草**：辛、淡，寒。散风止咳，清热止泻。用于感冒发热，咳嗽，暑热水泻，疔疮肿毒。
水虾草根：辛、苦，平。祛风除湿，舒筋活血。用于风湿痹痛，劳伤腰痛，跌打骨折，赤白带下。

| **用法用量** | **水虾草**：内服煎汤，10 ～ 30 g。外用适量，捣敷。
水虾草根：内服煎汤，6 ～ 15 g；或浸酒。外用适量，捣敷。

柳叶菜科 Onagraceae 柳叶菜属 Epilobium

长籽柳叶菜
Epilobium pyrricholophum Franch. et Savat.

| 药 材 名 | 针线筒（药用部位：全草。别名：心胆草）。

| 形态特征 | 多年生草本。自茎基部生出纤细的越冬匍匐枝条，其节上叶小，近圆形，近全缘，先端钝。茎高 25 ~ 80 cm，直径 2.5 ~ 7 mm，圆柱状，常多分枝或在小型植株上不分枝，周围密被曲柔毛与腺毛。叶对生，花序上的叶互生，排列密集，长于节间，近无柄；叶片卵形至宽卵形，茎上部的叶有时披针形，长 2 ~ 5 cm，宽 0.5 ~ 2 cm，先端锐尖或下部的近钝形，基部钝或圆形，有时近心形，边缘每侧具 7 ~ 15 锐锯齿，侧脉每侧 4 ~ 6，下面隆起，两面尤脉上被曲柔毛，茎上部的叶混生腺毛。花序直立，密被腺毛与曲柔毛；花直立，花蕾狭卵状，长 4 ~ 8 mm，直径 2.5 ~ 5 mm；花梗长 0.4 ~ 0.7 cm；

花管长 1 ~ 1.2 cm，直径 1.8 ~ 3 mm，喉部有一环白色长毛；萼片披针状长圆形，长 4 ~ 7 mm，宽 1 ~ 1.2 mm，被曲柔毛与腺毛；花瓣粉红色至紫红色，倒卵形至倒心形，长 6 ~ 8 mm，宽 3 ~ 4.5 mm，先端凹缺深 1 ~ 1.4 mm；花药卵状，长 0.7 ~ 1.3 mm，宽 0.3 ~ 0.6 mm，外轮花丝长 2.5 ~ 3.5 mm，内轮花丝长 1.8 ~ 2.5 mm；子房长 1.5 ~ 3 cm，密被腺毛，花柱直立，长 2.8 ~ 4 mm，无毛，柱头棍棒状或近头状，高 2 ~ 3 mm，直径 1 ~ 2.3 mm，稍高于外轮雄蕊或与外轮雄蕊近等高。蒴果长 3.5 ~ 7 cm，被腺毛，果柄长 0.7 ~ 1.5 cm；种子狭倒卵状，长 1.5 ~ 1.8 mm，直径 0.35 ~ 0.5 mm，先端渐尖，具一明显的长约 0.1 mm 的喙，褐色，表面具细乳突，种缨红褐色，长 7 ~ 12 mm，常宿存。花期 7 ~ 9 月，果期 8 ~ 11 月。

| **生境分布** | 生于海拔 150 ~ 1 770 m 的山区沿江河谷、溪沟旁、池塘与水田湿处。湖南各地均有分布。

| **资源情况** | 野生资源一般。药材来源于野生。

| **采收加工** | 夏、秋季采收，洗净，晒干或鲜用。

| **药材性状** | 本品根茎上生多数须根。叶对生，上部互生，近无柄；完整叶片卵形或卵状披针形，长约 5 cm，宽约 2 cm，先端锐尖，边缘具不规则的疏齿。花单生于茎顶叶腋内。蒴果线状长圆柱形，长达 6 cm；种子长椭圆形，长约 1.5 mm，先端具一簇淡棕黄色种缨。气微，味微苦。

| **功能主治** | 苦、辛，凉。清热利湿，止血安胎，解毒消肿。用于痢疾，吐血，咯血，便血，月经过多，胎动不安，痈肿疮疖，烫伤，跌打伤肿，外伤出血。

| **用法用量** | 内服煎汤，6 ~ 15 g。外用适量，捣敷；或研末调敷；或取种子冠毛敷。

柳叶菜科 Onagraceae 倒挂金钟属 Fuchsia

倒挂金钟 *Fuchsia hybrida* Hort. ex Sieb. et Voss.

| 药 材 名 | 灯笼花（药用部位：全株。别名：吊钟海棠）。

| 形态特征 | 半灌木。茎直立，高 50 ~ 200 cm，直径 6 ~ 20 mm，多分枝，被短柔毛与腺毛，老时渐无毛，幼枝带红色。叶对生，卵形或狭卵形，长 3 ~ 9 cm，宽 2.5 ~ 5 cm，中部叶片较大，先端渐尖，基部浅心形或钝圆，边缘具远离的浅齿或齿突，脉常带红色，侧脉 6 ~ 11 对，于近边缘处环结，两面尤下面脉上被短柔毛；叶柄长 2 ~ 3.5 cm，常带红色，被短柔毛与腺毛；托叶狭卵形至钻形，长约 1.5 mm，早落。花两性，单一，稀成对生于茎、枝顶叶腋内，下垂；花梗纤细，淡绿色或带红色，长 3 ~ 7 cm；花管红色，筒状，上部较大，长 1 ~ 2 cm，直径 3 ~ 5 mm，连花梗疏被短柔毛与腺毛；萼片 4，

红色，长圆状或三角状披针形，长 2 ~ 3 cm，宽 4 ~ 8 mm，先端渐狭，开放时反折；花瓣颜色多变，紫红色、红色、粉红色、白色，排列成覆瓦状，宽倒卵形，长 1 ~ 2.2 cm，先端微凹；雄蕊 8，外轮雄蕊较长，花丝红色，伸出花管的部分长 1.8 ~ 3 cm，花药紫红色，长圆形，长 2 ~ 3 mm，直径约 1 mm，花粉粉红色；子房倒卵状长圆形，长 5 ~ 6 mm，直径 3 ~ 4 mm，疏被柔毛与腺毛，4 室，每室有多数胚珠，花柱红色，长 4 ~ 5 cm，基部围以绿色的浅杯状花盘，柱头棍棒状，褐色，长约 3 mm，直径约 1.5 mm，先端 4 浅裂。果实紫红色，倒卵状长圆形，长约 1 cm。花期 4 ~ 12 月。

| **生境分布** | 生于岗地、低山。分布于湖南湘潭（湘潭）、邵阳（绥宁）、岳阳（汨罗）、永州（冷水滩）、怀化（鹤城、辰溪、新晃）等。

| **资源情况** | 野生资源较少。药材来源于野生。

| **采收加工** | 花开放后采收，晒干。

| **功能主治** | 辛、酸。行血祛瘀，凉血祛风。用于跌打损伤，产后乳肿，皮肤瘙痒，痤疮等。

| **用法用量** | 内服煎汤，15 ~ 30 g。

柳叶菜科 Onagraceae 丁香蓼属 Ludwigia

水龙 *Ludwigia adscendens* (L.) Hara

| 药 材 名 | 水龙（药用部位：全草。别名：过塘蛇、过江龙、过沟龙）。

| 形态特征 | 多年生浮水或上升草本。浮水茎长可达 3 m，节上常簇生圆柱状或纺锤状白色海绵状贮气的根状浮器，具多数须根；直立茎高达 60 cm，无毛；生于旱生环境的枝上常被柔毛，很少开花。叶倒卵形、椭圆形或倒卵状披针形，长 3 ~ 6.5 cm，宽 1.2 ~ 2.5 cm，先端常钝圆，有时近锐尖，基部狭楔形，侧脉 6 ~ 12 对；叶柄长 3 ~ 15 mm；托叶卵形至心形，长 1.5 ~ 2 mm，宽 1.2 ~ 1.8 mm。花单生于上部叶腋；花梗长 2.5 ~ 6.5 cm；小苞片生于花梗上部，鳞片状，长 2 ~ 3 mm，宽 1 ~ 2 mm；萼片 5，三角形至三角状披针形，长 6 ~ 12 mm，宽 1.8 ~ 2.5 mm，先端渐狭，被短柔毛；花瓣

乳白色，基部淡黄色，倒卵形，长 8 ~ 14 mm，宽 5 ~ 9 mm，先端圆形；雄蕊 10，对瓣雄蕊较短，长 2 ~ 4 mm，对萼雄蕊较长，花丝白色，花药卵状长圆形，长 1.5 ~ 2 mm，花粉粒以单体授粉；花盘隆起，近花瓣处有蜜腺；花柱白色，长 4 ~ 6 mm，下部被毛，柱头近球状，5 裂，淡绿色，直径 1.5 ~ 2 mm，上部接受花粉，子房被毛。蒴果淡褐色，圆柱状，具 10 纵棱，长 2 ~ 3 cm，直径 3 ~ 4 mm，果皮薄，不规则开裂，果柄长 2.5 ~ 7 cm，被长柔毛或无毛；种子在每室纵向单列，淡褐色，嵌入木质硬果皮内，椭圆状，长 1 ~ 1.3 mm。花期 5 ~ 8 月，果期 8 ~ 11 月。

| **生境分布** | 生于海拔 100 ~ 600 m 的水田、浅水塘。分布于湖南郴州（安仁）等。

| **资源情况** | 野生资源较少。药材来源于野生。

| **采收加工** | 全年均可采收，洗净，晒干。

| **功能主治** | 淡，凉。清热利湿，解毒消肿。用于感冒发热，麻疹不透，肠炎，痢疾，小便不利；外用于疖疮脓肿，腮腺炎，带状疱疹，黄水疮，湿疹，皮炎，犬咬伤。

| **用法用量** | 内服煎汤，10 ~ 30 g；或捣汁。外用适量，捣敷；或烧灰调敷；或煎汤洗。脾胃虚寒者慎服。

柳叶菜科 Onagraceae 丁香蓼属 Ludwigia

假柳叶菜
Ludwigia epilobioides Maxim.

| 药 材 名 | 黄花丁香蓼（药用部位：全草。别名：假丁香蓼）。

| 形态特征 | 一年生粗壮直立草本。茎高 30 ~ 150 cm，直径 3 ~ 1.2 cm，四棱形，带紫红色，多分枝，无毛或被微柔毛。叶狭椭圆形至狭披针形，长（2 ~）3 ~ 10 cm，宽（0.5 ~）0.7 ~ 2 cm，先端渐尖，基部狭楔形，侧脉每侧 8 ~ 13，在两面隆起，于近边缘处彼此环结，不明显，脉上疏被微柔毛；叶柄长 4 ~ 13 mm；托叶很小，卵状三角形，长约 1.5 mm。萼片 4 ~ 5（~ 6），三角状卵形，长 2 ~ 4.5 mm，宽 0.6 ~ 2.8 mm，先端渐尖，被微柔毛；花瓣黄色，倒卵形，长 2 ~ 2.5 mm，宽 0.8 ~ 1.2 mm，先端圆形，基部楔形；雄蕊与萼片同数，花丝长 0.5 ~ 1 mm，花药宽长圆状，长约 0.5 mm；花柱粗短，

长 0.5 ~ 1 mm，柱头球状，直径 0.6 ~ 0.8 mm，先端微凹；花盘无毛。蒴果近无梗，长 1 ~ 2.8 cm，直径 1.2 ~ 2 mm，初时具 4 ~ 5 棱，表面呈瘤状隆起，成熟时淡褐色，内果皮增厚变硬成木栓质，表面变平滑，果实呈圆柱状，每室有 1 ~ 2 列稀疏嵌埋于内果皮的种子，果皮薄，果实成熟时不规则开裂；种子狭卵球状，稍歪斜，长 0.7 ~ 1.4 mm，直径 0.3 ~ 0.4 mm，先端具钝突尖头，基部偏斜，淡褐色，表面具红褐色纵条纹，其间有横向的细网纹，种脊不明显。花期 8 ~ 10 月，果期 9 ~ 11 月。

| **生境分布** | 生于海拔 800 m 以下的湖泊、池塘、水稻田、溪边等湿润处。分布于湘中、湘东等。

| **资源情况** | 野生资源丰富。药材来源于野生。

| **采收加工** | 夏、秋季采收，洗净，切段，晒干或鲜用。

| **功能主治** | 淡，凉。清热解毒，利湿消肿。用于肠炎，痢疾，病毒性肝炎，肾炎性水肿，膀胱炎，带下，痔疮；外用于痈疖疔疮，蛇虫咬伤。

| **用法用量** | 内服煎汤，15 ~ 30 g。

柳叶菜科 Onagraceae 丁香蓼属 Ludwigia

草龙
Ludwigia hyssopifolia (G. Don) Exell

药 材 名

草龙（药用部位：全草。别名：细叶水丁香、化骨溶、假木瓜）、草龙根（药用部位：根）。

形态特征

一年生直立草本。茎高 60 ~ 200 cm，直径 5 ~ 20 mm，基部常木质化，常三棱形或四棱形，多分枝，幼枝及花序被微柔毛。叶披针形至线形，长 2 ~ 10 cm，宽 0.5 ~ 1.5 cm，先端渐狭或锐尖，基部狭楔形，侧脉每侧 9 ~ 16，于近边缘处不明显环结，下面脉上疏被短毛；叶柄长 2 ~ 10 mm；托叶三角形，长约 1 mm 或不存在。花腋生；萼片 4，卵状披针形，长 2 ~ 4 mm，宽 0.5 ~ 1.8 mm，常有 3 纵脉，无毛或被短柔毛；花瓣 4，黄色，倒卵形或近椭圆形，长 2 ~ 3 mm，宽 1 ~ 2 mm，先端钝圆，基部楔形；雄蕊 8，淡绿黄色，对萼雄蕊长 1 ~ 2 mm，对瓣雄蕊长 0.5 ~ 1 mm，花丝不等长；花盘稍隆起，围绕雄蕊基部有密腺；花柱淡黄绿色，长 0.8 ~ 1.2 mm，柱头头状，直径约 1 mm，先端略凹，4 浅裂。蒴果近无梗，幼时近四棱形，成熟时近圆柱状，长 1 ~ 2.5 cm，直径 1.5 ~ 2 mm，上部 1/5 ~ 1/3 增粗，被微柔毛，果皮薄；种子在蒴果上部每室排成多列，离生，在下部排成 1 列，嵌入近锥状盒子的硬内果皮里，近椭圆状，长约 0.6 mm，直径约 0.3 mm，两端多少锐尖，淡褐色，表面有纵横条纹，腹面有纵形种脊，长约为种子的 1/3。花果期几乎全年。

| **生境分布** | 生于海拔 240 ～ 750 m 的沼泽、湿草地、田边、水边、河滩。分布于湘北等。

| **资源情况** | 野生资源较少。药材来源于野生。

| **采收加工** | 草龙：夏、秋季采收，洗净，切段，晒干或鲜用。
草龙根：秋季采挖，洗净，鲜用或晒干。

| **功能主治** | 草龙：辛、微苦，凉。发表清热，解毒利尿，凉血止血。用于感冒发热，咽喉肿痛，牙痛，口舌生疮，湿热泻痢，水肿，小便淋痛，疳积，咯血，吐血，便血，崩漏，痈肿疮疖。
草龙根：苦，平。平喘，止咳，消积，散结。用于哮喘，咳嗽，疳积，瘰疬。

| **用法用量** | 草龙：内服煎汤，10 ～ 30 g。外用适量，捣敷；或煎汤含漱。
草龙根：内服煎汤，6 ～ 15 g。外用适量，捣敷。

柳叶菜科 Onagraceae 丁香蓼属 Ludwigia

毛草龙
Ludwigia octovalvis (Jacq.) Raven

| 药 材 名 | 毛草龙（药用部位：全草。别名：草里金钗、锁匙筒、水仙桃）、毛草龙根（药用部位：根）。

| 形 态 特 征 | 多年生粗壮直立草本，有时基部木质化，高 50 ~ 200 cm，直径 5 ~ 18 mm，多分枝，稍具纵棱，常被伸展的黄褐色粗毛。叶披针形至线状披针形，长 4 ~ 12 cm，宽 0.5 ~ 2.5 cm，先端渐尖或长渐尖，基部渐狭，侧脉每侧 9 ~ 17，于近边缘处环结，两面被黄褐色粗毛，边缘具毛；叶柄长达 5 mm 或无柄；托叶小，三角状卵形，长达 3 mm 或近退化。萼片 4，卵形，长 6 ~ 9 mm，宽 3 ~ 5 mm，先端渐尖，基出脉 3，两面被粗毛；花瓣黄色，倒卵状楔形，长 7 ~ 14 mm，宽 6 ~ 10 mm，先端钝圆或微凹，基部楔形，具侧脉 4 ~ 5 对；雄

蕊 8，花丝长 2 ~ 3 mm，花药宽长圆形，长 0.8 ~ 1.5 mm；花柱与内轮雄蕊近等长，较外轮雄蕊稍短，柱头近头状，4 浅裂，直径 1.2 ~ 2 mm；花盘隆起，基部围以白毛；子房圆柱状，密被粗毛。蒴果圆柱状，具 8 条棱，绿色至紫红色，长 2.5 ~ 3.5 cm，直径 3 ~ 5 mm，被粗毛，成熟时迅速并不规则室背开裂，果柄长 3 ~ 10 mm；种子每室多列，离生，近球状或倒卵状，一侧稍内陷，直径 0.6 ~ 0.7 mm，种脊明显，与种子近等长，表面具横条纹。花期 6 ~ 8 月，果期 8 ~ 11 月。

| 生境分布 | 生于海拔 300（~ 750）m 以下的田边、池塘边、沟谷旁及开旷湿润处。分布于湘北、湘西南、湘南等。

| 资源情况 | 野生资源一般。药材来源于野生。

| 采收加工 | **毛草龙**：夏、秋季采收，洗净，鲜用或晒干。
毛草龙根：秋季采挖，洗净，切段，晒干或鲜用。

| 功能主治 | **毛草龙**：苦、微辛，寒。清热利湿，解毒消肿。用于感冒发热，疳热，咽喉肿痛，口舌生疮，高血压，水肿，湿热泻痢，小便淋痛，白浊，带下，乳痈，疔疮肿毒，痔疮，烫火伤，毒蛇咬伤。
毛草龙根：淡、苦，寒。清热解毒，利尿，止血。用于热痢，牙痛，目赤肿痛，高血压，水肿，淋证，乳痈，疮肿，湿热疹痒。

| 用法用量 | **毛草龙**：内服煎汤，15 ~ 30 g；或研末。外用适量，捣敷；或研末调涂；或烧灰调涂；或煎汤洗。
毛草龙根：内服煎汤，15 ~ 30 g。外用适量，捣敷；或研末调涂。

柳叶菜科 Onagraceae 丁香蓼属 Ludwigia

黄花水龙

Ludwigia peploides (Kunth) Kaven subsp. *stipulacea* (Ohwi) Raven

| 药 材 名 | 黄花水龙（药用部位：全草）。

| 形态特征 | 多年生浮水或上升草本。浮水茎长达 3 m，节上常生圆柱状海绵状
贮气的根状浮器，具多数须根；直立茎高达 60 cm，无毛。叶长圆
形或倒卵状长圆形，长 3 ~ 9 cm，宽 1 ~ 2.5 cm，先端常锐尖或渐
尖，基部狭楔形，侧脉 7 ~ 11 对；叶柄长 3 ~ 20 mm；托叶明显，
卵形或鳞片状，长 2 ~ 4 mm。花单生于上部叶腋；小苞片常生于子
房近中部，三角形，长约 1 mm；萼片 5，三角形，长 6 ~ 12 mm，
宽 1.5 ~ 2.5 mm，多少被毛；花瓣鲜金黄色，基部常有深色斑点，
倒卵形，长 7 ~ 13 mm，宽 5 ~ 10 mm，先端钝圆或微凹，基部宽
楔形；雄蕊 10，对瓣雄蕊稍短，长 2 ~ 5 mm，花丝鲜黄色，花药

淡黄色，卵状长圆形，长 1 ～ 1.5 mm，花粉粒以单体授粉；花盘稍隆起，基部有蜜腺，围有白毛；花柱黄色，长 2.5 ～ 5 mm，密被长毛，柱头黄色，扁球状，5 深裂，开花时常稍高于雄蕊，上部 2/3 接受花粉。蒴果具 10 纵棱，长 1 ～ 2.5 cm，果柄长 2 ～ 6 cm；种子每室单列纵向排列，嵌入木质硬内果皮里，椭圆状，长 1 ～ 1.2 mm。花期 6 ～ 8 月，果期 8 ～ 10 月。

| 生境分布 | 生于岗地。分布于湘中、湘东等。

| 资源情况 | 野生资源较少。药材来源于野生。

| 采收加工 | 夏、秋季采收，洗净，鲜用或晒干。

| 功能主治 | 苦、微甘，寒。清热解毒，利尿。用于燥热咳嗽，高热烦渴，小便淋痛，水肿，口疮，风火牙痛。

| 用法用量 | 内服煎汤，15 ～ 30 g。

柳叶菜科 Onagraceae 丁香蓼属 Ludwigia

丁香蓼
Ludwigia prostrata Roxb.

| 药 材 名 | 丁香蓼（药用部位：全草。别名：丁子蓼、水丁香、水杨柳）、丁香蓼根（药用部位：根）。

| 形态特征 | 一年生直立草本。茎高 25 ~ 60 cm，直径 2.5 ~ 4.5 mm，下部圆柱状，上部四棱形，常淡红色，近无毛，多分枝。小枝近水平开展。叶狭椭圆形，长 3 ~ 9 cm，宽 1.2 ~ 2.8 cm，先端锐尖或稍钝，基部狭楔形，在下部骤变窄，侧脉每侧 5 ~ 11，至近边缘处渐消失，两面近无毛或幼时脉上疏生微柔毛；叶柄长 5 ~ 18 mm，稍具翅；托叶几乎全都退化。萼片 4，三角状卵形至披针形，长 1.5 ~ 3 mm，宽 0.8 ~ 1.2 mm，疏被微柔毛或近无毛；花瓣黄色，匙形，长 1.2 ~ 2 mm，宽 0.4 ~ 0.8 mm，先端近圆形，基部楔形；雄蕊 4，

花丝长 0.8 ~ 1.2 mm，花药扁圆形，宽 0.4 ~ 0.5 mm；花柱长约 1 mm，柱头近卵状或球状，直径约 0.6 mm；花盘围以花柱基部，稍隆起，无毛。蒴果四棱形，长 1.2 ~ 2.3 cm，直径 1.5 ~ 2 mm，淡褐色，无毛，成熟时迅速不规则室背开裂，果柄长 3 ~ 5 mm；种子呈 1 列横卧于每室内，离生，卵状，长 0.5 ~ 0.6 mm，直径约 0.3 mm，先端稍偏斜，具小尖头，表面有横条排列成的棕褐色纵横条纹，种脊线形，长约 0.4 mm。花期 6 ~ 7 月，果期 8 ~ 9 月。

| **生境分布** | 生于海拔 100 ~ 700 m 的水稻田、河滩、溪谷旁潮湿处。湖南有广泛分布。

| **资源情况** | 野生资源丰富。药材来源于野生。

| **采收加工** | 丁香蓼：秋季结果时采收，切段，鲜用或晒干。
丁香蓼根：秋季采挖，洗净，晒干或鲜用。

| **功能主治** | 丁香蓼：苦，凉。清热解毒，利尿通淋，化瘀止血。用于肺热咳嗽，咽喉肿痛，目赤肿痛，湿热泻痢，黄疸，小便淋痛，水肿，带下，吐血，尿血，便血，疔肿，疥疮，跌打伤肿，外伤出血，蛇虫咬伤。
丁香蓼根：苦，凉。清热利尿，消肿生肌。用于急性肾炎，刀伤。

| **用法用量** | 丁香蓼：内服煎汤，15 ~ 30 g；或浸酒。外用适量，捣敷。
丁香蓼根：内服煎汤，9 ~ 15 g。外用适量，捣敷。

柳叶菜科 Onagraceae 月见草属 Oenothera

月见草 *Oenothera biennis* L.

| 药 材 名 | 月见草（药用部位：根。别名：夜来香）、月见草油（药材来源：种子的脂肪油）。

| 形态特征 | 二年生直立粗壮草本。基生莲座叶丛紧贴地面。茎高 50 ~ 200 cm，不分枝或分枝，被曲柔毛与伸展长毛，茎、枝上端常混生有腺毛。基生叶倒披针形，长 10 ~ 25 cm，宽 2 ~ 4.5 cm，先端锐尖，基部楔形，边缘疏生不整齐的浅钝齿，侧脉每侧 12 ~ 15，两面被曲柔毛与长毛，叶柄长 1.5 ~ 3 cm；茎生叶椭圆形至倒披针形，长 7 ~ 20 cm，宽 1 ~ 5 cm，先端锐尖至短渐尖，基部楔形，边缘每侧有 5 ~ 19 稀疏钝齿，侧脉每侧 6 ~ 12，两面被曲柔毛与长毛，茎上部的叶下面与叶缘常混生有腺毛，叶柄长不及 15 mm。花序穗状，

不分枝或在主序下面具次级侧生花序；苞片叶状，芽时长为花的 1/2，长大后椭圆状披针形，自下向上由大变小，近无柄，长 1.5 ~ 9 cm，宽 0.5 ~ 2 cm，果时宿存；花蕾锥状长圆形，长 1.5 ~ 2 cm，直径 4 ~ 5 mm，先端具长约 3 mm 的喙；花管长 2.5 ~ 3.5 cm，直径 1 ~ 1.2 mm，黄绿色或花开时带红色，被混生的柔毛、伸展的长毛与短腺毛，花后毛脱落；萼片绿色，有时带红色，长圆状披针形，长 1.8 ~ 2.2 cm，下部宽大处长 4 ~ 5 mm，先端骤缩成尾状，长 3 ~ 4 mm，在芽时直立，彼此靠合，花开放时自基部反折，在中部上翻，被毛同花管；花瓣黄色，稀淡黄色，宽倒卵形，长 2.5 ~ 3 cm，宽 2 ~ 2.8 cm，先端微凹缺；花丝近等长，长 10 ~ 18 mm，花药长 8 ~ 10 mm，花粉约 50% 发育；子房绿色，圆柱状，具 4 棱，长 1 ~ 1.2 cm，直径 1.5 ~ 2.5 mm，密被伸展长毛与短腺毛，有时混生曲柔毛，花柱长 3.5 ~ 5 cm，伸出花管部分长 0.7 ~ 1.5 cm，柱头围以花药，开花时花粉直接授在柱头裂片上，裂片长 3 ~ 5 mm。蒴果锥状圆柱形，向上变狭，长 2 ~ 3.5 cm，直径 4 ~ 5 mm，直立，绿色，具明显的棱，被毛同子房，毛渐稀疏；种子在果实中呈水平状排列，暗褐色，棱形，长 1 ~ 1.5 mm，直径 0.5 ~ 1 mm，具棱角，各面具不整齐的洼点。

| **生境分布** | 生于海拔 1 100 m 的向阳山坡、荒草地、砂壤土及路旁河岸沙砾地区。湖南有广泛分布。

| **资源情况** | 野生资源丰富。药材来源于野生。

| **采收加工** | 月见草：秋季采挖，除去泥土，晒干。
月见草油：7 ~ 8 月采收成熟果实，晒干，压碎，筛去果壳，收集种子，用超临界二氧化碳萃取等方法取得脂肪油。

| **功能主治** | 月见草：甘、苦，温。祛风湿，强筋骨。用于风寒湿痹，筋骨酸软。
月见草油：苦、微辛、微甘，平。活血通络，息风平肝，消肿敛疮。用于胸痹心痛，中风偏瘫，虚风内动，小儿多动，风湿痹痛，腹痛泄泻，痛经，狐惑，疮疡，湿疹。

| **用法用量** | 月见草：内服煎汤，5 ~ 15 g。
月见草油：内服入胶丸、软胶囊，每次 1 ~ 2 g，每日 2 ~ 3 次。

柳叶菜科　Onagraceae　月见草属　Oenothera

黄花月见草
Oenothera glazioviana Mich.

| 药 材 名 | 黄花月见草（药材来源：种子的脂肪油）。

| 形态特征 | 二年生至多年生直立草本，具粗大的主根。茎高 70 ~ 150 cm，直径 6 ~ 20 mm，不分枝或分枝，常密被曲柔毛与疏生伸展长毛，茎、枝上部常密混生短腺毛。基生叶莲座状，倒披针形，长 15 ~ 25 cm，宽 4 ~ 5 cm，先端锐尖或稍钝，基部渐狭并下延为翅，边缘自下向上有远离的浅波状齿，侧脉 5 ~ 8 对，白色或红色，上部深绿色至亮绿色，两面被曲柔毛与长毛，叶柄长 3 ~ 4 cm；茎生叶螺旋状互生，狭椭圆形至披针形，自下向上变小，长 5 ~ 13 cm，宽 2.5 ~ 3.5 cm，先端锐尖或稍钝，基部楔形，边缘疏生远离的齿突，侧脉 2 ~ 8 对，被毛同基生叶，叶柄长 2 ~ 15 mm，向上变短。

花序穗状，生于茎、枝先端，密生曲柔毛、长毛与短腺毛；苞片卵形至披针形，无柄，长 1 ~ 3.5 cm，宽 5 ~ 12 mm，被毛同花序；花蕾锥状披针形，斜展，长 2.5 ~ 4 cm，直径 5 ~ 7 mm，先端具长约 6 mm 的喙；花管长 3.5 ~ 5 cm，直径 1 ~ 1.3 mm，疏被曲柔毛、长毛与腺毛；萼片黄绿色，狭披针形，长 3 ~ 4 cm，宽 5 ~ 6 mm，先端尾状，彼此靠合，开花时反折，被毛同花管，较密；花瓣黄色，宽倒卵形，长 4 ~ 5 cm，宽 4 ~ 5.2 cm，先端钝圆或微凹；花丝近等长，长 1.8 ~ 2.5 cm，花药长 10 ~ 12 mm，花粉约 50% 发育；子房绿色，圆柱状，具 4 棱，长 8 ~ 12 mm，直径 1.5 ~ 2 mm，被毛同萼片，花柱长 5 ~ 8 cm，伸出花管部分长 2 ~ 3.5 cm，开花时柱头伸出花药，裂片长 5 ~ 8 mm。蒴果锥状圆柱形，向上变狭，长 2.5 ~ 3.5 cm，直径 5 ~ 6 mm，具纵棱与红色的槽，被毛同子房，较稀疏；种子棱形，长 1.3 ~ 2 mm，直径 1 ~ 1.5 mm，褐色，具棱角，各面具不整齐的洼点。花期 5 ~ 10 月，果期 8 ~ 12 月。

| **生境分布** | 生于开旷荒地、田园路边。分布于湘北、湘西北、湘西南、湘南等。

| **资源情况** | 野生资源较少。药材来源于野生。

| **采收加工** | 7 ~ 8 月采收成熟果实，晒干，压碎，筛去果壳，收集种子，用超临界二氧化碳萃取等方法取得脂肪油。

| **功能主治** | 辛、甘，微温。活血化瘀，健脾化湿，醒神。用于胸痹疼痛，胁痛，手足麻木，肢体瘫痪，风湿痹痛，关节疼痛，抑郁症，冠状动脉阻塞，动脉粥样硬化，脑血栓形成，肥胖症，风湿性关节炎，精神分裂症。

| **用法用量** | 内服入胶丸、软胶囊，每次 1 ~ 2 g，每日 2 ~ 3 次。

柳叶菜科 Onagraceae 月见草属 Oenothera

粉花月见草

Oenothera rosea L. Her. ex Ait.

| 药 材 名 | 粉花月见草（药用部位：全草或根）。

| 形态特征 | 多年生草本。主根粗大，直径达 1.5 cm。茎常丛生，上升，长 30 ~ 50 cm，多分枝，被曲柔毛，上部幼时密生，有时混生长柔毛，下部常紫红色。基生叶紧贴地面，倒披针形，长 1.5 ~ 4 cm，宽 1 ~ 1.5 cm，先端锐尖或钝圆，自中部渐狭或骤狭，并不规则羽状深裂下延至叶柄，叶柄淡紫红色，长 0.5 ~ 1.5 cm，开花时基生叶枯萎；茎生叶灰绿色，披针形或长圆状卵形，长 3 ~ 6 cm，宽 1 ~ 2.2 cm，下部的先端钝状锐尖，中上部的先端锐尖至渐尖，基部宽楔形并骤缩下延至叶柄，边缘具齿突，基部细羽状裂，侧脉 6 ~ 8 对，两面被曲柔毛，叶柄长 1 ~ 2 cm。花单生于茎、枝顶部叶腋内，

近早晨日出时开放；花蕾绿色，锥状圆柱形，长 1.5 ～ 2.2 cm，先端萼齿紧缩成喙；花管淡红色，长 5 ～ 8 mm，被曲柔毛；萼片绿色，带红色，披针形，长 6 ～ 9 mm，宽 2 ～ 2.5 mm，先端萼齿长 1 ～ 1.5 mm，背面被曲柔毛，开花时反折再向上翻；花瓣粉红色至紫红色，宽倒卵形，长 6 ～ 9 mm，宽 3 ～ 4 mm，先端钝圆，具 4 ～ 5 对羽状脉；花丝白色至淡紫红色，长 5 ～ 7 mm，花药粉红色至黄色，长圆状线形，长约 3 mm，花粉约 50% 发育；子房花期狭椭圆状，长约 8 mm，连花梗长 6 ～ 10 mm，密被曲柔毛，花柱白色，长 8 ～ 12 mm，伸出花管部分长 4 ～ 5 mm，柱头红色，围以花药，裂片长约 2 mm。蒴果棒状，长 8 ～ 10 mm，直径 3 ～ 4 mm，具 4 纵翅，翅间具棱，先端具短喙，果柄长 6 ～ 12 mm；种子每室多数，近横向簇生，长圆状倒卵形，长 0.7 ～ 0.9 mm，直径 0.3 ～ 0.5 mm。花期 4 ～ 11 月，果期 9 ～ 12 月。

| 生境分布 | 生于海拔 600 ～ 1 100 m 的湿地水旁。分布于湘中、湘东、湘北、湘西南等。

| 资源情况 | 野生资源较少。药材来源于野生。

| 采收加工 | 秋季采收，洗净，切段，晒干。

| 功能主治 | 苦，凉。解毒，化瘀，降血压。用于热毒疮肿，冠心病，高血压。

| 用法用量 | 内服煎汤，15 ～ 30 g。外用适量，捣敷。

柳叶菜科 Onagraceae 月见草属 Oenothera

待宵草

Oenothera stricta Ledeb. et Link

| 药 材 名 |

待宵草（药用部位：根。别名：香待霄草、夜来香、月下香）。

| 形态特征 |

一年生或二年生直立或外倾草本，具主根。茎不分枝或自莲座状叶丛中斜生出分枝，高 30 ~ 100 cm，被曲柔毛与伸展长毛，上部有混生腺毛。基生叶狭椭圆形至倒线状披针形，长 10 ~ 15 cm，宽 0.8 ~ 1.2 cm，先端渐狭，锐尖，基部楔形，边缘具远离浅齿，两面及边缘生曲柔毛与长柔毛；茎生叶无柄，绿色，长 6 ~ 10 cm，宽 5 ~ 8 mm，由下向上渐小，先端渐狭，锐尖，基部心形，边缘每侧有 6 ~ 10 齿突，两面被曲柔毛，中脉及边缘有长柔毛，侧脉不明显。花序穗状；花疏生于茎及枝中部以上的叶腋内；苞片叶状，卵状披针形至狭卵形，长 2 ~ 3 cm，宽 4 ~ 7 mm，先端锐尖，基部心形，边缘疏生齿突或全缘，两面被曲柔毛与腺毛，中脉与边缘有长毛；花蕾绿色或黄绿色，直立，长圆形或披针形，长 1.5 ~ 3 cm，直径达 7 mm，先端具直立或叉开的萼齿，长 2 ~ 3 mm，密被曲柔毛、腺毛与疏生长毛；花管长 2.5 ~ 4.5 cm；萼片黄绿色，披针形，长 1.5 ~ 2.5 cm，宽 4 ~ 6 mm，开花时反折；花瓣黄色，基部具红斑，宽倒卵形，长 1.5 ~ 2.7 cm，宽 1.2 ~ 2.2 cm，先端微凹；花丝长 1.5 ~ 2 cm，花药长 7 ~ 11 mm，花粉约 50% 发育；子房长 1.3 ~ 2 cm，花柱长 3.5 ~ 6.5 cm，伸出花管部分长 1.5 ~ 2 cm，柱头围以花药，裂片长 3 ~ 5 mm。蒴果圆柱状，长 2.5 ~ 3.5 cm，直径 3 ~ 4 mm，被曲柔毛与腺毛；种子在果实内斜伸，宽椭圆状，无棱角，长 1.4 ~ 1.8 mm，直径 0.5 ~ 0.7 mm，褐色，表面具整齐的洼点。花期 4 ~ 10 月，果期 6 ~ 11 月。

| 生境分布 | 生于田野。栽培于庭园中。分布于湘西北、湘西南等。

| 资源情况 | 野生资源较少。栽培资源较少。药材来源于野生和栽培。

| 采收加工 | 秋季采挖，洗净，晒干。

| 功能主治 | 辛、微苦，微寒。疏风清热，平肝明目，祛风舒筋。用于风热感冒，咽喉肿痛，目赤，雀目，风湿痹痛。

| 用法用量 | 内服煎汤，6 ~ 15 g。

小二仙草科 Haloragidaceae 小二仙草属 Haloragis

小二仙草
Haloragis micranthus (Thunb.) R. Br. ex Sieb. et Zucc.

| 药 材 名 | 小二仙草（药用部位：全草。别名：豆瓣草、女儿红、沙生草）。

| 形态特征 | 多年生陆生草本，高 5 ~ 45 cm。茎直立或下部平卧，具纵槽，多分枝，多少粗糙，带赤褐色。叶对生，卵形或卵圆形，长 6 ~ 17 mm，宽 4 ~ 8 mm，基部圆形，先端短尖或钝，边缘具稀疏锯齿，通常两面无毛，淡绿色，背面带紫褐色，具短柄，茎上部的叶有时互生，逐渐缩小成苞片。圆锥花序顶生，由纤细的总状花序组成；花两性，极小，直径约 1 mm，基部具 1 苞片与 2 小苞片；萼筒长 0.8 mm，4 深裂，宿存，绿色，萼裂片较短，三角形，长 0.5 mm；花瓣 4，淡红色，长为萼片的 2 倍；雄蕊 8，花丝短，长 0.2 mm，花药线状椭圆形，长 0.3 ~ 0.7 mm；子房下位，2 ~ 4 室。坚果近球形，小型，

长 0.9 ~ 1 mm，宽 0.7 ~ 0.9 mm，有 8 纵钝棱，无毛。花期 4 ~ 8 月，果期 5 ~ 10 月。

| **生境分布** | 生于荒山草丛中及沙地上。湖南有广泛分布。

| **资源情况** | 野生资源丰富。药材来源于野生。

| **采收加工** | 夏季采收，洗净，鲜用或晒干。

| **功能主治** | 苦，凉。止咳平喘，清热利湿，调经活血。用于咳嗽，哮喘，热淋，便秘，痢疾，月经不调，跌打骨折，疔疮，乳痈，烫伤，毒蛇咬伤。

| **用法用量** | 内服煎汤，10 ~ 20 g，鲜品 20 ~ 60 g；或捣汁。外用适量，研末调敷；或鲜品捣敷。

小二仙草科 Haloragidaceae 狐尾藻属 Myriophyllum

穗状狐尾藻 *Myriophyllum spicatum* L.

| 药 材 名 | 聚藻（药用部位：全草。别名：水藻、水蕴、鳃草）。

| 形态特征 | 多年生沉水草本。根茎发达，在水底泥中蔓延，节部生根。茎圆柱形，长 1 ~ 2.5 m，分枝极多。叶常 5 或（3 ~）4（~ 6）轮生，长 3.5 cm，丝状全细裂，裂片约 13 对，细线形，长 1 ~ 1.5 cm；叶柄极短或不存在。多数花排列成顶生或腋生的穗状花序，花序长 6 ~ 10 cm，生于水面上；花两性、单性或杂性，雌雄同株，单生于苞片状叶腋内，常 4 花轮生，如为单性花，则上部为雄花，下部为雌花，中部有时为两性花，基部有 1 对苞片，其中 1 苞片稍大，呈广椭圆形，长 1 ~ 3 mm，全缘或呈羽状齿裂；雄花萼筒广钟状，先端 4 深裂，平滑，花瓣 4，阔匙形，凹陷，长 2.5 mm，先端圆形，粉红色，雄

蕊 8，花药长椭圆形，长 2 mm，淡黄色，无花梗；雌花萼筒管状，4 深裂，花瓣缺或不明显，子房下位，4 室，花柱 4，很短，偏向一侧，柱头羽毛状，向外反转，具 4 胚珠，大苞片矩圆形，全缘或有细锯齿，较花瓣短，小苞片近圆形，边缘有锯齿。分果广卵形或卵状椭圆形，长 2 ~ 3 mm，具 4 纵深沟，沟缘表面光滑。花期春季至秋季，果期 4 ~ 9 月。

| 生境分布 | 生于池沼、湖泊、沟渠中。分布于湘西北等。

| 资源情况 | 野生资源较少。药材来源于野生。

| 采收加工 | 4 ~ 10 月间每 2 月采收 1 次，鲜用或晒干、烘干。

| 功能主治 | 甘、淡，寒。清热，凉血，解毒。用于热病烦渴，赤白痢，丹毒，疮疖，烫伤。

| 用法用量 | 内服煎汤，鲜品 15 ~ 30 g；或捣汁。外用适量，鲜品捣敷。

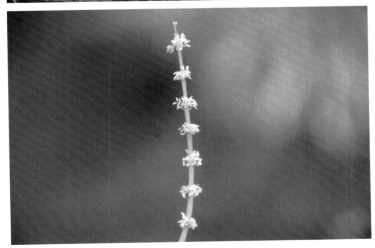

小二仙草科 Haloragidaceae 狐尾藻属 Myriophyllum

狐尾藻 *Myriophyllum verticillatum* L.

| 药 材 名 |

狐尾藻（药用部位：全草）。

| 形态特征 |

多年生粗壮沉水草本。根茎发达，在水底泥中蔓延，节部生根。茎圆柱形，长 20 ~ 40 cm，多分枝。叶通常 4 或 3 ~ 5 轮生；水中叶较长，长 4 ~ 5 cm，丝状全裂，无叶柄，裂片 8 ~ 13 对，互生，长 0.7 ~ 1.5 cm；水上叶互生，披针形，较强壮，鲜绿色，长约 1.5 cm，裂片较宽。秋季于叶腋中生出棍棒状冬芽而越冬。苞片羽状篦齿状分裂；花单性，雌雄同株或杂性同株，单生于水上叶腋内，每轮具 4 花，花无梗，较叶片短；雌花生于水上茎下部叶腋中，萼片与子房合生，先端 4 裂，裂片较小，长不及 1 mm，卵状三角形，花瓣 4，舟状，椭圆形，长 2 ~ 3 mm，早落，雌蕊 1，子房广卵形，4 室，柱头 4 裂，裂片三角形；雄蕊 8，花药椭圆形，长 2 mm，淡黄色，花丝丝状，花开后伸出花冠外。果实广卵形，长 3 mm，具 4 浅槽，先端具残存的萼片及花柱。

| 生境分布 |

生于池沼、湖泊等处，常聚生成片。分布于

湘中、湘东、湘北、湘西南等。

| **资源情况** | 野生资源一般。药材来源于野生。

| **采收加工** | 4 ～ 10 月间每 2 月采收 1 次，鲜用或晒干、烘干。

| **功能主治** | 用于痢疾，热毒疖肿，丹毒，烫火伤。

| **用法用量** | 外用适量，鲜品捣敷。

八角枫科 Alangiaceae 八角枫属 Alangium

八角枫 *Alangium chinense* (Lour.) Harms

| 药 材 名 | 八角枫根（药用部位：根或根皮、须根。别名：白龙须、白金条、白筋条）、八角枫叶（药用部位：叶。别名：大风药叶）、八角枫花（药用部位：花。别名：牛尾巴花）。

| 形态特征 | 落叶乔木或灌木，高 3 ~ 5 m，稀达 15 m，胸高直径 20 cm。小枝略呈"之"字形；幼枝紫绿色，无毛或有疏柔毛；冬芽锥形，生于叶柄基部，鳞片细小。叶纸质，近圆形或椭圆形、卵形，先端短锐尖或钝尖，基部两侧常不对称，一侧微向下扩张，另一侧向上倾斜，呈阔楔形、截形，稀近心形，长 13 ~ 19（~ 26）cm，宽 9 ~ 15（~ 22）cm，不分裂或 3 ~ 7（~ 9）裂，裂片先端短锐尖或钝尖，叶上面深绿色，无毛，下面淡绿色，除脉腋有丛状毛外，其余部分

近无毛，基出脉 3 ~ 5（~ 7），呈掌状，侧脉 3 ~ 5 对；叶柄长 2.5 ~ 3.5 cm，紫绿色或淡黄色，幼时有微柔毛，后无毛。聚伞花序腋生，长 3 ~ 4 cm，被稀疏微柔毛，有 7 ~ 30（~ 50）花；花梗长 5 ~ 15 mm；小苞片线形或披针形，长 3 mm，常早落，总花梗长 1 ~ 1.5 cm，常分节；花冠圆筒形，长 1 ~ 1.5 cm；花萼长 2 ~ 3 mm，先端分裂为 5 ~ 8 齿状萼片，萼片长 0.5 ~ 1 mm，宽 2.5 ~ 3.5 mm；花瓣 6 ~ 8，线形，长 1 ~ 1.5 cm，宽 1 mm，基部黏合，上部开花后反卷，外面有微柔毛，初为白色，后变黄色；雄蕊和花瓣同数而近等长，花丝略扁，长 2 ~ 3 mm，有短柔毛，花药长 6 ~ 8 mm，药隔无毛，外面有时有折皱；花盘近球形；子房 2 室，花柱无毛，疏生短柔毛，柱头头状，常 2 ~ 4 裂。核果卵圆形，长 5 ~ 7 mm，直径 5 ~ 8 mm，幼时绿色，成熟后黑色，先端有宿存的萼齿和花盘；种子 1。花期 5 ~ 7 月和 9 ~ 10 月，果期 7 ~ 11 月。

| **生境分布** | 生于海拔 1 800 m 以下的山地或疏林中。湖南有广泛分布。

| **资源情况** | 野生资源丰富。药材来源于野生。

| **采收加工** | 八角枫根：全年均可采收，洗净，晒干。
八角枫叶：夏季采收，鲜用或晒干。
八角枫花：5 ~ 7 月采收，晒干。

| **功能主治** | 八角枫根：辛、苦，微温；有小毒。祛风除湿，舒筋活络，散瘀止痛。用于风湿痹痛，四肢麻木，跌打损伤。
八角枫叶：苦、辛，平；有小毒。化瘀接骨，解毒杀虫。用于跌打瘀肿，骨折，疮肿，乳痈，乳头皲裂，漆疮，疥癣，刀伤出血。
八角枫花：辛，平；有小毒。散风，理气，止痛。用于头风，头痛，胸腹胀痛。

| **用法用量** | 八角枫根：内服煎汤，须根 1 ~ 3 g，根 3 ~ 6 g；或浸酒。外用适量，捣敷；或煎汤洗。孕妇忌服，小儿及年老体弱的病人不宜服用。服后忌鱼。
八角枫叶：外用适量，鲜品捣敷；或煎汤洗；或研末撒。
八角枫花：内服煎汤，3 ~ 10 g；或研末。

八角枫科 Alangiaceae 八角枫属 Alangium

稀花八角枫
Alangium chinense (Lour.) Harms subsp. *pauciflorum* Fang

| 药 材 名 | 八角枫叶（药用部位：叶。别名：大风药叶）、八角枫花（药用部位：花。别名：牛尾巴花）、八角枫根（药用部位：根或根皮、须根。别名：白龙须、白金条、白筋条）。

| 形态特征 | 本种与八角枫 *Alangium chinense* (Lour.) Harms 的区别在于本种为纤细的灌木或小乔木。叶较小，卵形，先端锐尖，常不分裂，稀 3（~ 5）微裂，长 6 ~ 9 cm，宽 4 ~ 6 cm。花较稀少，每花序仅 3 ~ 6 花；花瓣 8；雄蕊 8，花丝有白色疏柔毛。

| 生境分布 | 生于中山。分布于湘西北等。

| 资源情况 | 野生资源较少。药材来源于野生。

| 采收加工 | 八角枫叶：6 ~ 9 月采收，鲜用或晒干。
八角枫花：5 ~ 7 月采收，晒干。
八角枫根：8 ~ 10 月采挖根或须根，剥取根皮，晒干。

| 功能主治 | 八角枫叶：苦、辛，平；有小毒。归肝、肾经。解毒消肿，化瘀止痛。用于疮肿，乳痈，乳头皲裂，漆疮，疥癣，鹤膝风，跌打瘀肿，骨折，外伤出血。
八角枫花：辛，平；有小毒。用于头风，头痛，胸腹胀痛。
八角枫根：辛、苦，微温；有小毒。归肝、肾、心经。祛风除湿，舒筋活络，散瘀止痛。用于风湿痹痛，瘫痪，鹤膝风，无名肿毒，跌打损伤。

| 用法用量 | 八角枫叶：外用适量，鲜品捣敷；或煎汤洗；或研末撒。
八角枫花：内服煎汤，3 ~ 10 g；或研末蒸鸡蛋。
八角枫根：内服煎汤，须根 1 ~ 3 g，根 3 ~ 6 g；或浸酒。外用适量，捣敷；或煎汤洗。

八角枫科 Alangiaceae 八角枫属 Alangium

小花八角枫
Alangium faberi Oliv.

| 药 材 名 | 小花八角枫（药用部位：根、叶。别名：九牛造、伪八角枫、狭叶八角枫）。

| 形态特征 | 落叶灌木，高 1 ~ 4 m。树皮平滑，灰褐色或深褐色；小枝纤细，近圆柱形，淡绿色或淡紫色，幼时有紧贴的粗伏毛，后近无毛；冬芽圆锥状卵圆形；鳞片卵形，外面有黄色短柔毛。叶薄纸质至膜质，不分裂或掌状 3 裂，不分裂者矩圆形或披针形，先端渐尖或尾状渐尖，基部倾斜，近圆形或心形，通常长 7 ~ 12 cm，稀达 19 cm，宽 2.5 ~ 3.5 cm，上面绿色，幼时有稀疏的小硬毛，叶脉上毛较密，下面淡绿色，幼时有粗伏毛，老后近无毛，主脉和 6 ~ 7 侧脉均在上面微现，在下面显著；叶柄长 1 ~ 1.5 cm，稀达 2.5 cm，近圆柱形，

疏生淡黄色粗伏毛。聚伞花序短而纤细,长 2～2.5 cm,有淡黄色粗伏毛,有 5～10
花,稀达 20 花;总花梗长 5～8 mm,花梗长 5～8 mm;苞片三角形,早落;
花萼近钟形,外面有粗伏毛,萼裂片 7,三角形,长 1～1.5 mm;花瓣 5～6,
线形,长 5～6 mm,宽 1 mm,外面有紧贴的粗伏毛,内面生疏柔毛,开花时
向外反卷;雄蕊 5～6,与花瓣近等长,花丝长 2 mm,微扁,下部与花瓣合生,
先端宽扁,有长柔毛,其余部分无毛,花药长 4～6 mm,基部有刺毛状硬毛;
花盘近球形;子房 1 室,花柱无毛,柱头近球形。核果近卵圆形或卵状椭圆形,
长 6.5～10 mm,直径 4 mm,幼时绿色,成熟时淡紫色,先端有宿存的萼齿。
花期 6 月,果期 9 月。

| 生境分布 | 生于海拔 1 600 m 以下的疏林中。湖南有广泛分布。

| 资源情况 | 野生资源丰富。药材来源于野生。

| 采收加工 | 夏、秋季采收,根洗净,切片,晒干,叶鲜用。

| 功能主治 | 辛、苦,微温。祛风除湿,活血止痛。用于风湿痹痛,胃痛,跌打损伤。

| 用法用量 | 内服煎汤,6～15 g。外用适量,捣敷;或研末调敷。

八角枫科 Alangiaceae 八角枫属 Alangium

毛八角枫
Alangium kurzu Craib

| 药 材 名 | 毛八角枫（药用部位：侧根、须根。别名：白龙须）。

| 形态特征 | 落叶小乔木，稀灌木，高 5 ~ 10 m。树皮深褐色，平滑；小枝近圆柱形，当年生枝紫绿色，有淡黄色绒毛和短柔毛，多年生枝深褐色，无毛，具稀疏的淡白色圆形皮孔。叶互生，纸质，近圆形或阔卵形，先端长渐尖，基部心形或近心形，稀近圆形，倾斜，两侧不对称，全缘，长 12 ~ 14 cm，宽 7 ~ 9 cm，上面深绿色，幼时除沿叶脉有微柔毛外，其余部分无毛，下面淡绿色，有黄褐色丝状微绒毛，脉上毛更密，主脉 3 ~ 5，在上面显著，在下面凸起，侧脉 6 ~ 7 对，在上面微现，在下面显著；叶柄长 2.5 ~ 4 cm，近圆柱形，有黄褐色微绒毛，稀无毛。聚伞花序有 5 ~ 7 花；总花梗长 3 ~ 5 cm，花

梗长 5 ~ 8 mm；花萼漏斗状，常分裂成锐尖小萼齿 6 ~ 8；花瓣 6 ~ 8，线形，长 2 ~ 2.5 cm，基部黏合，上部开花时反卷，外面有淡黄色短柔毛，内面无毛，初为白色，后变淡黄色；雄蕊 6 ~ 8，略短于花瓣，花丝稍扁，长 3 ~ 5 mm，有疏柔毛，花药长 12 ~ 15 mm，药隔有长柔毛；花盘近球形，微具裂痕，有微柔毛；子房 2 室，每室有 1 胚珠，花柱圆柱形，上部膨大，柱头近球形，4 裂。核果椭圆形或矩圆状椭圆形，长 1.2 ~ 1.5 cm，直径 8 mm，幼时紫褐色，成熟后黑色，先端有宿存的萼齿。花期 5 ~ 6 月，果期 9 月。

| 生境分布 | 生于低海拔的疏林中或路旁。分布于湘中、湘东、湘北、湘南等。

| 资源情况 | 野生资源一般。药材来源于野生。

| 采收加工 | 夏、秋季采挖，洗净，鲜用或晒干。

| 功能主治 | 辛，温；有毒。舒筋活血，散瘀止痛。用于跌打瘀肿，骨折。

| 用法用量 | 内服煎汤，5 ~ 10 g。外用适量，鲜品捣敷；或研末调敷。孕妇禁服。

八角枫科 Alangiaceae 八角枫属 Alangium

云山八角枫 *Alangium kurzii* Craib var. *handelii* (Schnarf) Fang

| 药 材 名 | 大花八角枫（药用部位：根）。

| 形态特征 | 本种与毛八角枫 *Alangium kurzii* Craib 的区别在于本种叶为矩圆状卵形，稀椭圆形或卵形，边缘除近先端处有不明显的粗锯齿外，其余部分近全缘或略呈浅波状，长 11 ~ 19 cm，幼时两面有毛，后无毛；叶柄长 2 ~ 2.5 cm。聚伞花序长 2.5 ~ 4 cm，花丝长 4 mm，有粗伏毛，花药长 1.7 ~ 2 cm，药隔基部有粗伏毛。核果椭圆形，长 8 ~ 10 mm。花期 5 月，果期 8 月。

| 生境分布 | 生于海拔 1 000 m 以下的山地和疏林中。分布于湘南，以及郴州（汝城）等。

| **资源情况** | 野生资源较少。药材来源于野生。

| **采收加工** | 全年均可采挖，洗净，鲜用或切片晒干。

| **功能主治** | 活血，止痛。用于跌打损伤，筋骨疼痛。

喜树

Camptotheca acuminata Decne.

| 药 材 名 | 喜树（药用部位：根或根皮。别名：旱莲、水桐树、野芭蕉）、喜树果（药用部位：果实。别名：千丈树、水栗子、天梓树）、喜树皮（药用部位：树皮）、喜树叶（药用部位：叶）。

| 形态特征 | 落叶乔木，高超过 20 m。树皮灰色或浅灰色，纵裂成浅沟状；小枝圆柱形，平展，当年生枝紫绿色，有灰色微柔毛，多年生枝淡褐色或浅灰色，无毛，有稀疏的圆形或卵形皮孔；冬芽腋生，锥状，有 4 对卵形鳞片，外面有短柔毛。叶互生，纸质，矩圆状卵形或矩圆状椭圆形，长 12 ~ 28 cm，宽 6 ~ 12 cm，先端短锐尖，基部近圆形或阔楔形，全缘，上面亮绿色，幼时脉上有短柔毛，后无毛，下面淡绿色，疏生短柔毛，叶脉上毛更密，中脉在上面微下凹，在下

面凸起，侧脉 11 ~ 15 对，在上面显著，在下面略凸起；叶柄长 1.5 ~ 3 cm，上面扁平或略呈浅沟状，下面圆形，幼时有微柔毛，后近无毛。头状花序近球形，直径 1.5 ~ 2 cm，常由 2 ~ 9 头状花序组成圆锥花序，顶生或腋生，通常上部为雌花序，下部为雄花序；总花梗圆柱形，长 4 ~ 6 cm，幼时有微柔毛，后无毛；花杂性同株；苞片 3，三角状卵形，长 2.5 ~ 3 mm，两面均有短柔毛；花萼杯状，5 浅裂，萼裂片齿状，边缘睫毛状；花瓣 5，淡绿色，矩圆形或矩圆状卵形，先端锐尖，长 2 mm，外面密被短柔毛，早落；花盘显著，微裂；雄蕊 10，外轮 5 雄蕊较长，常长于花瓣，内轮 5 雄蕊较短，花丝纤细，无毛，花药 4 室；子房在两性花中发育良好，下位，花柱无毛，长 4 mm，先端通常 2 裂。翅果矩圆形，长 2 ~ 2.5 cm，先端具宿存的花盘，两侧具窄翅，幼时绿色，干燥后黄褐色，着生成近球形的头状果序。花期 5 ~ 7 月，果期 9 月。

| **生境分布** | 生于海拔 1 000 m 以下的林边或溪边。栽培于庭园、道旁。湖南有广泛分布。

| **资源情况** | 野生资源丰富。栽培资源丰富。药材来源于野生和栽培。

| **采收加工** | 喜树：全年均可采收，以秋季采收为佳，晒干或烘干。

喜树果：秋季果实成熟且尚未脱落时采收，晒干

喜树皮：全年均可采剥，切碎，晒干。

喜树叶：夏、秋季采收，鲜用。

| **功能主治** | 喜树：苦、辛，寒；有毒。清热解毒，散结消癥。用于食管癌，贲门癌，胃癌，肠癌，肝癌，白血病，牛皮癣，疮肿。

喜树果：苦、涩，寒；有毒。抗肿瘤，散结，破血化瘀。用于多种肿瘤，如胃癌、肠癌、绒毛膜上皮癌、淋巴肉瘤等。

喜树皮：苦，寒；有小毒。活血解毒，祛风止痒。用于牛皮癣。

喜树叶：苦，寒；有毒。清热解毒，祛风止痒。用于痈肿疮疖，牛皮癣。

| **用法用量** | 喜树：内服煎汤，9 ~ 15 g；或研末吞服；或制成针剂、片剂。内服不宜过量。

喜树果：内服煎汤，3 ~ 9 g；或研末吞服；或制成针剂、片剂。内服不宜过量。

喜树皮：内服煎汤，15 ~ 30 g。外用适量，煎汤洗；或煎汤浓缩调涂。忌用铁器煎煮、调制。

喜树叶：外用适量，鲜品捣敷；或煎汤洗。

蓝果树科 Nyssaceae 珙桐属 Davidia

珙桐
Davidia involucrata Baill.

| 药 材 名 | 山白果根（药用部位：根。别名：水梨子、水冬瓜、水梨）、山白果（药用部位：果皮）。

| 形态特征 | 落叶乔木，高 15 ～ 20 m，稀达 25 m，胸高直径约 1 m。树皮深灰色或深褐色，常裂成不规则的薄片而脱落；幼枝圆柱形，当年生枝紫绿色，无毛，多年生枝深褐色或深灰色；冬芽锥形，具 4 ～ 5 对卵形鳞片，常呈覆瓦状排列。叶纸质，互生，无托叶，常密生于幼枝先端，阔卵形或近圆形，常长 9 ～ 15 cm，宽 7 ～ 12 cm，先端急尖或短急尖，具微弯曲的尖头，基部心形或深心形，边缘有三角形而先端锐尖的粗锯齿，叶上面亮绿色，初被稀疏长柔毛，渐老时无毛，叶下面密被淡黄色或淡白色丝状粗毛，中脉和 8 ～ 9 对侧脉均在叶

上面显著，在叶下面凸起；叶柄圆柱形，长 4 ~ 5 cm，稀达 7 cm，幼时被稀疏的短柔毛。两性花与雄花同株，由多数雄花与 1 雌花或两性花组成近球形头状花序，花序直径约 2 cm，着生于幼枝先端；两性花位于花序先端，雄花环绕于其周围，基部具纸质的矩圆状卵形或矩圆状倒卵形花瓣状苞片 2 ~ 3；苞片长 7 ~ 15 cm，稀达 20 cm，宽 3 ~ 5 cm，稀达 10 cm，初为淡绿色，继变为乳白色，后变为棕黄色而脱落；雄花无花萼及花瓣，雄蕊 1 ~ 7，长 6 ~ 8 mm，花丝纤细，无毛，花药椭圆形，紫色；雌花或两性花具下位子房，6 ~ 10 室，每室有 1 胚珠，常下垂，子房与花托合生，先端具退化花被及短小雄蕊，花柱粗壮，6 ~ 10 分枝，柱头向外平展。核果长卵圆形，长 3 ~ 4 cm，直径 15 ~ 20 mm，紫绿色，具黄色斑点，外果皮很薄，中果皮肉质，内果皮骨质，具沟纹，果柄粗壮，圆柱形；种子 3 ~ 5。花期 4 月，果期 10 月。

| 生境分布 | 生于湿润的落叶阔叶与常绿阔叶混交林中。分布于湘中、湘东、湘北、湘西北等。

| 资源情况 | 野生资源一般。药材来源于野生。

| 采收加工 | 山白果根：全年均可采收，洗净，切段，晒干。
山白果：9 ~ 10 月果实成熟时采收，鲜用。

| 功能主治 | 山白果根：收敛止血，止泻。用于多种出血，泄泻。
山白果：苦，凉。清热解毒。用于痈肿疮毒。

| 用法用量 | 山白果根：内服煎汤，3 ~ 9 g；或研末。外用适量，研末敷。
山白果：外用适量，鲜品捣敷。

蓝果树 *Nyssa sinensis Oliv.*

| 药 材 名 | 蓝果树根（药用部位：根）。

| 形态特征 | 落叶乔木，高超过 20 m。树皮淡褐色或深灰色，粗糙，常裂成薄片而脱落；小枝圆柱形，无毛，当年生枝淡绿色，多年生枝褐色，皮孔显著，近圆形；冬芽淡紫绿色，锥形，鳞片呈覆瓦状排列。叶纸质或薄革质，互生，椭圆形或长椭圆形，稀卵形或近披针形，长12 ~ 15 cm，宽 5 ~ 6 cm，稀达 8 cm，先端短急锐尖，基部近圆形，边缘略呈浅波状，叶上面无毛，深绿色，干燥后深紫色，叶下面淡绿色，有很稀疏的微柔毛，中脉和 6 ~ 10 对侧脉均在叶上面微现，在叶下面显著；叶柄淡紫绿色，长 1.5 ~ 2 cm，上面稍扁平或微呈沟状，下面圆形。花序伞形或短总状；总花梗长 3 ~ 5 cm，幼时微被长疏

毛，后无毛；花单性；雄花着生于叶已脱落的老枝上，花梗长 5 mm，萼裂片细小，花瓣早落，窄矩圆形，较花丝短，雄蕊 5 ～ 10，生于肉质花盘周围；雌花生于具叶的幼枝上，基部有小苞片，花梗长 1 ～ 2 mm，萼裂片近全缘，花瓣鳞片状，长约 1.5 mm，花盘垫状，肉质，子房下位，与花托合生，无毛或基部微有粗毛。核果矩圆状椭圆形或长倒卵圆形，稀长卵圆形，微扁，长 1 ～ 1.2 cm，宽 6 mm，厚 4 ～ 5 mm，幼时紫绿色，成熟时深蓝色，后变深褐色，常 3 ～ 4，果柄长 3 ～ 4 mm，总果柄长 3 ～ 5 cm；种子外壳坚硬，骨质，稍扁，有 5 ～ 7 纵沟纹。花期 4 月下旬，果期 9 月。

| **生境分布** | 生于海拔 300 ～ 1 700 m 的山谷或溪边潮湿的混交林中。分布于湘西南、湘南等。

| **资源情况** | 野生资源较少。药材来源于野生。

| **采收加工** | 全年均可采收，洗净，切片，晒干。

| **功能主治** | 清热解毒，散结消癥。用于肿瘤。

| **用法用量** | 内服煎汤，9 ～ 15 g。

山茱萸科 Cornaceae 桃叶珊瑚属 Aucuba

桃叶珊瑚
Aucuba chinensis Benth.

| 药 材 名 |

天脚板（药用部位：叶）、天脚板根（药用部位：根）、天脚板果（药用部位：果实）。

| 形态特征 |

常绿小乔木或灌木，高 3 ~ 6（~ 12）m。小枝粗壮，二叉分枝，绿色，光滑，皮孔白色，长椭圆形或椭圆形，较稀疏；叶痕大，显著；冬芽球状；鳞片 4 对，交互对生，外轮鳞片较短，卵形，内轮鳞片阔椭圆形，外侧先端被柔毛。叶革质，椭圆形或阔椭圆形，稀倒卵状椭圆形，长 10 ~ 20 cm，宽 3.5 ~ 8 cm，先端锐尖或钝尖，基部阔楔形或楔形，稀两侧不对称，边缘微反卷，常具 5 ~ 8 对锯齿或腺状齿，有时为粗锯齿，叶上面深绿色，下面淡绿色，中脉在叶上面微显著，在叶下面凸出，侧脉 6 ~ 8（~ 10）对，稀与中脉相交近直角；叶柄长 2 ~ 4 cm，粗壮，光滑。圆锥花序顶生；花序梗被柔毛；雄花序长超过 5 cm，雄花绿色或紫红色，花萼先端 4 齿裂，无毛或疏被柔毛，花瓣 4，长圆形或卵形，长 3 ~ 4 mm，宽 2 ~ 2.5 mm，外侧疏被毛或无毛，先端具短尖头，雄蕊 4，长约 3 mm，着生于花盘外侧，花药黄色，2 室，花盘肉质，微 4 棱，花梗长约 3 mm，被柔毛，苞片 1，披针形，长 3 mm，外侧疏被柔毛；雌花序较雄花序短，长 4 ~ 5 cm，花萼及花瓣与雄花近等长，子房圆柱形，花柱粗壮，柱头头状，微偏斜，花盘肉质，4 微裂，小苞片 2，披针形，长 4 ~ 6 mm，边缘具睫毛，花下关节被柔毛。幼果绿色，成熟后呈鲜红色，圆柱状或卵状，长 1.4 ~ 1.8 cm，直径 8 ~ 10（~ 12）mm，萼片、花柱及柱头均宿存于核果先端。花期 1 ~ 2 月，果熟期至翌年 2 月，一、二年生果序常同存于枝上。

| 生境分布 | 生于海拔 1 000 m 以下的常绿阔叶林中。分布于湘西北、湘西南、湘南等。

| 资源情况 | 野生资源一般。药材来源于野生。

| 采收加工 | 天脚板：全年均可采收，晒干、烘干或鲜用。

天脚板根：全年均可采收，洗净，鲜用或晒干。

天脚板果：果实成熟时采摘，晒干或鲜用。

| 功能主治 | 天脚板：苦，凉。清热解毒，消肿止痛。用于痈疽肿毒，痔疮，烫火伤，冻伤，跌打损伤。

天脚板根：苦、辛，温。祛风除湿，活血化瘀。用于风湿痹痛，跌打瘀肿。

天脚板果：苦，凉。活血定痛，解毒消肿。用于跌打损伤，骨折，痈疽，痔疮，烫火伤。

| 用法用量 | 天脚板：内服煎汤，9 ~ 15 g。外用适量，捣敷；或绞汁搽；或研末调涂。

天脚板根：内服煎汤，9 ~ 15 g。外用适量，捣敷；或煎汤洗。

天脚板果：内服煎汤，9 ~ 15 g；或浸酒。外用适量，捣敷。

山茱萸科 Cornaceae 桃叶珊瑚属 *Aucuba*

密毛桃叶珊瑚 *Aucuba himalaica* Hook. f. et Thoms. var. *pilossima* Fang et Soong

| 药 材 名 |

密毛桃叶珊瑚根（药用部位：根）、密毛桃叶珊瑚果（药用部位：果实）、密毛桃叶珊瑚叶（药用部位：叶）。

| 形态特征 |

常绿小乔木或灌木。当年生枝被柔毛，老枝具白色皮孔。叶片披针形或长圆状披针形，长 10 ~ 15（~ 20）cm，宽 3 ~ 5.5 cm，先端锐尖或急尖，尖尾长 1 ~ 1.5 cm，基部楔形或阔楔形，下面密被短柔毛及硬毛，毛沿叶脉较密，边缘具稀疏锯齿。雄花序长约12 cm。果序长 2 ~ 3 cm；果实近椭圆形，长约 1.5 cm，直径 5 ~ 7 mm。

| 生境分布 |

生于海拔 1 000 ~ 1 300 m 的林中。分布于湘西北等。

| 资源情况 |

野生资源较少。药材来源于野生。

| 采收加工 |

密毛桃叶珊瑚根：全年均可采收，洗净切片，晒干。

密毛桃叶珊瑚果：果实成熟时采收，晒干。

密毛桃叶珊瑚叶：全年均可采收，洗净，鲜用或晒干。

| 功能主治 | 密毛桃叶珊瑚根：苦、辛，温。通络止痛。用于腰腿疼痛。

密毛桃叶珊瑚果：微苦，平。祛湿止带。用于赤白带下。

密毛桃叶珊瑚叶：辛、微苦，平。散瘀止血。用于跌打瘀肿，外伤出血。

| 用法用量 | 密毛桃叶珊瑚根：内服煎汤，9 ～ 15 g。

密毛桃叶珊瑚果：内服煎汤，6 ～ 9 g。

密毛桃叶珊瑚叶：外用适量，研末撒；或鲜品捣敷。

山茱萸科 Cornaceae 桃叶珊瑚属 Aucuba

喜马拉雅珊瑚

Aucuba himalaica Hook. f. et Thoms.

| 药 材 名 |

西藏桃叶珊瑚根（药用部位：根）、西藏桃叶珊瑚果（药用部位：果实）、西藏桃叶珊瑚叶（药用部位：叶）。

| 形态特征 |

常绿小乔木或灌木，高 3 ~ 6（~ 8）m，胸高直径 5 ~ 10 cm。当年生枝被柔毛，老枝具白色皮孔，长圆形，叶痕显著。叶羊皮纸质或薄革质，椭圆形、长椭圆形，稀长圆状披针形，长 10 ~ 15（~ 20）cm，宽 3 ~ 5（~ 7）cm，先端急尖或渐尖，尖尾长 1 ~ 1.5 cm，边缘 1/3 以上具 7 ~ 9 对细锯齿，叶脉在上面显著下凹，在下面凸出，被粗毛，侧脉未达叶缘即网连；叶柄长 2 ~ 3 cm，被粗毛。雄花序为总状圆锥花序，生于小枝先端，长 8 ~ 10（~ 13）cm，各部分均为紫红色，幼时密被柔毛，柔毛上段略呈紫红色，花梗长 2 ~ 2.5 mm，被柔毛，萼片小，微 4 圆裂，被柔毛，花瓣 4，长卵形，长 3 ~ 3.5 mm，宽 2 mm，先端尖尾长 1.5 ~ 2 mm，雄蕊 4，长 1 ~ 2.5 mm，花丝粗壮，花盘肉质，4 微裂；雌花序为圆锥花序，长 3 ~ 5 cm，密被粗毛及红褐色柔毛，各部分均为紫红色，萼片及花瓣与雄花相似，子房下位，被粗毛，花柱粗壮，柱头 2 微裂，花下具关节及 2 小苞片。幼果绿色，疏被毛，成熟后深红色，卵状长圆形，长 1 ~ 1.2 cm，花柱及柱头宿存于果实先端。花期 3 ~ 5 月，果期 10 月至翌年 5 月。

| 生境分布 | 生于亚热带常绿阔叶林及落叶阔叶与常绿阔叶混交林中。分布于湘西南等。

| 资源情况 | 野生资源较少。药材来源于野生。

| 采收加工 | 西藏桃叶珊瑚根：全年均可采收，洗净，切片，鲜用或晒干。

西藏桃叶珊瑚果：10 月至翌年 5 月果实成熟时采摘，晒干。

西藏桃叶珊瑚叶：全年均可采收，鲜用或晒干。

| 功能主治 | 西藏桃叶珊瑚根：辛、苦，温。祛风湿，通经络。用于风湿骨痛，腰痛，跌打损伤。

西藏桃叶珊瑚果：微苦、涩，平。祛湿止带。用于赤白带下。

西藏桃叶珊瑚叶：苦，凉。清热解毒，消肿止血。用于烫火伤，痔疮，跌打损伤，外伤出血。

| 用法用量 | 西藏桃叶珊瑚根：内服煎汤，9 ~ 15 g。外用适量，捣敷；或煎汤洗。

西藏桃叶珊瑚果：内服煎汤，3 ~ 9 g。

西藏桃叶珊瑚叶：外用适量，捣敷。

山茱萸科 Cornaceae 桃叶珊瑚属 *Aucuba*

长叶珊瑚

Aucuba himalaica Hook. f. et Thoms. var. *dolichophylla* Fang et Soong

| 药 材 名 | 长叶珊瑚果（药用部位：果实）。

| 形态特征 | 灌木，高约3 m。叶窄圆状披针形或披针形，长9～18 cm，宽1.5～3.5 cm，下面无毛或仅中脉被短柔毛，边缘具细锯齿4～7对。雄花序圆锥状，疏被毛；子房下位，圆柱形。核果圆锥状椭圆形或椭圆形，长约1.3 cm，最宽处直径约1 cm，成熟时深红色。花期4月，果期7～8月。

| 生境分布 | 生于海拔约1 000 m的常绿阔叶林下。分布于湘北、湘西北等。

| 资源情况 | 野生资源较少。药材来源于野生。

| 采收加工 | 7～8月果实成熟时采摘，晒干。

| **功能主治** | 辛、微苦，平。祛风除湿，通络止痛。用于风湿痹痛，跌打肿痛。

| **用法用量** | 内服煎汤，9 ~ 15 g。

山茱萸科 Cornaceae 桃叶珊瑚属 *Aucuba*

花叶青木

Aucuba japonica Thunb. var. *variegata* D'ombr.

| 药 材 名 | 花叶青木果（药用部位：果实）。

| 形态特征 | 常绿灌木，高 1 ~ 1.5 m。枝、叶对生。叶革质，长椭圆形、卵状长椭圆形，稀阔披针形，长 8 ~ 20 cm，宽 5 ~ 12 cm，有大小不等的黄色或淡黄色斑点，先端渐尖，基部近圆形或阔楔形，上面亮绿色，下面淡绿色，边缘上段具 2 ~ 4（~ 6）对疏锯齿或近全缘。圆锥花序顶生；雄花序长 7 ~ 10 cm，总梗被毛，小花梗长 3 ~ 5 mm，被毛，花瓣近卵形或卵状披针形，长 3.5 ~ 4.5 mm，宽 2 ~ 2.5 mm，暗紫色，先端具长 0.5 mm 的短尖头，雄蕊长 1.25 mm；雌花序长（1 ~）2 ~ 3 cm，小花梗长 2 ~ 3 mm，被毛，具 2 小苞片，子房疏被柔毛，花柱粗壮，柱头偏斜。果实卵圆形，暗紫色或黑色，长 2 cm，直

径 5 ~ 7 mm，具种子 1。花期 3 ~ 4 月，果期 5 月至翌年 4 月。

| **生境分布** | 生于岗地中。分布于湘中、湘东、湘北，以及衡阳（石鼓）、岳阳（华容）等。

| **资源情况** | 野生资源较少。药材来源于野生。

| **采收加工** | 果实成熟时采收，晒干。

| **功能主治** | 辛、微苦。祛风除湿，活血化瘀。用于风湿痹痛、跌打肿痛等。

| **用法用量** | 内服煎汤，9 ~ 15 g。

山茱萸科 Cornaceae 桃叶珊瑚属 Aucuba

倒心叶珊瑚

Aucuba obcordata (Rehd.) Fu

| 药材名 |

倒心叶桃叶珊瑚（药用部位：叶）。

| 形态特征 |

常绿灌木或小乔木，高 1 ～ 4 m。叶厚纸质，稀近革质，常呈倒心形或倒卵形，长（4 ～）8 ～ 14 cm，宽（2 ～）4.5 ～ 8 cm，先端截形或倒心形，具长 1.5 ～ 2 cm 的急尖尾，基部窄楔形，上面的侧脉微下凹，下面的侧脉凸出，边缘具缺刻状粗锯齿；叶柄被粗毛。雄花序为总状圆锥花序，长 8 ～ 9 cm，花较稀疏，紫红色，花瓣先端具尖尾，花丝粗壮；雌花序短圆锥状，长 1.5 ～ 2.5 cm，花瓣与雄花花瓣近等长。果实较密集，卵圆形，长 1.2 cm，直径 7 mm。花期 3 ～ 4 月，果熟期 11 月以后。

| 生境分布 |

生于海拔 900 ～ 2 000 m 的山坡或山脚灌木林中或沟边。分布于湘北、湘南等。

| 资源情况 |

野生资源较少。药材来源于野生。

| **采收加工** | 全年均可采收，鲜用或晒干。

| **功能主治** | 苦、微辛，平。活血调经，解毒消肿。用于痛经，月经不调，跌打损伤，烫火伤。

| **用法用量** | 内服煎汤，6 ～ 15 g。外用适量，捣敷。

山茱萸科 Cornaceae 灯台树属 *Bothrocaryum*

灯台树
Bothrocaryum controversum (Hemsl.) Pojark.

| 药 材 名 |

灯台树（药用部位：树皮、根皮、叶。别名：六角树、株木、鸡肫皮）、灯台树果（药用部位：果实）。

| 形态特征 |

落叶乔木，高6～15 m，稀达20 m。树皮光滑，暗灰色或带黄灰色；枝开展，圆柱形，无毛或疏生短柔毛，当年生枝紫红绿色，二年生枝淡绿色，有半月形叶痕和圆形皮孔；冬芽顶生或腋生，卵圆形或圆锥形，长3～8 mm，无毛。叶互生，纸质，阔卵形、阔椭圆状卵形或披针状椭圆形，长6～13 cm，宽3.5～9 cm，先端突尖，基部圆形或急尖，全缘，上面黄绿色，无毛，下面灰绿色，密被淡白色平贴短柔毛，中脉在叶上面微凹陷，在叶下面凸出，微带紫红色，无毛，侧脉6～7对，弓形内弯，在叶上面明显，在叶下面凸出，无毛；叶柄紫红绿色，长2～6.5 cm，无毛，上面有浅沟，下面圆形。伞房状聚伞花序顶生，宽7～13 cm，稀生浅褐色平贴短柔毛；总花梗淡黄绿色，长1.5～3 cm；花小，白色，直径8 mm；萼裂片4，三角形，长约0.5 mm，长于花盘，外侧被短柔毛；花瓣4，长圆状披针形，长4～4.5 mm，宽1～1.6 mm，先端钝尖，外侧疏生平贴短柔毛；雄蕊 4，着生于花盘外侧，与花瓣互生，长 4 ~ 5 mm，稍伸出花外，花丝线形，白色，无毛，长 3 ~ 4 mm，花药椭圆形，淡黄色，长约 1.8 mm，2 室，呈"丁"字形着生；花盘垫状，无毛，厚约 0.3 mm；花柱圆柱形，长 2 ~ 3 mm，无毛，柱头小，头状，淡黄绿色，子房下位；花托椭圆形，长 1.5 mm，直径 1 mm，淡绿色，密被灰白色贴生短柔毛；花梗淡绿色，长 3 ~ 6 mm，疏被贴生短柔毛。核果球形，直径 6 ~ 7 mm，成熟时紫红色至蓝黑色；核骨质，球形，直径 5 ~ 6 mm，有 8 肋纹，先端有 1 方形孔穴；果柄长 2.5 ~ 4.5 mm，无毛。花期 5 ~ 6 月，果期 7 ~ 8 月。

| 生境分布 | 生于常绿阔叶林或针阔叶混交林中。湖南有广泛分布。

| 资源情况 | 野生资源丰富。药材来源于野生。

| 采收加工 | **灯台树：** 树皮、根皮，定植 10 年以上于 5 ~ 6 月采收，晒干。叶，全年均可采收，晒干或鲜用。

灯台树果： 夏、秋季果实成熟时采摘，晒干。

| 功能主治 | **灯台树：** 微苦，凉。清热平肝，消肿止痛。用于头痛，眩晕，咽喉肿痛，关节酸痛，跌打肿痛。

灯台树果： 苦，凉。清热解毒，润肠通便，驱蛔。用于肝炎，肠燥便秘，蛔虫病。

| 用法用量 | **灯台树：** 内服煎汤，6 ~ 15 g；或研末；或浸酒。外用适量，捣敷。

灯台树果： 内服煎汤，3 ~ 10 g。

| 附　注 | 本种的拉丁学名在 FOC 中被修订为 *Cornus controversa* Hemsley。

山茱萸科 Cornaceae 梾木属 Swida

红瑞木 *Swida alba* Opiz

| 药 材 名 | 红瑞木（药用部位：树皮、枝叶。别名：椋子木）、红瑞木果（药用部位：果实）。

| 形态特征 | 灌木，高达 3 m。树皮紫红色；幼枝被淡白色短柔毛，后无毛而被蜡状白粉，老枝红白色，散生灰白色圆形皮孔及略凸起的环形叶痕；冬芽卵状披针形，长 3 ~ 6 mm，被灰白色或淡褐色短柔毛。叶对生，纸质，椭圆形，稀卵圆形，长 5 ~ 8.5 cm，宽 1.8 ~ 5.5 cm，先端突尖，基部楔形或阔楔形，全缘或波状反卷，上面暗绿色，被极少的白色平贴短柔毛，下面粉绿色，被白色贴生短柔毛，有时脉腋被浅褐色髯毛，中脉在叶上面微凹陷，在叶下面凸起，侧脉（4 ~ ）5（~ 6）对，弓形内弯，在叶上面微凹下，在叶下面凸出，细脉在两面微明

显。伞房状聚伞花序顶生，较密，宽 3 cm，被白色短柔毛；总花梗圆柱形，长 1.1 ~ 2.2 cm，被淡白色短柔毛；花小，白色或淡黄白色，长 5 ~ 6 mm，直径 6 ~ 8.2 mm；萼裂片 4，尖三角形，长 0.1 ~ 0.2 mm，短于花盘，外侧疏被短柔毛；花瓣 4，卵状椭圆形，长 3 ~ 3.8 mm，宽 1.1 ~ 1.8 mm，先端急尖或短渐尖，上面无毛，下面疏被贴生短柔毛；雄蕊 4，长 5 ~ 5.5 mm，着生于花盘外侧，花丝线形，微扁，长 4 ~ 4.3 mm，无毛，花药淡黄色，2 室，卵状椭圆形，长 1.1 ~ 1.3 mm，呈"丁"字形着生；花盘垫状，高 0.2 ~ 0.25 mm；花柱圆柱形，长 2.1 ~ 2.5 mm，近无毛，柱头盘状，宽于花柱，子房下位；花托倒卵形，长 1.2 mm，直径 1 mm，被贴生灰白色短柔毛；花梗纤细，长 2 ~ 6.5 mm，被淡白色短柔毛，与子房交接处有关节。核果长圆形，微扁，长约 8 mm，直径 5.5 ~ 6 mm，成熟时乳白色或蓝白色，花柱宿存；核棱形，侧扁，两端稍尖，呈喙状，长 5 mm，宽 3 mm，每侧有脉纹 3；果柄细圆柱形，长 3 ~ 6 mm，疏被短柔毛。花期 6 ~ 7 月，果期 8 ~ 10 月。

| 生境分布 | 生于杂木林或针阔叶混交林中。分布于湘中、湘东、湘北等。

| 资源情况 | 野生资源较少。药材来源于野生。

| 采收加工 | 红瑞木：全年均可采收，切段，晒干。
红瑞木果：秋季果实成熟时采收，晒干。

| 功能主治 | 红瑞木：苦、微涩，寒。清热解毒，止痢，止血。用于湿热痢疾，肾炎，风湿关节痛，目赤肿痛，中耳炎，咯血，便血。
红瑞木果：酸、涩，平。滋肾强壮。用于肾虚腰痛，体弱羸瘦。

| 用法用量 | 红瑞木：内服煎汤，6 ~ 9 g。外用适量，煎汤洗；或研末撒。
红瑞木果：内服煎汤，3 ~ 9 g；或浸酒。体内有郁火及湿热者慎服。

| 附　注 | 本种的拉丁学名在 FOC 中被修订为 *Cornus alba* Linnaeus。

山茱萸科 Cornaceae 山茱萸属 Cornus

川鄂山茱萸

Cornus chinensis Wanger.

| 药 材 名 |

川鄂山茱萸（药用部位：果实）。

| 形态特征 |

落叶乔木，高 4 ~ 8 m。树皮黑褐色；枝对生，
幼时紫红色，密被贴生灰色短柔毛，老时褐
色，无毛；冬芽顶生及腋生，密被黄褐色短
柔毛，花芽近球形，先端突尖，叶芽狭圆锥形。
叶对生，纸质，卵状披针形至长圆状椭圆形，
长 6 ~ 11 cm，宽 2.8 ~ 5.5 cm，先端渐尖，
基部楔形或近圆形，全缘，上面绿色，近无毛，
下面淡绿色，微被灰白色贴生短柔毛，脉腋
被明显的灰色丛毛，中脉在叶上面明显，在
叶下面凸起，侧脉 5 ~ 6 对，弓形内弯；叶
柄细圆柱形，长 1 ~ 1.5（ ~ 2.5 ） cm，上
面有浅沟，下面圆形，嫩时微被贴生短柔毛，
老后近无毛。伞形花序侧生；总苞片 4，纸
质至革质，阔卵形或椭圆形，长 6.5 ~ 7 mm，
宽 4 ~ 6.5 mm，两侧均贴生短柔毛，花开
后毛脱落；总花梗紫褐色，长 5 ~ 12 mm，
微被贴生短柔毛；花两性，先于叶开放，有
香味；萼裂片 4，三角状披针形，长 0.7 mm；
花瓣 4，披针形，黄色，长 4 mm；雄蕊 4，
与花瓣互生，长 16 mm，花丝短，紫色，无
毛，花药近球形，2 室；花盘垫状，明显；

子房下位，花柱圆柱形，长 1 ~ 1.4 mm，无毛，柱头截形；花托钟形，长约 1 mm，被灰色短柔毛；花梗纤细，长 8 ~ 9 mm，被淡黄色长毛。核果长椭圆形，长 6 ~ 8（~ 10）mm，直径 3.4 ~ 4 mm，紫褐色至黑色；核骨质，长椭圆形，长约 7.5 mm，有肋纹。花期 4 月，果期 9 月。

| **生境分布** | 生于林缘或森林中。分布于湘西北、湘西南等。

| **资源情况** | 野生资源较少。药材来源于野生。

| **采收加工** | 秋季果实成熟时分批采摘，置沸水中煮 10 ~ 15 分钟，及时捞出，浸入冷水，趁热挤出种子，取果肉晒干或烘干。

| **功能主治** | 酸、涩，微温。补肝益肾，收敛固脱。用于肝肾亏虚，头晕目眩，耳聋耳鸣，腰膝酸软，遗精，尿频，体虚多汗。

| **用法用量** | 内服煎汤，3 ~ 15 g；或入丸、散剂。体内素有湿热、郁火及小便不利者禁服。

山茱萸科 Cornaceae 山茱萸属 Cornus

山茱萸
Cornus officinalis Sieb. et Zucc.

| 药 材 名 | 山茱萸（药用部位：果肉）。

| 形态特征 | 落叶乔木或灌木，高 4 ~ 10 m。树皮灰褐色；小枝细圆柱形，无毛，稀被贴生短柔毛；冬芽顶生及腋生，卵形至披针形，被黄褐色短柔毛。叶对生，纸质，卵状披针形或卵状椭圆形，长 5.5 ~ 10 cm，宽 2.5 ~ 4.5 cm，先端渐尖，基部宽楔形或近圆形，全缘，上面绿色，无毛，下面浅绿色，稀被白色贴生短柔毛，脉腋密被淡褐色丛毛，中脉在叶上面明显，在叶下面凸起，近无毛，侧脉 6 ~ 7 对，弓形内弯；叶柄细圆柱形，长 0.6 ~ 1.2 cm，上面有浅沟，下面圆形，稍被贴生疏柔毛。伞形花序生于枝侧；总苞片 4，卵形，厚纸质至革质，长约 8 mm，带紫色，两侧略被短柔毛，花开后毛脱落；总花

梗粗壮，长约 2 mm，微被灰色短柔毛；花小，两性，先于叶开放；萼裂片 4，阔三角形，与花盘等长或较花盘稍长，长约 0.6 mm，无毛；花瓣 4，舌状披针形，长 3.3 mm，黄色，向外反卷；雄蕊 4，与花瓣互生，长 1.8 mm，花丝钻形，花药椭圆形，2 室；花盘垫状，无毛；子房下位，花柱圆柱形，长 1.5 mm，柱头截形；花托倒卵形，长约 1 mm，密被贴生疏柔毛；花梗纤细，长 0.5 ~ 1 cm，疏被柔毛。核果长椭圆形，长 1.2 ~ 1.7 cm，直径 5 ~ 7 mm，红色至紫红色；核骨质，狭椭圆形，长约 12 mm，有几条不整齐的肋纹。花期 3 ~ 4 月，果期 9 ~ 10 月。

| **生境分布** | 生于林缘或森林中。分布于湘中、湘东、湘西北等。

| **资源情况** | 野生资源一般。栽培资源一般。药材来源于野生和栽培。

| **采收加工** | 秋末冬初果皮变红时采收果实，用文火烘或置沸水中略烫后，及时除去果核，晒干或烘干。

| **药材性状** | 本品呈不规则片状或囊状，长 1 ~ 1.5 cm，宽 0.5 ~ 1 cm，有的先端有圆形宿存萼痕，基部有果柄痕。表面紫红色至紫黑色，皱缩，有光泽。质柔软。气微，味酸、涩、微苦。

| **功能主治** | 酸、涩，微温。补益肝肾，涩精固脱。用于眩晕耳鸣，腰膝酸痛，阳痿遗精，遗尿尿频，崩漏带下，大汗虚脱，内热消渴。

| **用法用量** | 内服煎汤，5 ~ 10 g；或入丸、散剂。命门火炽、强阳不痿、素有湿热、小便淋涩者忌服。

山茱萸科 Cornaceae 四照花属 Dendrobenthamia

尖叶四照花 *Dendrobenthamia angustata* (Chun) Fang

| 药 材 名 | 野荔枝（药用部位：花、叶。别名：山荔枝）、野荔枝果（药用部位：果实）。

| 形态特征 | 常绿小乔木或灌木，高 4 ~ 12 m。嫩枝被毛，灰绿色。叶对生；叶柄长 8 ~ 12 mm，嫩时被细毛，老后近无毛；叶片革质，长椭圆形或椭圆状卵形，上面嫩时被柔毛，老后无毛，下面密被紧贴白色柔毛，侧脉 3 ~ 4 对。头状花序近球形，由约 55 ~ 80 花聚集而成，直径约 1 cm，具 4 白色花瓣状总苞片；总苞片长卵形或倒卵形，长 25 ~ 32 mm，宽 11 ~ 22 mm；花萼筒状，密被粗毛，4 裂；花瓣 4；雄蕊 4，较花瓣短；花盘环状，略有 4 浅裂；子房下位。果序球形，成熟时红色，被白色细伏毛；总果柄纤细，长 6 ~ 10.5 cm。花期 6 ~ 7

月，果期 10 ~ 11 月。

| **生境分布** | 生于海拔 340 ~ 1 400 m 的混交林中。湖南有广泛分布。

| **资源情况** | 野生资源丰富。药材来源于野生。

| **采收加工** | **野荔枝**：花，6 ~ 7 月采摘，晒干。叶，全年均可采收，鲜用或晒干。
野荔枝果：秋季果实成熟时采摘，除去种子，鲜用或晒干。

| **功能主治** | **野荔枝**：涩、苦，平。清热解毒，收敛止血。用于痢疾，外伤出血，骨折。
野荔枝果：苦、甘，凉。清热利湿，驱蛔，止血。用于湿热黄疸，蛔虫病，外伤出血。

| **用法用量** | **野荔枝**：内服煎汤，9 ~ 15 g。外用适量，鲜品捣敷；或研末调敷。
野荔枝果：内服煎汤，30 ~ 60 g。外用适量，捣敷。

| **附　　注** | 本种的拉丁学名在 FOC 中被修订为 *Cornus elliptica* (Pojarkova) Q. Y. Xiang et Boufford。

山茱萸科 Cornaceae 四照花属 Dendrobenthamia

头状四照花 *Dendrobenthamia capitata* (Wall.) Hutch.

| 药 材 名 | 鸡嗉子根（药用部位：根。别名：野荔枝根）、鸡嗉子果（药用部位：果实。别名：鸡嗉果、山覆盆、一枝箭）、鸡嗉子叶（药用部位：叶。别名：野荔枝叶）。

| 形态特征 | 常绿小乔木，高 3 ～ 15 m。嫩枝密被白色贴生短柔毛。叶对生；叶柄长 1 ～ 1.4 cm，密被白色贴生短柔毛，上面有浅沟，下面圆形；叶革质或薄革质，长圆形或长圆状披针形，长 5.5 ～ 10 cm，宽 2 ～ 3.4 cm，先端锐尖，基部楔形，两面均被贴生白色短柔毛，下面毛极为稠密，中脉在叶上面稍明显，在叶下面凸出，脉腋常有凹穴。头状花序近球形，由约 100 花聚集而成，直径约 1.2 cm，具 4 白色花瓣状总苞片；总苞片倒卵形，先端尖，长 3 ～ 4 cm，宽 2 ～ 3 cm；

花萼筒状，4 裂，萼裂片圆形，先端钝；花瓣 4，黄色；雄蕊 4；花盘环状，略有 4 浅裂；子房下位，2 室。果序扁球形，成熟时紫红色；总果柄粗壮，长 4 ~ 7 cm。花期 5 ~ 6 月，果期 9 ~ 10 月。

| **生境分布** | 生于落叶阔叶与常绿阔叶混交林中。分布于湘西北、湘南等。

| **资源情况** | 野生资源一般。药材来源于野生。

| **采收加工** | 鸡嗉子根：全年均可采收，洗净，晒干。
鸡嗉子果：秋季采摘，除去果柄，洗净，晒干。
鸡嗉子叶：全年均可采收，鲜用或晒干。

| **功能主治** | 鸡嗉子根：微苦、涩，凉。清热，止泻。用于湿热痢疾，泄泻。
鸡嗉子果：甘、苦，平。杀虫消积，清热解毒，利水消肿。用于蛔虫病，食积，肺热咳嗽，肝炎，腹水。
鸡嗉子叶：苦、涩，平。消积杀虫，清热解毒，利水消肿。用于食积，疳积，虫积腹痛，肝炎，腹水，烫火伤，外伤出血，疮疡。

| **用法用量** | 鸡嗉子根：内服煎汤，10 ~ 15 g，大剂量可用至 30 g。
鸡嗉子果：内服煎汤，6 ~ 15 g。
鸡嗉子叶：内服煎汤，6 ~ 15 g；或研末。外用适量，研末撒或调搽；或煎汤洗；或捣敷。

| **附　　注** | 本种的拉丁学名在 FOC 中被修订为 *Cornus capitata* Wallich。

| 山茱萸科 | Cornaceae | 四照花属 | *Dendrobenthamia*

大型四照花
Dendrobenthamia gigantea (Hand.-Mazz.) Fang

| **药 材 名** | 大型四照花（药用部位：果实）。

| **形态特征** | 常绿小乔木，高 4 ~ 5 m；树皮灰褐色。叶对生，亚革质至厚革质，
倒卵形，稀阔椭圆形，长 8.5 ~ 16 cm，宽 3.8 ~ 7.5 cm，先端尾
状急尖，基部楔形或宽楔形，全缘；叶柄圆柱形，初被贴生短柔毛，
后无毛。头状花序球形，为 60 余花聚集而成；总苞片 4，白色，阔
倒卵形或近圆形，先端突尖，两面均近无毛；花萼管状，上部 4 裂，
稀 5 裂，裂片钝圆形，先端有时凹缺，外侧被贴生白色短柔毛，内
侧无毛；花瓣 4，卵状披针形，基部狭窄，上面无毛，下面有贴生
白色短柔毛；雄蕊 4，花丝纤细，花药椭圆形，黄色；花盘褥状，
略有 4 浅裂；花柱圆柱形，微被贴生白色短柔毛，柱头小；总花梗
圆柱形，无毛。果序球形，成熟时黄红色，近无毛；总果柄粗壮，

无毛。

| **生境分布** | 生于海拔 750 ～ 1 700 m 的常绿阔叶林下或灌丛中。分布于湖南郴州（宜章、汝城）、邵阳（绥宁）、永州（江华、宁远）、娄底（涟源）等。

| **资源情况** | 野生资源稀少。药材来源于野生。

| **功能主治** | 驱蛔，消积。用于蛔虫腹痛，饮食积滞。

| **附　注** | 本种在 FOC 中被修订为 *Cornus hongkongensis* subsp. *gigantea* (Handel-Mazzetti) Q. Y. Xiang。

山茱萸科 Cornaceae 四照花属 Dendrobenthamia

香港四照花 *Dendrobenthamia hongkongensis* (Hemsl.) Hutch.

| 药 材 名 | 香港四照花（药用部位：叶、花）、香港四照花果（药用部位：果实）。

| 形态特征 | 常绿乔木或灌木，高 5 ~ 15 m，稀达 25 m。树皮深灰色或黑褐色，平滑；幼枝绿色，疏被褐色贴生短柔毛，老枝浅灰色或褐色，无毛，有多数皮孔；冬芽小，圆锥形，被褐色细毛。叶对生，薄革质至厚革质，椭圆形至长椭圆形，稀倒卵状椭圆形，长 6.2 ~ 13 cm，宽 3 ~ 6.3 cm，先端短渐尖或短尾状，基部宽楔形或钝尖，上面深绿色，有光泽，下面淡绿色，嫩时两面被白色及褐色贴生短柔毛，渐老则变无毛而仅在下面多少散生褐色残点，中脉在叶上面明显，在叶下面凸出，侧脉（3 ~）4 对，弓形内弯，在叶上面不明显或微下凹，在叶下面凸出；叶柄细圆柱形，长 0.8 ~ 1.2 cm，嫩时被褐色短柔毛，

老后无毛。头状花序球形，由约 50 ～ 70 花聚集而成，直径 1 cm；总苞片 4，白色，宽椭圆形至倒卵状宽椭圆形，长 2.8 ～ 4 cm，宽 1.7 ～ 3.5 cm，先端钝圆，有突尖头，基部狭窄，两面近无毛；总花梗纤细，长 3.5 ～ 10 cm，密被淡褐色贴生短柔毛；花小，有香味；花萼管状，绿色，长 0.7 ～ 0.9 mm，基部有褐色毛，上部 4 裂，萼裂片不明显或呈截形，外侧被白色细毛，内侧近边缘处被褐色细毛；花瓣 4，长圆状椭圆形，长 2.2 ～ 2.4 mm，宽 1 ～ 1.2 mm，淡黄色，先端钝尖，基部渐狭；雄蕊 4，花丝长 1.9 ～ 2.1 mm，花药椭圆形，深褐色；花盘盘状，略有浅裂，厚 0.3 ～ 0.5 mm；子房下位，花柱圆柱形，长约 1 mm，微被白色细伏毛，柱头小，淡绿色。果序球形，直径 2.5 cm，被白色细毛，成熟时黄色或红色；总果柄绿色，长 3.5 ～ 10 cm，近无毛。花期 5 ～ 6 月，果期 11 ～ 12 月。

| 生境分布 | 生于湿润山谷的密林或混交林中。湖南有广泛分布。

| 资源情况 | 野生资源丰富。药材来源于野生。

| 采收加工 | **香港四照花：**全年均可采收叶，夏季采收花，除去枝梗，鲜用或晒干。
香港四照花果：秋季采收，晒干。

| 功能主治 | **香港四照花：**苦、涩，凉。收敛止血。用于外伤出血。
香港四照花果：甘、苦，温。驱蛔。用于蛔虫病。

| 用法用量 | **香港四照花：**外用适量，捣敷；或研末撒。
香港四照花果：内服煎汤，6 ～ 15 g。

| 附　注 | 本种的拉丁学名在 FOC 中被修订为 *Cornus hongkongensis* Hemsley。

山茱萸科 Cornaceae 四照花属 Dendrobenthamia

四照花

Dendrobenthamia japonica (DC) Fang var. *chinensis* (Osborn) Fang

| 药 材 名 | 四照花（药用部位：叶、花）、四照花果（药用部位：果实。别名：癞头果、梅株果）、四照花皮（药用部位：树皮、根皮）。

| 形态特征 | 落叶小乔木，高 3 ～ 5 m。树皮灰白色；小枝暗绿色，嫩枝被柔毛。叶对生于短侧枝梢端；叶柄长 5 ～ 10 mm，疏被棕色柔毛；叶片纸质或厚纸质，卵形或卵状椭圆形，长 5.5 ～ 12 cm，宽 3.5 ～ 7 cm，先端渐尖，基部宽楔形或圆形，上面绿色，下面粉绿色，两面均疏被白色柔毛。头状花序球形，由约 40 ～ 50 花聚集而成；总花梗长 4.5 ～ 7.5 cm；总苞片 4，白色，两面近无毛；花萼管状，上部 4 裂，花萼内侧有 1 圈褐色短柔毛；花瓣 4，黄色；雄蕊 4，与花瓣互生；子房下位，2 室，花柱 1，自垫状花盘中伸出，被白色柔毛。果序球

形，成熟时暗红色，直径 1.5 ～ 2.5 cm；总果柄纤细，长 5.5 ～ 9 cm，近无毛。
花期 6 ～ 7 月，果期 9 ～ 10 月。

| **生境分布** | 生于森林中。湖南有广泛分布。

| **资源情况** | 野生资源丰富。药材来源于野生。

| **采收加工** | 四照花：夏、秋季采摘，鲜用或晒干。
四照花果：秋季采摘，晒干。
四照花皮：全年均可采收，洗净，切片，晒干。

| **功能主治** | 四照花：苦、涩，凉。清热解毒，收敛止血。用于痢疾，肝炎，烫火伤，外伤出血。
四照花果：甘、苦，平。驱蛔，消积。用于虫积腹痛，饮食积滞。
四照花皮：苦、涩，平。清热解毒。用于痢疾，肺热咳嗽。

| **用法用量** | 四照花：内服煎汤，9 ～ 15 g。外用适量，捣敷；或研末撒或调敷。
四照花果：内服煎汤，6 ～ 15 g。
四照花皮：内服煎汤，9 ～ 15 g，大剂量可用 30 ～ 60 g。

山茱萸科 Cornaceae 青荚叶属 Helwingia

中华青荚叶
Helwingia chinensis Batal.

药材名

叶上珠（药用部位：叶、果实。别名：阴证药、大部参、叶上花）、叶上珠根（药用部位：根。别名：叶上果根、叶上花根）。

形态特征

常绿灌木，高 1 ～ 2 m。树皮深灰色或淡灰褐色；幼枝纤细，紫绿色。叶革质、近革质，稀厚纸质，线状披针形或披针形，长 4 ～ 15 cm，宽 4 ～ 20 mm，先端长渐尖，基部楔形或近圆形，边缘具稀疏的腺状锯齿，上面深绿色，下面淡绿色，侧脉 6 ～ 8 对，在叶上面不明显，在叶下面微显；叶柄长 3 ～ 4 cm；托叶纤细。雄花 4 ～ 5 组成伞形花序，生于叶上面中脉中部或幼枝上段，花 3 ～ 5 基数，花萼小，花瓣卵形，长 2 ～ 3 mm，花梗长 2 ～ 10 mm；雌花 1 ～ 3 生于叶上面中脉中部，花梗极短；子房卵圆形，柱头 3 ～ 5 裂。果实具种子 3 ～ 5，长圆形，直径 5 ～ 7 mm，幼时绿色，成熟后黑色；果柄长 1 ～ 2 mm。花期 4 ～ 5 月，果期 8 ～ 10 月。

生境分布

生于林缘或林下。分布于湘西北等。

资源情况	野生资源一般。药材来源于野生。

采收加工	叶上珠：夏季或初秋叶片未枯黄前，将果实连叶采摘，鲜用或晒干。
	叶上珠根：夏、秋季采收，鲜用或晒干。

功能主治	叶上珠：苦、辛，平。祛风除湿，活血解毒。用于感冒咳嗽，风湿痹痛，胃痛，痢疾，便血，月经不调，跌打瘀肿，骨折，痈疽疮毒，毒蛇咬伤。
	叶上珠根：苦、辛，平。平喘止咳，活血化瘀。用于咳喘，风湿病，劳伤，月经不调，跌打损伤。

用法用量	叶上珠：内服煎汤，9～15 g。外用适量，鲜品捣敷。
	叶上珠根：内服煎汤，10～25 g；或浸酒。外用适量，捣敷。

山荣萸科 Cornaceae　青荚叶属 Helwingia

西域青荚叶

Helwingia himalaica Hook. f. et Thoms. ex C. B. Clarke

| 药 材 名 | 叶上珠（药用部位：叶、果实。别名：阴证药、大部参、叶上花）、叶上果根（药用部位：根。别名：叶上花根）、青荚叶茎髓（药用部位：茎髓）。

| 形态特征 | 常绿灌木，高 2 ~ 3 m。幼枝细瘦，黄褐色。叶厚纸质，长圆状披针形、长圆形，稀倒披针形，长 5 ~ 11（~ 18）cm，宽 2.5 ~ 4（~ 5）cm，先端尾状渐尖，基部阔楔形，边缘具腺状细锯齿，侧脉 5 ~ 9 对，在上面微凹陷，在下面微凸出；叶柄长 3.5 ~ 7 cm；托叶长约 2 mm，常 2 ~ 3 裂，稀不裂。雄花绿色带紫色，常 14 花组成密伞花序，花 4 基数，稀 3 基数，花梗细瘦，长 5 ~ 8 mm；雌花 3 ~ 4 基数，柱头 3 ~ 4 裂，向外反卷。果实常 1 ~ 3 生于叶上

面中脉上，近球形，长 6 ~ 9 mm，直径 6 ~ 8 mm；果柄长 1 ~ 2 mm。花期 4 ~ 5 月，果期 8 ~ 10 月。

| **生境分布** | 生于林中。分布于湘中、湘东、湘西北、湘西南、湘南等。

| **资源情况** | 野生资源较少。药材来源于野生。

| **采收加工** | 叶上珠：夏季或初秋叶片未枯黄前，将果实连叶采摘，鲜用或晒干。
叶上果根：全年均可采收，洗净，切片，鲜用或晒干。
青荚叶茎髓：秋季采收枝条，截断，趁鲜用木棍顶出茎髓，理直，晒干。

| **功能主治** | 叶上珠：苦、辛，平。祛风除湿，活血解毒。用于感冒咳嗽，风湿痹痛，胃痛，痢疾，便血，月经不调，跌打瘀肿，骨折，痈疖疮毒，毒蛇咬伤。
叶上果根：辛、微甘，平。止咳平喘，活血通络。用于久咳虚喘，劳伤腰痛，风湿痹痛，跌打肿痛，胃痛，月经不调，产后腹痛。
青荚叶茎髓：甘、淡，平。通乳。用于缺乳，乳汁不畅。

| **用法用量** | 叶上珠：内服煎汤，9 ~ 15 g。外用适量，鲜品捣敷。
叶上果根：内服煎汤，6 ~ 15 g；或浸酒。外用适量，鲜品捣敷。
青荚叶茎髓：内服煎汤，3 ~ 9 g。

白粉青荚叶

Helwingia japonica (Thunb.) Dietr. var. *hppoleuca* Hemsl. ex Rehd.

| 药 材 名 | 白粉青荚叶（药用部位：茎髓、根。别名：粉背青荚叶、野通草、树儿茶）。

| 形态特征 | 落叶灌木，高 1 ~ 2 m。幼枝绿色，无毛，叶痕显著。叶纸质，卵形、卵圆形，稀椭圆形，先端渐尖，极稀尾状渐尖，基部阔楔形或近圆形，边缘具刺状细锯齿，叶上面亮绿色，下面被白粉，常呈灰白色或粉绿色，中脉及侧脉在上面微凹陷，在下面微凸出；叶柄长 1 ~ 5 cm；托叶线状分裂。花淡绿色，3 ~ 5 基数，花萼小，花瓣长 1 ~ 2 mm，镊合状排列；雄花 4 ~ 12，成伞形或密伞花序，常着生于叶上面中脉的 1/3 ~ 1/2 处，稀着生于幼枝上部；花梗长 1 ~ 2.5 mm，雄蕊 3 ~ 5，生于花盘内侧；雌花 1 ~ 3，着生于叶上面中脉的 1/3 ~ 1/2 处；花梗长 1 ~ 5 mm，子房卵圆形或球形，柱

头 3 ~ 5 裂。浆果幼时绿色，成熟后黑色，分核 3 ~ 5。花期 4 ~ 5 月；果期 8 ~ 9 月。

| **生境分布** | 生于林下、林缘。分布于湖南常德（石门）、邵阳（城步）、湘西州（保靖）等。

| **资源情况** | 野生资源稀少。药材来源于野生。

| **功能主治** | 茎髓，清热，利尿，通乳。根，活血化瘀，清热解毒。

山茱萸科 Cornaceae 青荚叶属 Helwingia

青荚叶

Helwingia japonica (Thunb.) Dietr.

| 药 材 名 | 叶上珠（药用部位：叶、果实。别名：阴证药、大部参、叶上花）、叶上果根（药用部位：根。别名：叶上花根）、青荚叶茎髓（药用部位：茎髓）。

| 形态特征 | 落叶灌木，高 1 ~ 2 m。幼枝绿色，无毛，叶痕显著。叶纸质，卵形、卵圆形，稀椭圆形，长 3.5 ~ 9（~ 18）cm，宽 2 ~ 6（~ 8.5）cm，先端渐尖，极稀尾状渐尖，基部阔楔形或近圆形，边缘具刺状细锯齿，上面亮绿色，下面淡绿色，中脉及侧脉在叶上面微凹陷，在叶下面微凸出；叶柄长 1 ~ 5（~ 6）cm；托叶线状分裂。花淡绿色，3 ~ 5 基数；花萼小；花瓣长 1 ~ 2 mm，呈镊合状排列；雄花 4 ~ 12，呈伞形或密伞花序，常着生于叶上面中脉的 1/3 ~ 1/2 处，稀着生于

幼枝上部，花梗长 1 ~ 2.5 mm，雄蕊 3 ~ 5，生于花盘内侧；雌花 1 ~ 3，着生于叶上面中脉的1/3 ~ 1/2处，花梗长 1 ~ 5 mm，子房卵圆形或球形，柱头 3 ~ 5 裂。浆果幼时绿色，成熟后黑色；种子 3 ~ 5。花期 4 ~ 5 月，果期 8 ~ 9 月。

| **生境分布** | 生于林下。湖南有广泛分布。

| **资源情况** | 野生资源丰富。药材来源于野生。

| **采收加工** | **叶上珠**：夏季或初秋叶片未枯黄前，将果实连叶采摘，鲜用或晒干。

叶上果根：全年均可采收，洗净，切片，鲜用或晒干。

青荚叶茎髓：秋季采收枝条，截断，趁鲜用木棍顶出茎髓，理直，晒干。

| **功能主治** | **叶上珠**：苦、辛，平。祛风除湿，活血解毒。用于感冒咳嗽，风湿痹痛，胃痛，痢疾，便血，月经不调，跌打瘀肿，骨折，痈疖疮毒，毒蛇咬伤。

叶上果根：辛、微甘，平。止咳平喘，活血通络。用于久咳虚喘，劳伤腰痛，风湿痹痛，跌打肿痛，胃痛，月经不调，产后腹痛。

青荚叶茎髓：甘、淡，平。通乳。用于缺乳，乳汁不畅。

| **用法用量** | **叶上珠**：内服煎汤，9 ~ 15 g。外用适量，鲜品捣敷。

叶上果根：内服煎汤，6 ~ 15 g；或浸酒。外用适量，鲜品捣敷。

青荚叶茎髓：内服煎汤，3 ~ 9 g。

山茱萸科 Cornaceae 梾木属 Swida

梾木
Swida macrophplla (Wall.) Sojak

药 材 名

椋子木（药用部位：心材）、白对节子叶（药用部位：叶）、丁榔皮（药用部位：树皮）、梾木根（药用部位：根）。

形态特征

乔木，高 3 ~ 15 m，稀 20 ~ 25 m。树皮灰褐色或灰黑色；幼枝粗壮，灰绿色，有棱角，微被灰色贴生短柔毛，不久变无毛，老枝圆柱形，疏生灰白色椭圆形皮孔及半环形叶痕；冬芽顶生或腋生，狭长圆锥形，长 4 ~ 10 mm，密被黄褐色短柔毛。叶对生，纸质，阔卵形或卵状长圆形，稀近椭圆形，长 9 ~ 16 cm，宽 3.5 ~ 8.8 cm，先端锐尖或短渐尖，基部圆形，稀宽楔形，有时稍不对称，边缘略有波状小齿，上面深绿色，幼时疏被平贴小柔毛，后近无毛，下面灰绿色，密被或有时疏被白色平贴短柔毛，沿叶脉有淡褐色平贴小柔毛，中脉在叶上面明显，在叶下面凸出，侧脉 5 ~ 8 对，弓形内弯，在叶上面明显，在叶下面稍凸起；叶柄长 1.5 ~ 3 cm，淡黄绿色，老后变无毛，上面有浅沟，下面圆形，基部稍宽，略呈鞘状。伞房状聚伞花序顶生，宽 8 ~ 12 cm，疏被短柔毛；总花梗红色，长 2.4 ~ 4 cm；花白

色，有香味，直径 8 ～ 10 mm；萼裂片 4，宽三角形，稍长于花盘，外侧疏被灰色短柔毛，长 0.4 ～ 0.5 mm；花瓣 4，质稍厚，舌状长圆形或卵状长圆形，长 3 ～ 5 mm，宽 0.9 ～ 1.8 mm，先端钝尖或短渐尖，上面无毛，背面被贴生小柔毛；雄蕊 4，与花瓣等长或稍伸出花外，花丝略粗，线形，长 2.5 ～ 5 mm，花药倒卵状长圆形，2 室，长 1.3 ～ 2 mm，呈"丁"字形着生；花盘垫状，无毛，边缘波状，厚 0.3 ～ 0.4 mm；花柱圆柱形，长 2 ～ 4 mm，略被贴生小柔毛，先端粗壮而略呈棍棒形，柱头扁平，略有浅裂，子房下位；花托倒卵形或倒圆锥形，直径约 1.2 mm，密被灰白色平贴短柔毛；花梗圆柱形，长 0.3 ～ 4（～ 5）mm，疏被灰褐色短柔毛。核果近球形，直径 4.5 ～ 6 mm，成熟时黑色，近无毛；核骨质，扁球形，直径 3 ～ 4 mm，两侧各有 1 浅沟及 6 脉纹。花期 6 ～ 7 月，果期 8 ～ 9 月。

| 生境分布 | 生于山谷森林中。湖南有广泛分布。

| 资源情况 | 野生资源丰富。药材来源于野生。

| 采收加工 | **棕子木：**全年均可采收。
白对节子叶：春、夏季采收，晒干。
丁榔皮：全年均可采收，切段，晒干。
椋木根：秋后采收，洗净，切片，晒干。

| 功能主治 | **棕子木：**甘、咸，平。活血止痛，养血安胎。用于跌打骨折，瘀血肿痛，血虚萎黄，胎动不安。

白对节子叶：苦、辛，平。祛风通络，疗疮止痒。用于风湿痛，中风瘫痪，疮疡，风疹。

丁榔皮：苦，平。祛风通络，利湿止泻。用于筋骨疼痛，肢体瘫痪，痢疾，水泻腹痛。

梾木根：甘、微苦，凉。清热平肝，活血通络。用于头痛，眩晕，咽喉肿痛，关节酸痛。

| 用法用量 | **椋子木：**内服煎汤，3 ~ 10 g；或浸酒。

白对节子叶：内服煎汤，9 ~ 15 g；或浸酒。外用适量，煎汤洗。

丁榔皮：内服煎汤，6 ~ 15 g。

梾木根：内服煎汤，6 ~ 15 g；或浸酒；或研末。体内有郁火、湿热者慎服。

| 附　　注 | 本种的拉丁学名在 FOC 中被修订为 *Cornus macrophylla* Wallich。

山茱萸科 Cornaceae 梾木属 Swida

小花梾木 *Swida parviflora* (Chien) Holub

| **药 材 名** | 小花梾木（药用部位：树皮）。

| **形态特征** | 乔木或灌木，高 3 ~ 8 m。树皮黄褐色；幼枝纤细，圆柱形，略具棱角，稀被灰白色贴生短柔毛，老枝灰褐色，疏生黄褐色皮孔；冬芽顶生或腋生，狭圆锥形，长 2 ~ 5.5 mm，被灰白色贴生短柔毛。叶对生或近对生，纸质，长椭圆形，长 4 ~ 6.5 cm，宽 1.6 ~ 3.3 cm，先端渐尖或尾状渐尖，基部楔形或宽楔形，全缘，上面绿色，下面淡绿色，均稀被淡白色贴生短柔毛，中脉在两面稍凸起，侧脉 3 ~ 4 对，弓形内弯，在叶上面稍明显，在叶下面略微凸起；叶柄细圆柱形，长 3 ~ 5 mm，幼时密被淡白色贴生短柔毛，上面有浅沟，下面圆形。伞房状聚伞花序顶生，宽 4 ~ 12 cm，有时有一披针形或卵状披针

形叶状苞片；总花梗细圆柱形，长 1 ~ 4 cm，近无毛；花小，白色，直径 4.5 mm；萼裂片 4，宽三角形，长 0.3 ~ 0.4 mm，稍长于花盘，内侧无毛，外侧仅基部被灰白色贴生短柔毛；花瓣 4，长圆状披针形或舌状长圆形，长 2.5 mm，宽近 1 mm，先端渐尖，上面无毛，下面稀被白色贴生短柔毛；雄蕊 4，长 2.3 mm，略短于花瓣，花丝线形，无毛，长约 2 mm，花药 2 室，狭倒卵形，长 1.3 mm，呈 "丁" 字形着生；花盘垫状，厚约 0.3 mm，被白色短柔毛；花柱圆柱形，长约 2 mm，略有浅沟，疏被白色贴生短柔毛，柱头小，点状，子房下位；花托倒圆锥形至倒卵形，长 1 mm，直径约 1 mm，密被淡白色贴生短柔毛；花梗圆柱形，长 0.3 ~ 2 mm，被灰白色短柔毛。核果狭倒卵形或近长圆形，长 5 ~ 6 mm，直径约 4 mm。花期 7 月，果期 8 ~ 9 月。

| 生境分布 | 生于森林中或岩石上。分布于湘西北等。

| 资源情况 | 野生资源较少。药材来源于野生。

| 采收加工 | 春、夏季采收，鲜用或切段晒干。

| 功能主治 | 甘、咸，凉。清热解毒，通经活络。用于高热不退，疟疾，腹中痞块，痛经，跌打损伤，骨折，瘫痪。

| 用法用量 | 内服煎汤，6 ~ 15 g；或浸酒。外用适量，煎汤洗；或鲜品捣敷。

| 附   注 | 本种的拉丁学名在 FOC 中被修订为 *Cornus parviflora* S. S. Chien。

山茱萸科 Cornaceae 梾木属 Swida

小梾木

Swida paucinervis (Hance) Sojak

| 药 材 名 | 穿鱼藤（药用部位：全株。别名：乌金草、水杨柳、茶头接筋叶）。

| 形态特征 | 落叶灌木，高 1 ~ 3 m，稀达 4 m。树皮灰黑色，光滑；幼枝对生，绿色或带紫红色，略具 4 棱，被灰色短柔毛，老枝褐色，无毛；冬芽顶生及腋生，圆锥形至狭长形，长 2.5 ~ 8 mm，疏被短柔毛。叶对生，纸质，椭圆状披针形、披针形，稀长圆状卵形，长 4 ~ 9 cm，稀达 10 cm，宽 1 ~ 2.3（~ 3.8）cm，先端钝尖或渐尖，基部楔形，全缘，上面深绿色，散生平贴短柔毛，下面淡绿色，被较少的灰白色平贴短柔毛或近无毛，中脉在叶上面稍凹陷，在叶下面凸出，被平贴短柔毛，侧脉通常 3 对，稀 2 或 4 对，平行斜伸或在近边缘处弓形内弯，在叶上面明显，在叶下面稍凸起；叶柄长 5 ~ 15 mm，

黄绿色，被贴生灰色短柔毛，上面有浅沟，下面圆形。伞房状聚伞花序顶生，被灰白色贴生短柔毛，宽 3.5 ～ 8 cm；总花梗圆柱形，长 1.5 ～ 4 cm，略有棱角，密被贴生灰白色短柔毛；花小，白色至淡黄白色，直径 9 ～ 10 mm；萼裂片 4，披针状三角形至尖三角形，长 1 mm，长于花盘，淡绿色，外侧被紧贴的短柔毛；花瓣 4，狭卵形至披针形，长 6 mm，宽 1.8 mm，先端急尖，质稍厚，上面无毛，下面被贴生短柔毛；雄蕊 4，长 5 mm，花丝淡白色，长 4 mm，无毛，花药长圆状卵形，2 室，淡黄白色，长 2.4 mm，呈"丁"字形着生；花盘垫状，略有浅裂，厚约 0.2 mm；子房下位，花柱棍棒形，长 3.5 mm，淡黄白色，近无毛，柱头小，截形，略有 3（～ 4）小突起；花托倒卵形，长 2 mm，直径 1.6 mm，密被灰白色平贴短柔毛；花梗细，圆柱形，长 2 ～ 9 mm，被灰色及少数褐色贴生短柔毛。核果圆球形，直径 5 mm，成熟时黑色；核近球形，骨质，直径约 4 mm，有 6 不明显的肋纹。花期 6 ～ 7 月，果期 10 ～ 11 月。

| 生境分布 | 生于河岸旁或溪边灌丛中。分布于湘西北等。

| 资源情况 | 野生资源一般。药材来源于野生。

| 采收加工 | 全年均可采收，洗净，鲜用或切段晒干。

| 功能主治 | 苦、辛，凉。清热解表，解毒疗疮。用于感冒头痛，风湿热痹，腹泻，跌打骨折，外伤出血，热毒疮肿，烫火伤。

| 用法用量 | 内服煎汤，6 ～ 15 g；或浸酒。外用适量，鲜品捣敷；或研末撒；或煎汤洗。

| 附　　注 | 本种的拉丁学名在 FOC 中被修订为 *Cornus quinquenervis* Franchet。

山茱萸科 Cornaceae 梾木属 Swida

毛梾

Swida walteri (Wanger.) Sojak

| 药 材 名 | 毛梾枝叶（药用部位：枝叶。别名：癞树叶）。

| 形态特征 | 落叶乔木，高 6 ~ 15 m。树皮厚，黑褐色，纵裂而又横裂成块状；幼枝对生，绿色，略有棱角，密被贴生灰白色短柔毛，老后黄绿色，无毛；冬芽腋生，扁圆锥形，长约 1.5 mm，被灰白色短柔毛。叶对生，纸质，椭圆形、长圆状椭圆形或阔卵形，长 4 ~ 12（~ 15.5）cm，宽 1.7 ~ 5.3（~ 8）cm，先端渐尖，基部楔形，有时稍不对称，上面深绿色，稀被贴生短柔毛，下面淡绿色，密被灰白色贴生短柔毛，中脉在叶上面明显，在叶下面凸出，侧脉 4（~ 5）对，弓形内弯，在叶上面稍明显，在叶下面凸起；叶柄长（0.8 ~）3.5 cm，幼时被短柔毛，后渐无毛，上面平坦，下面圆形。伞房状聚伞花序顶生，

花密，宽 7 ~ 9 cm，被灰白色短柔毛；总花梗长 1.2 ~ 2 cm；花白色，有香味，直径 9.5 mm；萼裂片 4，绿色，齿状三角形，长约 0.4 mm，与花盘近等长，外侧被黄白色短柔毛；花瓣 4，长圆状披针形，长 4.5 ~ 5 mm，宽 1.2 ~ 1.5 mm，上面无毛，下面被贴生短柔毛；雄蕊 4，无毛，长 4.8 ~ 5 mm，花丝线形，微扁，长 4 mm，花药淡黄色，长圆状卵形，2 室，长 1.5 ~ 2 mm，呈"丁"字形着生；花盘明显，垫状或腺体状，无毛；花柱棍棒形，长 3.5 mm，被稀疏的贴生短柔毛，柱头小，头状，子房下位；花托倒卵形，长 1.2 ~ 1.5 mm，直径 1 ~ 1.1 mm，密被灰白色贴生短柔毛；花梗细圆柱形，长 0.8 ~ 2.7 mm，被稀疏短柔毛。核果球形，直径 6 ~ 7（~ 8）mm，成熟时黑色，近无毛；核骨质，扁圆球形，直径 5 mm，高 4 mm，有不明显的肋纹。花期 5 月，果期 9 月。

| 生境分布 | 生于杂木林或密林下。分布于湘中、湘东、湘西北、湘南等。

| 资源情况 | 野生资源较少。药材来源于野生。

| 采收加工 | 春、夏季采收，鲜用或晒干。

| 功能主治 | 解毒敛疮。用于漆疮。

| 用法用量 | 外用适量，鲜品捣涂；或煎汤洗；或研末撒。

| 附　注 | 本种的拉丁学名在 FOC 中被修订为 *Cornus walteri* Wangerin。

山茱萸科 Cornaceae 鞘柄木属 Toricellia

角叶鞘柄木

Toricellia angulata Oliv.

| 药 材 名 |

水冬瓜根（药用部位：根或根皮。别名：接骨丹根）、水冬瓜叶（药用部位：叶。别名：接骨丹叶）、水冬瓜花（药用部位：花。别名：接骨丹花）。

| 形态特征 |

落叶灌木或小乔木，高2.5 ~ 8 m。树皮灰色；老枝黄灰色，有长椭圆形皮孔及半环形叶痕，髓部宽，白色。叶互生；叶柄长2.5 ~ 8 cm，基部扩大成鞘并包于枝上；叶片膜质或纸质，阔卵形或近圆形，长6 ~ 15 cm，宽5.5 ~ 15.5 cm，裂片5 ~ 7，近基部的裂片较小，掌状叶脉5 ~ 7，直达叶缘，在两面均凸起。总状圆锥花序顶生，下垂；雄花序长5 ~ 30 cm，密被短柔毛，萼管倒圆锥形，萼裂片5，齿状，花瓣5，长圆状披针形，长1.8 mm，先端钩状内弯，雄蕊5，与花瓣互生，花丝短，无毛，花药长圆形，2室，花盘垫状，圆形，中间有3退化花柱，花梗纤细，长2 mm，疏生短柔毛，近基部有2长披针形小苞片，小苞片长0.3 ~ 1.3 mm；雌花序较长，长常达35 cm，花较稀疏，花萼管状钟形，无毛，萼裂片5，披针形，不整齐，长0.8 ~ 1.2 mm，先端疏生纤毛，无花瓣，子房倒卵形，3 室，与萼管合生，无毛，长 1.2 mm，柱头微曲，下延，花梗细圆柱形，有小苞片 3，小苞片大小不等，长 1 ~ 2.5 mm。果实核果状，卵形，直径 4 mm；花柱宿存。花期 4 月，果期 6 月。

| **生境分布** | 生于林缘或溪边。分布于湘中、湘东、湘西北等。

| **资源情况** | 野生资源一般。药材来源于野生。

| **采收加工** | 水冬瓜根：秋后采收，洗净，鲜用或切片晒干。
水冬瓜叶：春、夏季采收，晒干。
水冬瓜花：春季开花时采收，阴干。

| **功能主治** | 水冬瓜根：辛、微苦，微温。祛风除湿，活血接骨。用于风湿关节痛，跌打瘀肿，骨折，闭经。
水冬瓜叶：微苦，凉。清热解毒，利湿。用于咽喉肿痛，肺热咳喘，热淋，泄泻。
水冬瓜花：甘、微苦，平。破血通经，止咳平喘。用于血瘀经闭，久咳，哮喘。

| **用法用量** | 水冬瓜根：内服煎汤，6 ~ 15 g；或浸酒。外用适量，捣敷。孕妇慎服。
水冬瓜叶：内服煎汤，9 ~ 15 g。外用适量，研末吹喉。
水冬瓜花：内服煎汤，6 ~ 15 g。孕妇慎服。

山茱萸科 Cornaceae 鞘柄木属 Toricellia

有齿鞘柄木 Toricellia angulata Oliv. var. intermedia (Harms) Hu

| 药 材 名 | 大接骨丹（药用部位：根或根皮、树皮、叶。别名：水冬瓜木、接骨丹、接骨草树）。

| 形态特征 | 落叶灌木或小乔木，高 2.5 ～ 8 m。树皮灰色；老枝黄灰色，有长椭圆形皮孔及半环形叶痕。叶互生；叶柄长约 5 cm，基部扩大成鞘并包于枝上；叶片膜质或纸质，阔卵形或近圆形，长 6 ～ 15 cm，宽 5 ～ 15 cm，裂片 5 ～ 7，裂片边缘有牙齿状锯齿，掌状脉 5 ～ 7，直达叶缘，在两面均凸起。总状圆锥花序顶生，下垂；雄花序长 5 ～ 30 cm，密被短柔毛，萼管倒圆锥形，萼裂片 5，花瓣 5，长圆状披针形，先端钩状内弯，雄蕊 5，与花瓣互生，花盘垫状，圆形，中间有 3 退化花柱，花梗纤细，近基部有 2 长披针形小苞片；雌花

序较长，长常达 35 cm，花萼管状钟形，裂片 5，披针形，无花瓣及雄蕊，子房倒卵形，3 室，与萼管合生，花梗细圆柱形，有小苞片 3。果实核果状，卵形，直径 4 mm；花柱宿存。花期 4 月，果期 6 月。

| **生境分布** | 生于林下。分布于湘西北、湘西南等。

| **资源情况** | 野生资源较少。药材来源于野生。

| **采收加工** | 全年均可采收，鲜用或晒干。

| **功能主治** | 辛、微苦，平。活血舒筋，祛风除湿。用于跌打瘀肿，筋伤骨折，闭经，风湿痹痛，胃痛，腹痛，泄泻，水肿。

| **用法用量** | 内服煎汤，6 ~ 15 g。外用适量，捣敷；或研末调敷。